1434

GAVIN MENZIES

1434

El año en que una flota china llegó a Italia e inició el Renacimiento

Traducción de Marita Usés

DEBATE

El papel utilizado para la impresión de este libro ha sido fabricado a partir de madera procedente de bosques y plantaciones gestionadas con los más altos estándares ambientales, garantizando una explotación de los recursos sostenible con el medio ambiente y beneficiosa para las personas.

Por este motivo, Greenpeace acredita que este libro cumple los requisitos ambientales y sociales necesarios para ser considerado un libro «amigo de los bosques». El proyecto «Libros amigos de los bosques» promueve la conservación y el uso sostenible de los bosques, en especial de los Bosques Primarios, los últimos bosques vírgenes del planeta.

Título original: *1434*

Primera edición: marzo de 2009
Publicado por acuerdo con William Morrow, un sello de HarperCollins Publishers.

© 2008, Gavin Menzies. Todos los derechos reservados
© 2009, de la presente edición en castellano para todo el mundo:
   Random House Mondadori, S. A.
   Travessera de Gràcia, 47-49. 08021 Barcelona
© 2009, Marita Osés Serda, por la traducción
Mapa de las guardas: Liu Gang 1418 / 1763 © Liu Gang, 2008

Printed in Spain – Impreso en España

ISBN: 978-84-8306-830-4
Depósito legal: B-5.081-2009

Fotocomposición: Víctor Igual, S. L.
Impreso en Limpergraf
Mogoda, 29. Barberà del Vallès (Barcelona)

Encuadernado en Relligats Mollet

C 848304

Dedico este libro a mi querida esposa, Marcella,
compañera de los viajes que se relatan en él y de mi vida

NOMENCLATURA CHINA

Casi todos los nombres propios chinos se han escrito en pinyin, que es la ortografía de uso corriente hoy en día. Por ejemplo, se escribe Mao Zedong, no Mao Tse-Tung. No obstante, en aras a simplificar las cosas, he conservado la antigua forma de romanizar los nombres denominada Wade-Gilles en los casos más conocidos por los lectores occidentales. Es el caso del Wu Pei Chi, forma más corriente que Wu Bei Zhi. También he mantenido la ortografía de los topónimos cantoneses más conocidos, y he escrito Hong Kong y Cantón en lugar de Xianggang y Guangzhou. He dejado en la forma antigua las inscripciones que figuran en las cartas de navegación, así como en los textos académicos de la bibliografía.

ÍNDICE

11

TERCERA PARTE
EL LEGADO DE CHINA

INTRODUCCIÓN

Una de las cosas que mayor perplejidad me causó cuando escribí *1421* fue la falta de curiosidad que manifestaron muchos historiadores profesionales.

Al fin y al cabo, se supone que Cristóbal Colón descubrió América en 1492. Sin embargo, dieciocho años antes de levar anclas, Colón tenía un mapa de América, hecho que registró posteriormente en sus cuadernos de bitácora. En efecto, incluso antes de su primer viaje, Colón había firmado un contrato con los Reyes Católicos en virtud del cual le nombraban virrey de América. Su capitán de barco, Martín Alonso Pinzón, que lo acompañó en 1492, también había visto un mapa de América... en la biblioteca del Papa.

¿Cómo se descubre un sitio del que ya se tiene un mapa? La misma pregunta podríamos hacerle a Magallanes. El estrecho que conecta el Atlántico con el Pacífico lleva el nombre del gran explorador portugués. Cuando Magallanes llegó a aquel estrecho en 1520, se había quedado sin víveres y sus marineros habían acabado comiendo ratas. Esteban Gómez se erigió en cabecilla de un motín, haciéndose con el *San Antonio* con la intención de dirigir parte de la expedición de regreso a España. Magallanes sofocó el motín argumentando que no se habían perdido. Un miembro de la tripulación escribió: «Todos creíamos que [el estrecho] era un callejón sin salida; pero el capitán sabía que tenía que atravesar un estrecho muy bien escondido, porque lo había visto en un mapa que se conservaba en el tesoro del rey de Portugal, realizado por Martín de Bohemia, hombre de gran sabiduría».[1]

¿Por qué bautizaron al estrecho con el nombre de Magallanes si él lo había visto en un mapa antes de hacerse a la mar? No tiene sentido.

La paradoja podría tener su explicación si no hubiese habido mapas del estrecho o del océano Pacífico... si, como algunos piensan, Magallanes se estaba echando un farol al decir que lo había visto en un mapa. Pero los mapas existían. Martin Waldseemüller publicó un mapa de América y del Pacífico en 1507, doce años antes de que Magallanes se hiciese a la mar. En 1515, cuatro años antes de que Magallanes zarpase, Johannes Shöner publicó un mapa en el que figuraba el estrecho «descubierto» por Magallanes.

El misterio se hace aún más oscuro si pensamos en los dos cartógrafos, Waldseemüller y Schöner. ¿Eran ambos dos curtidos capitanes de navío que habían realizado heroicos viajes surcando el Pacífico antes que Magallanes? ¿Deberíamos rebautizar el estrecho y ponerle por nombre Schöner? En absoluto.

Schöner nunca se hizo a la mar. Suspendió los exámenes de la Universidad de Erfurt, que abandonó sin licenciarse. Se hizo aprendiz de cura en 1515, pero por no celebrar una misa fue relegado a un pueblo pequeño donde su castigo consistió en tener que oficiar la primera misa de la mañana. ¿Cómo un joven de la Alemania rural sin tradición marinera pudo elaborar un mapa del Pacífico mucho antes de que Magallanes descubriera aquel océano?

Al igual que Schöner, tampoco Waldseemüller había visto el mar. Nacido en Wolfenweiler, cerca de Friburgo, en 1475, se pasó la vida como canónigo en Saint-Dié, al este de Francia, en una región conocida por sus ciruelas, pero completamente desprovista de tradición marinera. Waldseemüller también abandonó la universidad sin licenciarse. No obstante, en su mapa de América figuran la Sierra Madre de México y la Sierra Nevada de América del Norte antes de que Magallanes llegara al Pacífico o de que Balboa alcanzara aquella costa.

Estos dos rústicos cartógrafos no fueron los únicos europeos con una inexplicable clarividencia respecto de las tierras desconocidas. En 1419, antes incluso de que empezaran los viajes de exploración europeos, Albertin de Virga publicó un mapa del hemisferio oriental en el que figura el norte de Australia. Tuvieron que transcurrir 350 años más para que el capitán Cook «descubriera» aquel continente. Igualmente, Brasil aparecía en los mapas portugueses antes de que Cabral y Dias, los primeros de aquel reino, se embarcaran rumbo a Brasil. Y las islas Shetland del Sur aparecían en el mapa de Piri Reis cuatrocientos años antes de que los europeos llegaran al Antártico.

Los grandes exploradores europeos eran hombres valientes y decididos. Pero no descubrieron nada. Magallanes no fue el primero en dar la vuelta al mundo, ni Colón el primero en descubrir América. Así que podríamos preguntarnos: ¿por qué se empeñan los historiadores en propagar esta fantasía?; ¿por qué se sigue utilizando en las escuelas el *The Times Atlas of World Exploration*?, ¿por qué se engaña a los estudiantes con tanta insistencia?

Después de la publicación de *1421* creamos nuestra web, www.1421.tv, que ha recibido millones de visitas desde entonces. Además, hemos recibido cientos de miles de correos electrónicos de los lectores de *1421*, muchos de ellos aportando nuevas pruebas. Uno de los aspectos que se me ha criticado con más frecuencia es que no expliqué las visitas de las flotas chinas a Europa cuando el Renacimiento comenzaba a despuntar.

Hace dos años, Tai Peng Wang, un erudito canadiense de origen chino, descubrió crónicas chinas e italianas que constataban sin lugar a dudas que unas delegaciones chinas habían llegado a Italia durante los reinados de Zhu Di (1403-1424) y del emperador Xuan De (1426-1435). Como es natural, aquel dato tenía un enorme interés para mí y para el equipo de investigación.

Poco después del descubrimiento de Tai Peng Wang en 2005, mi mujer, Marcella, y yo fuimos de viaje a España con unos amigos. Durante unos diez años habíamos pasado las vacaciones con aquel mismo grupo, y habíamos viajado a lugares aparentemente inaccesibles: atravesamos los Andes, el Himalaya, el Karakoran y el Hindu Kush, viajamos vadeando el Amazonas, o hasta los glaciares de la Patagonia y al Altiplano de Bolivia. En 2005 recorrimos el Camino de la Plata desde Sevilla, de donde habían partido los conquistadores hacia el Nuevo Mundo, al norte de Extremadura, su tierra natal. Por el camino, visitamos las ciudades en las que dichos conquistadores nacieron y se criaron. Una de ellas fue Toledo, pintada por el Greco con tanto arte. Me interesaba especialmente el sistema medieval de bombeo mediante el cual esta ciudad fortificada construida sobre un montículo tomaba el agua del río que fluía mucho más abajo.

En un hermoso día de otoño, subimos caminando hasta la catedral que domina la vista sobre Toledo y todas las tierras que la rodean. Dejamos nuestras mochilas en un pequeño hotel adosado a los muros de la catedral y empezamos a explorar. En un palacete árabe cercano había una exposición dedicada a Leonardo da Vinci y sus códices de Madrid, que se centraba en sus bombas, acueductos, esclusas y canales; todo muy importante para Toledo.

En la exposición leímos la siguiente nota: «Leonardo se embarcó en un análisis profundo de las vías marítimas y fluviales. El encuentro con Francesco di Giorgio en Pavía en 1490 resultó un momento decisivo en la formación de Leonardo, un punto de inflexión. Se propuso escribir un tratado sobre el agua». Aquello me dejó perplejo. Yo había estudiado que Leonardo diseñó los primeros canales y esclusas de Europa, que fue el primero en dibujar bombas de agua y fuentes. ¿Qué interesante formación habría recibido de Francesco di Giorgio, nombre absolutamente desconocido para mí?

Averigüé que Leonardo había tenido un ejemplar del tratado de maquinaria civil y militar de Di Giorgio. En el tratado, Di Giorgio había ilustrado y descrito una amplia gama de máquinas asombrosas, muchas de las cuales Leonardo reprodujo posteriormente en dibujos tridimensionales. Las ilustraciones no se limitaban a canales, esclusas y bombas; contenían también paracaídas, depósitos sumergibles y ametralladoras, así como cientos de máquinas con aplicaciones civiles y militares. Aquello me conmocionó. Daba la sensación de que Leonardo había sido más ilustrador que inventor y que el genio especial había residido en Di Giorgio. ¿Fue Di Giorgio el inventor original de aquellas máquinas fantásticas? ¿O acaso las copió también de otra persona?

Me enteré de que Di Giorgio había heredado cuadernos y tratados de otro italiano, Mariano di Jacopo, apodado Taccola («el cuervo»). Taccola era un funcionario de obras públicas que vivía en Siena. A pesar de no haber visto nunca el mar y de no haber participado en ninguna batalla, consiguió dibujar una amplia gama de instrumentos náuticos —barcos impulsados por ruedas de palas, hombres rana y máquinas para rescatar restos de naufragios— junto con una serie de armas de pólvora, e incluso un método avanzado para fabricarlas y para diseñar un helicóptero. Parece que Taccola fue el artífice de casi todas las ilustraciones técnicas que luego mejoraron Di Giorgio y Leonardo.

Así que volvemos a sentir nuestra ya familiar perplejidad: ¿cómo es posible que un funcionario de una remota ciudad italiana situada en lo alto de una colina, un hombre que jamás había viajado al extranjero ni gozado de formación universitaria, llegara a crear aquellas ilustraciones técnicas de unas máquinas absolutamente asombrosas?

Este libro pretende explicar este y otros enigmas relacionados con él. Al hacerlo, nos tropezamos con el mapa de América que Paolo Toscanelli, coetáneo de Taccola, envió a Cristóbal Colón y al rey de Portugal, en cuya biblioteca lo encontró Magallanes.

Al igual que sucedió con *1421*, el presente libro es una empresa colectiva y no habría podido ser escrito sin la ayuda de miles de personas de todo el mundo. No pretendo dar respuestas definitivas a todos los enigmas. Esta es una tarea abierta. De hecho, espero que los lectores se animen a investigar las respuestas y las compartan con nosotros, como hicieron tantos otros tras la publicación de *1421*.

No obstante, antes de encontrarnos con la escuadra china a su llegada a Venecia y posteriormente a Florencia, es necesario explicar un poco de historia para entender los objetivos del emperador Xuan De a cuyo servicio estuvo el Gran Eunuco Zheng He en calidad de embajador para Europa. Una orden imperial de Xuan De, fechada el 29 de junio de 1430, dice así:

> Todo prospera y se renueva, pero los Países Extranjeros situados muy lejos, allende los mares, no han oído y no saben. Por este motivo, los Grandes Directores Zheng He, Wang Jinghong y otros fueron envia-

dos especialmente, para llevar la nueva, para ir e instruirlos y obtener su respeto y su sumisión.

Los tres primeros capítulos de este libro describen los dos años de preparativos en China e Indonesia para dar cumplimiento a aquella orden, que exigía la construcción y el aprovisionamiento de la flota más grande que había visto el mundo para viajar por él. En el capítulo 4 se explica cómo los chinos calculaban la longitud sin brújulas y la latitud sin sextantes, requisitos indispensables para dibujar mapas precisos de las nuevas tierras. En los capítulos 5 y 6 se describe cómo la flota zarpó desde la costa de Malabar en la India, navegó hasta el canal que une el mar Rojo con el Nilo y siguió luego el curso del río hasta el Mediterráneo. Algunos han argumentado que en ninguna crónica china figura el dato de que las flotas de Zheng He saliesen del océano Índico. Los capítulos 5 y 6 documentan las muchas crónicas de China, Egipto, Dalmacia, Venecia, Florencia y los Estados Papales que describen el viaje de esta flota.

En el capítulo 21 expongo la inmensa transferencia de conocimientos que se produjo en 1434 entre China y Europa. Estos conocimientos tienen su origen en un pueblo que a lo largo de un milenio había creado una avanzada civilización en Asia; se los entregó a Europa en el preciso momento en que esta despertaba de un milenio de estancamiento como consecuencia de la caída del Imperio romano.

Tradicionalmente se ha explicado el Renacimiento como la vuelta a las civilizaciones clásicas de Grecia y Roma. Me parece que ha llegado el momento de hacer otra valoración de esta perspectiva histórica eurocéntrica. Si bien los ideales de Grecia y Roma desempeñaron un papel importante en el Renacimiento, me permito sugerir que la transferencia de capital intelectual de China a Europa fue la chispa que encendió esta etapa histórica y artística.

Internet ha revolucionado la profesión de historiador, y aunque no es necesario que los lectores de este libro consulten la web de *1434*, encontrarán en ella una gran cantidad de información complementaria sobre el papel de China en el Renacimiento. De vez en cuando, hago referencia a lo largo del texto a temas específicos que se tratan con mayor profundidad en la web. Creo que puede resultar interesante para muchas personas. La web de *1421* también se ha convertido en un foro de discusión, y espero que ocurra lo mismo con la de *1434*. Cuando termine de leer el libro, le ruego que nos comunique si está de acuerdo con sus conclusiones.

GAVIN MENZIES
Nueva York, 17 de julio de 2007

Primera parte

Preparativos

1

UN ÚLTIMO VIAJE

En el verano de 1421, el emperador Zhu Di perdió una apuesta colosal y, con ello, el control de China y, al cabo de un tiempo, su propia vida.

Los sueños de Zhu Di eran tan desmesurados que, aun siendo China la mayor potencia del planeta a principios del siglo xv, no pudo reunir todos los medios necesarios para materializar las monumentales ambiciones del emperador. Además de emprender simultáneamente la construcción de la Ciudad Prohibida, de las tumbas Ming y del Templo del Cielo, China estaba construyendo también dos mil naves para las flotas de Zheng He. Estos enormes proyectos habían expoliado los bosques dejándolos sin madera, y por este motivo enviaron a los cunucos a saquear Vietnam. Pero el líder vietnamita, Le Loi, les plantó cara con habilidad y valentía y marcó los límites al ejército chino, lo que supuso un coste económico y psicológico enorme. China libró su guerra de Vietnam seiscientos años antes que Francia y que Estados Unidos.[1]

La derrota de China en tierras vietnamitas fue el resultado directo de los costes de construir y mantener las flotas, mediante las cuales el emperador pretendía imponer la armonía confuciana en el marco de su sistema tributario. Las flotas estaban capitaneadas por eunucos, valientes marinos absolutamente leales al emperador, permanentemente inseguros y dispuestos a sacrificarlo todo por él. No obstante, los eunucos eran también iletrados y, con frecuencia, corruptos. Y eran odiados por los mandarines, la clase administrativa culta que apuntalaba el sistema confuciano en el que cada ciudadano tenía asignado un lugar claramente definido.

Como excelentes administradores que eran, los mandarines evitaban todo riesgo. Reprobaban las extravagantes aventuras de las flotas de exploración, cuyas hazañas remotas conllevaban la desventaja añadida de ponerles en contacto con los «bárbaros de nariz larga». En la dinastía Yuan (1279-1368), los mandarines habían constituido la clase inferior.[2] Sin embargo, en la dinastía Ming el emperador Hong Wu, padre de Zhu Di, había invertido el sistema de clases en favor de los mandarines.

Fueron ellos quienes planearon el ataque de Hong Wu a su hijo Zhu Di, el príncipe de Yan, a quien Hong había desterrado a Beijing (en aquel entonces la capital de China era Nanjing). Los eunucos se pusieron del lado de Zhu Di, y lo acompañaron rumbo al sur en su ofensiva hacia Nanjing. Tras su victoria en 1402, Zhu Di les manifestó su agradecimiento confiándoles el mando de las flotas del tesoro.

Henry Tsai ofrece un vivo retrato de Zhu Di, conocido también como el emperador Yongle:

Era un fuera de serie. A él le debemos la construcción de la imponente Ciudad Prohibida de Beijing, que sigue en pie hoy en día, impresionando a los visitantes de países lejanos. Se merece un aplauso por patrocinar las legendarias expediciones marítimas del almirante Zheng He, eunuco musulmán, cuyo legado sigue vivo en la conciencia histórica de muchos ciudadanos del sudeste asiático y de África oriental. Fortaleció la estructura de poder del imperio absolutista que fundó su padre, el emperador Hongwu, y extendió los tentáculos de la civilización china a Vietnam, Corea y Japón, por nombrar algunos de los estados tributarios de la China Ming. Limó las asperezas existentes en la relación de China con los mongoles, de quienes el emperador Hongwu había recuperado el Imperio chino. Hizo posible la compilación de varios textos chinos importantes, incluida la monumental enciclopedia *Yongle dadian* ...

Yongle (el otro nombre de Zhu Di) era también un usurpador, un hombre cuyas manos se mancharon con la sangre de innumerables víctimas políticas. Y el derramamiento de sangre no se detuvo ahí. Una vez en el trono, organizó una red de información muy sólidamente tejida integrada por eunucos a los que su padre había apartado deliberadamente de la vida política, con el fin de que espiaran a los funcionarios mejor preparados [mandarines] que pudieran cuestionar su legitimidad y su absolutismo.[3]

Bajo el reinado de Zhu Di, los mandarines fueron relegados a la función de organizar una economía que le permitiera construir la flota. Pero, durante muchas generaciones, los mandarines que habían gobernado en la dinastía Ming y habían compilado casi todas las fuentes históricas chinas, habían considerado que los viajes capitaneados por Zheng He eran una desviación del camino recto. Los mandarines hicieron todo lo posible por minimizar los logros de Zheng He. Como señala Edward L. Dreyer, en el *Shi-lu Ming* («Crónicas de la dinastía Ming») la biografía de Zheng He fue colocada deliberadamente antes de una serie de capítulos sobre los eunucos «que se juntan con "aduladores e impostores", "ministros traidores", "bandidos ambulantes" y "toda clase de gentes intrínsecamente malvadas"».[4]

Mientras los viajes prosperaron, con la consiguiente afluencia de tributos a las arcas del Reino Medio para financiar las aventuras de las flotas, pudo contenerse la crispada rivalidad entre mandarines y eunucos. Pero en el verano de 1421 el reinado de Zhu Di cayó en desgracia. Para empezar, la Ciudad Prohibida, cuya construcción había costado enormes cantidades de dinero, quedó reducida a cenizas a consecuencia de un relámpago. Además, el emperador se volvió impotente y era objeto de mofa por parte de sus concubinas. Para colmo de humillaciones se cayó del caballo, que le había regalado Sha Rokh, hijo de Tamerlán.[5] Parecía que Zhu Di había perdido el favor de los dioses.

En diciembre de 1421, en un período en el que los campesinos chinos ya no tenían para comer más que hierbas, Zhu Di se embarcó en otro exceso. Capitaneó un enorme ejército hasta la estepa del norte para luchar contra las tropas mongoles de Aruqtai, que se había negado a pagar el tributo.[6]

Aquello fue demasiado para Xia Yuanji, el ministro de Economía; se negó a financiar la expedición. Zhu Di hizo que lo arrestaran junto con el ministro de Justicia, que también había puesto objeciones a la aventura. Fang Bin, el ministro de la Guerra, se suicidó.

Con el país en bancarrota y el gabinete en rebelión, el emperador cabalgó hasta la estepa, donde fue vencido por Aruqtai táctica y estratégicamente. Zhu Di murió el 12 de agosto de 1424.[7]

Zhu Gaozhi, el hijo de Zhu Di, fue el siguiente emperador y rápidamente invirtió la política de su padre. Xia Yuanji fue rehabilitado como ministro de Economía y se adoptaron medidas fiscales drásticas para contener la inflación. El primer edicto de Zhu Gaozhi al subir al trono el 7 de septiembre de 1421 inmovilizó la flota de exploración; ordenó que se interrumpieran todos los viajes de los barcos que la integraban. Todos los barcos atracados en Taicang recibieron órdenes de regresar a Nanjing.[8]

Los mandarines habían recuperado las riendas del poder. El gran Zheng He fue jubilado junto con sus almirantes y capitanes. Las naves se abandonaron en sus amarres. Los diques secos de Nanjing fueron inundados y se quemaron los planos de construcción de otros barcos de exploración.

Y de pronto, el 29 de mayo de 1425, Zhu Gaozhi murió súbitamente. Le sucedió su hijo Zhu Zhanji, el nieto de Zhu Di.

Zhu Zhanji parecía destinado a ser uno de los emperadores más grandes de China. Era mucho más prudente que Zhu Di, pero tremendamente listo. Pronto se dio cuenta de que la abdicación de China como reina de los mares tendría consecuencias desastrosas. Una de ellas era especialmente importante: los bárbaros dejarían de pagar tributos. Aún más, el sueño de un mundo unido por la armonía confuciana se haría añicos y las enormes inversiones que habían permitido a China procurarse aliados y enclaves en todo el mundo se habrían malgastado.

Zhu Zhanji también se dio cuenta de que los eunucos a los cuales su padre había retirado su favor tenían sus cualidades. Organizó una escuela en palacio para darles formación y eligió a varios de ellos para ocupar importantes cargos militares. Anuló los planes de su padre de desplazar la capital hacia el sur, a Nanjing, y confirmó su ubicación en Beijing, enfrentándose una vez más a los mongoles. Pero también creía en las virtudes confucianas que profesaban los mandarines y cultivó su amistad al amparo de buenos vinos. En muchos aspectos, Zhu Zhanji combinaba lo mejor de su padre, incluida su preocupación por los campesinos, con lo mejor de su abuelo, cuya audacia emuló acercándose a los bárbaros.

El nuevo reinado se denominaría Xuan De, «propagador de la virtud». Por lo que respecta a Zheng He y a los eunucos en general, marcó su regreso al primer plano. Pronto se proyectaría otra gran expedición marítima para llevar a los bárbaros el mensaje del respeto y la sumisión debidos al emperador.

2

EL EMBAJADOR
DEL EMPERADOR

En 1430 el joven emperador otorgó facultades a los almirantes Zheng He y Wang Jinghong para que actuaran en su nombre, de lo que daba fe un medallón de bronce especialmente acuñado en una mezcla de escritura zhuanshu[1] y kaishu[2], que rezaba: «autorizados e investidos por xuan de, de la gran dinastía ming».

El emperador nombró embajador a Zheng He. Este es el edicto extraído del *Shi-lu* de *Xuanzong*, fechado el 29 de junio de 1430: «Todo prospera y se renueva, pero los países extranjeros situados muy lejos, allende los mares, no han oído y no saben. Por este motivo, los Grandes Directores Zheng He, Wang Jinghong y otros fueron enviados especialmente, para llevar la nueva, para ir e instruirlos y obtener su respeto y su sumisión».[3]

Este viaje para «instruir» a los extranjeros fue el punto álgido de la gran trayectoria profesional del almirante Zheng He. Antes de zarpar, hizo grabar dos lápidas con la inscripción de sus logros. Colocaron la primera de ellas, fechada el 14 de marzo de 1431, cerca del templo de la diosa del mar en Taicang, al sur de Nanjing, cerca del estuario del Yangze.

Desde los tiempos en que nosotros, Cheng Ho [Zheng He] y sus compañeros, recibimos al inicio del período Yung Lo [1403] la misión imperial de ir al encuentro de los bárbaros, hasta ahora, se han realizado siete viajes y en cada uno de ellos hemos estado al mando de varias decenas de miles de soldados del gobierno y de más de un centenar de naves transoceánicas. Zarpamos de Tai Ts'ang y nos hicimos a la mar, pasando por los países de Chang-Ch'eng, Hsienlo, Quawa, K'ochih y Kuli [Calicut], y arribamos a Hulu mossu [El Cairo] y a otros países de las regiones occidentales, más de tres mil en total.[4]

La otra lápida se colocó más al sur de la costa china, en la desembocadura del río Min, en Fujian. Está fechada en el segundo mes de invierno del sexto año de Xuan De, lo que la sitúa entre el 5 de diciembre de 1431 y el 7 de enero de 1432. Se la denomina «epigrama de Chang Le».

La dinastía imperial Ming, al unificar mares y continentes que superan a las tres dinastías, va más allá de las dinastías Han y Tang. Los países más allá del horizonte y de los confines de la Tierra se han convertido en súbditos y, por lejos que se hallen, los más occidentales de los occidentales o los más septentrionales de los septentrionales, podemos calcular la distancia y las rutas que nos separan de ellos.[5]

Liu Gang, que posee un mapamundi chino del año 1418, un documento fundamental sobre el que volveremos más adelante, ha traducido el epigrama de Chang Le como se habría interpretado en los primeros años de la dinastía Ming. Su traducción difiere de la traducción moderna que figura más arriba en algunos aspectos clave.

La dinastía imperial Ming ha unificado los mares y el universo, superando a las tres generaciones anteriores [de emperadores Ming], así como a las dinastías Han y Tang. Ninguno de estos países ha rehusado someterse, ni siquiera los de los rincones más remotos del oeste de la región occidental del imperio Ming ni los del norte de la extensión septentrional del imperio Ming, están tan alejados, no obstante, como para que la distancia hasta ellos no pueda calcularse en millas.[6]

La diferencia de traducción cobra todo su significado cuando comprendemos qué significaban las expresiones «región occidental del imperio Ming» y «extensión septentrional del imperio Ming» en la época en que se grabaron las inscripciones. «La expresión "región occidental" se originó durante la dinastía Han para referirse a la zona situada entre Zhong Ling (ahora en la región autónoma septentrional de Xian Jiang) y Dun Huang (al borde del desierto de Takla Makan)», aclara Liu Gang.

En la época de la dinastía Tang, la «región occidental» se había extendido hasta el norte de África. Los libros escritos durante la dinastía Ming que describían los viajes a la región occidental adoptan una definición todavía más amplia: las *Crónicas de los viajes a la región occidental* y las *Notas sobre los bárbaros*, ambos publicados durante la época de Zheng He, amplían la región occidental mucho más hacia el oeste. Ello se refleja en la estela de Taicang, en la que se constata que llegaron hasta «Hu lu mo Ssu [El Cairo] y a otros países de las regiones occidentales». La segunda estela, la de Fujian, dice que llegaron «a los rincones más remotos al oeste de la región occidental», es decir, mucho más allá de El Cairo.[7]

La expresión «al norte de la extensión septentrional del Imperio Ming» está aún más preñada de significado. Como ha explicado Liu Gang, los chinos no tenían la idea del Polo Norte como el punto más elevado del globo terráqueo en la época de Zheng He. Por consiguiente, cuando viajaban desde China al norte del continente americano atravesando el Polo Norte (ruta del gran círculo), creían que el trayecto era siempre hacia el norte. El concepto geográfico moderno es que la ruta del gran círculo de China a América del Norte discurre rumbo al norte hasta el Polo Norte y luego rumbo al sur hasta América del Norte. Los chinos ignoraban este concepto.

Para los chinos de la época Ming «al norte de la extensión septentrional del Imperio Ming» significaba un lugar más allá del Polo Norte. Esta forma de ver las cosas se refleja en el mapamundi de 1418, en el que aparece un paso a través del hielo polar que atraviesa el Polo Norte y que llega hasta América. (Según la oficina meteorológica holandesa, hubo tres inviernos excepcionalmente cálidos entre 1420 y 1430 que podrían haber fundido el hielo ártico.)[8]

Así pues, si tomamos al pie de la letra las dos estelas, parece que las flotas de Zheng He habían llegado ya a tres mil países además de al Polo Norte y a América del Norte, más allá del Polo.

La misión que el emperador encomendó a Zheng He de instruir a las tierras situadas allende los mares para seguir el camino del cielo nos parece hoy impresionante. Ordenó a Zheng He volver a los tres mil países que había visitado durante su vida en el mar. La tarea exigió un número enorme de barcos: varias flotas grandes equipadas para viajar por el mundo. Ello explica el largo tiempo transcurrido entre el edicto imperial y la salida material de las flotas desde aguas chinas, unos dos años después.

Todos los meses llega a nuestra web una gran cantidad de pruebas procedentes de unos ciento veinte países diferentes. Tomadas en conjunto, incluidas las que indican naufragios de juncos chinos en aguas muy lejanas, me han convencido de que mi cálculo original del tamaño de la flota de Zheng He —cerca de un centenar de barcos— se había quedado muy corto.

En los últimos tres años, dos investigadores, el profesor Xi Longfei y la doctora Sally Church, han encontrado en el *Shi-lu Ming* referencias con número de juncos construidos entre los años 1403 y 1419. Las cifras han de ser interpretadas correctamente, en especial en relación con el número que podemos atribuir concretamente a las flotas de Zheng He. Pero parece que un cálculo a la baja del tamaño de las flotas de Zheng He podría ser el siguiente: 249 barcos finalizados en 1407 «preparados para enviar embajadores a los océanos occidentales», más cinco naves transoceánicas construidas en 1404, de las que el *Shi-lu Ming* afirma explícitamente que habían sido encargadas porque pronto se iban a enviar mensajeros al extranjero; más 48 «barcos de exploración» construidos en 1408 y otros 41 en 1419. Ello totaliza 343 barcos construidos para los viajes de Zheng He.[9]

Un cálculo medio incluiría barcos «reformados» cuya finalidad no especifica el *Shi-lu Ming*. De estos, había 188 en 1403, 80 a principios de noviembre de 1405, 13 a finales de noviembre de 1407, 33 en 1408, y 61 en 1413. Si añadimos estos barcos reconvertidos a los 343 descritos anteriormente, tendríamos 718 barcos para Zheng He.

Un cálculo al alza incluiría 1.180 *haizhou*, encargados en 1405, cuya finalidad no se especifica, y dos pedidos de *haifeng chuan* (barcos para los vientos oceánicos), 61 en 1412 y otros tantos en 1413. En total, integrarían una flota de 2.020 barcos de un programa de construcción que constaba de 2.726. Aun si nos quedásemos con este cálculo al alza, la flota de Zheng He sería menor que la de Kubilai Kan, aunque de mejor calidad.

A partir del relato de Camões sobre la flota china que atracó en Calicut ocho años antes que Vasco de Gama, calculo que Zheng He tendría más de mil navíos a su disposición. «Más de ochocientos veleros grandes y pequeños llegaron a India procedentes de los puertos de Malaca y China y las islas Lequeos (Ryuku) con gentes de muchas naciones y todos cargados de mercancías de gran valor que traían para vender ... eran tan numerosos que llenaron el país y se instalaron como residentes en todas las ciudades de la costa.»[10]

El programa del emperador para la construcción de barcos a gran escala iba acompañado de grandes mejoras en los juncos. El profesor Pan Biao, del Colegio de Ciencias y Tecnología de la Madera de la Universidad Forestal de Nanjing, ha realizado un trabajo revolucionario sobre los tipos de madera hallados en los astilleros de Nanjing donde se construyeron las flotas de exploración. Cerca de un 80 por ciento del material era madera de pino, el 11 por ciento, maderas nobles exceptuada la teca y el 5,5 por ciento, teca.

La madera de pino —blanda, resistente a la humedad y a la putrefacción y utilizada desde hacía tiempo para la construcción de casas y barcos— procedía principalmente del sur de China. La teca, que es dura, pesada y resistente a los insectos, es ideal para las estructuras de soporte. No obstante, era desconocida en China y resultaba un material nuevo en los astilleros chinos.

Lo que asombró al profesor Pan Biao fue la gran cantidad de maderas nobles y de teca que se importaron. «Antes de Zheng He, las maderas nobles no habían salido de sus países de origen de manera organizada. Pero durante los viajes de Zheng He, y en los cien o doscientos años posteriores a dichos viajes, no solo se utilizaron maderas nobles a gran escala en la construcción de barcos, sino que además fueron introducidas en el sudeste asiático y trasplantadas por primera vez», dijo. El profesor Pan Biao afirma que los viajes de Zheng He contribuyeron en gran medida al comercio internacional a gran escala de maderas nobles y a un avance notable en la industria de la construcción de barcos.[11]

En 1406, 1408, 1418 y 1432, flotas chinas integradas por un centenar de barcos o más pasaron largos períodos de tiempo en los puertos del este de Java para su reparación. Los chinos que se instalaron en Java desempeñaron un importante papel en el desarrollo de los astilleros javaneses. El profesor Anthony Reid sugiere que el florecimiento de la industria de construcción de barcos en Java en el siglo XV se debe a «una fusión creativa de las tecnologías marítimas china y javanesa como consecuencia de las expediciones de Zheng He».[12]

El nuevo programa de construcción de China, ayudado por la mejora de la calidad de las maderas y el enorme esfuerzo de reparación en Java, habría ido mejorando progresivamente la calidad de las flotas de Zheng He. Gracias a la minuciosa investigación iniciada por Kenzo Hayashida sabemos que las flotas de Kubilai Kan, que naufragaron en la bahía japonesa de Tokushima en 1281, se vieron abocadas a aquel fin tanto por la furia de los vientos kamikazes como por la escasa calidad de su construcción.

Puesto que los barcos de Zheng He eran de calidad superior, tanto en lo que se refiere a la madera empleada como a las técnicas de construcción, serían capaces de surcar los océanos más tormentosos. No obstante, mi experiencia personal me dice que la gran escala de aquellas flotas habría creado enormes problemas de mando y de control.

A finales del año 1968, antes de asumir el mando del *HMS Rorqual*, buque de guerra de la armada británica, me nombraron oficial de operaciones de la tripulación del almirante Griffin, que en aquel momento estaba al mando de la Flota del Lejano Oriente de la armada británica. Mi responsabilidad consistía en supervisar el funcionamiento diario de la flota: un portaaviones, un petrolero, barcos de aprovisionamiento, destructores, fragatas y submarinos.[13] Pronto aprendí lo difícil que es controlar una flota de veinte barcos, entre otras razones porque las tormentas repentinas del mar de China Meridional pueden reducir la visibilidad a unos pocos metros. Los cambios de visibilidad constituyen una amenaza y exigen que la flota se recoloque continuamente.

Repetí la experiencia cuando estuve al mando del *Rorqual*. Tradicionalmente, el primer buque de la armada británica que se halle en la zona de un submarino hundido se hace cargo de la operación de rescate, independientemente de la antigüedad del oficial al mando. Cuando el submarino de guerra *Onslaught* simuló un hundimiento en el fondo marino, el *Rorqual* fue el primero en llegar.[14] Así que, por un período de tiempo breve, pude ejercer el control operativo de la Flota Británica del Lejano Oriente, una tarea que me hizo apreciar enormemente el valor de las comunicaciones por radio y vía satélite.

Los almirantes de Zheng He no contaban con esta tecnología. En su lugar, tendrían que conformarse con campanas, gongs, tambores, palomas mensajeras y fuegos de artificio para coordinar sus movimientos. Por consiguiente, es posible que fueran incapaces de controlar de manera efectiva más de veinte juncos de varios tipos y funciones, a saber, los barcos de exploración, los buques cisterna y los de cereal, protegidos por los de defensa. En períodos cortos y con el mar en calma y sin cambios en la visibilidad, podrían haber controlado hasta cincuenta embarcaciones. Pero estas condiciones no suelen durar en alta mar. Cuando el tiempo cambia aumenta el peligro. Los buques acorazados, como debían de ser los de Zheng He, se protegen mejor en la costa que en mar abierto. Del mismo modo, la amenaza de los piratas exige una disposición diferente de la que se precisaría para desembarcar las tropas en una playa desprotegida.

Teniendo bajo su responsabilidad aproximadamente un millar de barcos, lo más probable es que Zheng He hubiese nombrado como mínimo veinte contraalmirantes, y posiblemente hasta cincuenta. Creo que en su último viaje había cuatro almirantes (Zheng He, Wang Jinghong, Hong Bao y Zhou Man), ocho vicealmirantes (Wang Heng, Hou Xian, Li Xing, Wu Zhong, Yan Zhen, Zhang Da, Zu Liang, Zhu Zhen) y doce contraalmirantes[15] al mando de veinticuatro flotas, que es el número mínimo de flotas que calculo, dado el número total de barcos que componían la expedición.

En mi opinión, la estela de Taicang confirma la hipótesis de que el mando de las flotas estaba muy repartido, puesto que la inscripción está escrita en primera persona del plural para describir el mando de hombres y navíos. («En cada uno de ellos hemos estado al mando de varias decenas de miles de soldados del gobierno y de más de un centenar de naves transoceánicas.») Lo que implica que Zheng He actuaba en colaboración con su equipo de almirantes.

El alcance del programa de construcción de barcos —más de 2.700— invalida la idea de que Zheng He dirigía solo una flota de un centenar de barcos transoceánicos. No obstante, no habría sido posible controlar una sola flota de mil juncos. Los documentos chinos en los que constan las fechas de salida y llegada de los barcos dejan claro que hubo diversas flotas que zarparon y regresaron al mando de diferentes capitanes, a menudo con años de diferencia entre sí.

En suma, la magnitud de los viajes de Zheng He habría precisado que muchas flotas independientes se hicieran simultáneamente a la mar. No hay duda de que algunas de ellas fueron arrastradas a destinos inesperados a causa de las tormentas. Otras probablemente naufragaran, algunas de la forma más espectacular, de lo que presentaré pruebas en el capítulo 22. En cualquier caso, no debería sorprendernos que muchos de los destinos a los que llegaron las flotas, tal vez la mayoría, no quedaran registrados en la historia oficial china. La profesión de navegante en el siglo XV era todavía más peligrosa que hoy en día. Muchos barcos nunca regresaron a casa a contar su historia. La pérdida de vidas era terrible, así como las enormes pérdidas económicas e intelectuales que supusieron los naufragios a lo largo y ancho del mundo.

Este viaje, del que pocos juncos regresaron, fue el más ambicioso de todos. Las flotas de Zheng He fueron enviadas a todos los países del mundo conocido. En consecuencia, los preparativos debieron de ser impresionantes, como puedo confirmar desde mi experiencia como integrante de la tripulación del almirante Griffin de la Flota del Lejano Oriente en 1969.

La flota de Zheng He era multinacional y pluriconfesional, como lo era la flota británica en 1969. Nuestros barcos tenían oficiales etíopes, iraníes, indios y paquistaníes, auxiliares tamiles, fogoneros de Goa en la sala de máquinas, lavanderos chinos, ingenieros tamiles, cristianos, musulmanes, taoístas, hindúes, confucianos, mazdeístas, budistas y judíos. El Almirantazgo británico puso mucho empeño en que los capitanes conocieran la religión, la historia, la cultura, los orígenes y las costumbres de todos los miembros de la tripulación, así como de los países que visitaría la flota. Del mismo modo, el emperador Xuan De y su predecesor, Zhu Di, habrían instruido a Zheng He con todo detalle. Contaban con el instrumento ideal para hacerlo: la *Gran enciclopedia Yongle* (*Yongle Dadian*).[16] Esta enciclopedia descomunal se terminó en 1421 y fue guardada en la recién terminada Ciudad Prohibida. Tres mil eruditos habían trabajado en ella durante años, compilando todos los conocimientos chinos de los dos mil años anteriores, en 22.937 pasajes extraídos de más de siete mil obras, un trabajo de cincuenta millones de caracteres. La enciclopedia poseía una escala y un alcance sin parangón en la historia y, en mi opinión, es el monumental legado de Zhu Di a la humanidad. Estaba compuesta de 11.095 libros de 40,5 cm de alto y 25,5 cm de ancho para los que se necesitaron 55 metros de estanterías de cinco filas, o una tercera parte de una de las cubiertas de su buque insignia. La enciclopedia trataba todos los aspectos del saber del planeta: geografía, cartografía, agricultura, ingeniería civil y militar, técnicas bélicas, salud y cuidados médicos, construcción y planificación urbanística, el acero y su producción, cocción y decoración de cerámicas, bioquímica y dentro de ella la fertilización cruzada, producción de alcohol, fabricación y tejedura de la seda, fabricación de pólvora, construcción de barcos, códigos uniformes, cifras y criptografía. Lo sabemos por las páginas que contienen el índice, de las que se conservan copias en las bibliotecas nacionales de Beijing y Taipei, en la Biblioteca Británica de Londres, en la Biblioteca Nacional de París y en las bibliotecas asiáticas de las universidades de Oxford y Cambridge.

Afortunadamente, una parte de la *Yongle Dadian*, más o menos completa, se conserva en la Universidad de Cambridge, donde se ha librado de los desmanes de la rebelión de los bóxers y más recientemente de la locura de la Guardia Roja de Mao, que quemó todo libro intelectual que cayera en sus manos. El libro que está en Cambridge es de matemáticas. Joseph Needham describe la profundidad verdaderamente impresionante de los conocimientos matemáticos de los chinos plasmados en este libro, que recoge conocimientos desde el año 263 en adelante.[17]

Algunos capítulos ofrecen consejos prácticos para el uso de la trigonometría en el cálculo de la altura de edificios, colinas, árboles y ciudades en lo alto de acantilados, y la circunferencia de las ciudades fortificadas, la profundidad de los barrancos y la anchura de los estuarios fluviales.

Se mencionan al menos noventa y nueve tratados de matemáticas de la dinastía Song, algunos de ellos sobre temas tan especializados como el teorema del resto chino y el criptoanálisis (el empleo de las matemáticas para descifrar códigos). Figuran métodos matemáticos para calcular el área y el volumen de círculos, esferas, conos, pirámides, cubos y cilindros, y para determinar los números mágicos y construir cuadrados mágicos y los principios para extraer la raíz cuadrada y los números negativos. Fue una suerte que Zheng He tuviese una memoria prodigiosa; podía recitar de memoria el Corán en árabe a la edad de once años.

Como señala Needham, los descubrimientos realizados durante los viajes de la flota de Zheng He se incorporaron a la *Yongle Dadian*. Podríamos ir más lejos y afirmar que uno de los principales objetivos de Zhu Di era adquirir conocimientos de los bárbaros. Esto queda resumido en las instrucciones que dio a los tres eunucos anteriores, Zheng He, Jang Min y Li Qi, en 1403, de las que hablaremos en el próximo capítulo.[18]

Zhu Di sabía que la mejor manera de adquirir conocimientos era compartirlos; mostrar a los bárbaros cuán inmensamente amplios, profundos y antiguos eran el conocimiento y la civilización chinos. Por ello, Zheng He y sus colegas desempeñaron un papel fundamental en la compilación de los conocimientos que recoge la *Yongle Dadian*. Naturalmente, para ello tenían que disponer de copias de la enciclopedia a bordo de los juncos y también instruir a sus intérpretes sobre su contenido para que se divulgase el mensaje. Zhu Di avanzó enormemente en la mejora de los métodos de imprenta, lo que permitió que se reprodujesen algunas partes de la *Yongle Dadian*.[19]

Hasta el «triángulo de Pascal» figuraba en la *Yongle Dadian*... siglos antes de que existiera Pascal. Los chinos siempre han sido un pueblo pragmático. Aplicaban las matemáticas a la topografía y a la cartografía. En la época de la dinastía Han Oriental (25-220 d. C.), los agrimensores chinos utilizaban brújulas y escuadras, plomadas y niveles de agua. En el siglo III ya empleaban la trigonometría de los triángulos rectángulos, y en el siglo XIV, la vara de Jacob para medir alturas y distancias.

En su libro *Shu-Shu Chiu Chang*, fechado en 1247[20] (incluido en la *Yongle Dadian*), Ch'in Chiu-shao utilizaba conocimientos matemáticos e instrumentos de agrimensura para calcular las áreas de los campos de arroz, el volumen de agua necesario para inundarlos y, a partir de ahí, el tamaño y el ritmo de flujo de las acequias. Ofrecía diferentes métodos de construir canales y calculaba la fuerza que precisarían las compuertas.

Se podría realizar un ejercicio parecido respecto de las máquinas militares de que disponía Zheng He y cómo habían sido desarrolladas a lo largo de los siglos. En la *Yongle Dadian* figuran explicaciones detalladas de cómo fabricar morteros, bazucas, cañones, proyectiles propulsados por cohetes, lanzallamas y todo tipo de bombas de pólvora. Esta extensa enciclopedia fue un colosal esfuerzo colectivo para reunir en una sola obra los conocimientos adquiridos en China en todos los campos a lo largo de miles de años. Zheng He tuvo la inmensa suerte de hacerse a la mar llevando a bordo los conocimientos intelectuales de todas las esferas de la actividad humana, un tesoro de valor incalculable. Dirigió una flota magnífica no solo por sus capacidades militares y navales, sino también por el cargamento que transportaba: mercancías intelectuales de gran valor y sofisticación. La flota era la depositaria de la mitad de los conocimientos del mundo.

También llevaba oficiales instruidos que podrían hablar con los líderes de los países extranjeros en diecisiete idiomas diferentes, gracias a los intérpretes de árabe, persa, hindi, tamil, swahili y latín, entre otros. La flota de Zheng He se asemejaba a una universidad flotante y probablemente contenía más saber intelectual en su biblioteca que cualquier universidad del mundo en aquel momento.

3

LAS FLOTAS SE PREPARAN PARA EL VIAJE A TIERRAS BÁRBARAS

Para que los bárbaros pudieran seguir el camino del cielo, primero tenían que encontrar el camino a la cuna de las virtudes confucianas, el Reino Medio. Para semejante viaje, iban a necesitar mapas y la capacidad de determinar su posición en el mar. Así pues, era importantísimo pertrecharse de buenos mapas y de un sistema de navegación viable, no solo para facilitar el viaje de Zheng He y sus flotas, sino también para animar a los bárbaros a rendir pleitesía al nuevo emperador. Zhu Di y su padre, Hong Wu, habían fomentado el desarrollo de todos los aspectos de la navegación. Un manual titulado *Cuaderno sobre las corrientes del fondo marino*, hallado en Quanzhou, afirma que, después del anuncio del ascenso al trono del emperador Yongle (Zhu Di), se ordenó a Zheng He y a sus almirantes que buscaran cartas de navegación y recopilaran todos los datos posibles sobre corrientes, islas, montañas, estrechos y la posición de las estrellas. Emplearon esta información para revisar sus cartas de navegación, incluidos los puntos cardinales y las referencias cruzadas de las estrellas.

Los chinos atrajeron a navegantes y astrónomos árabes, especialmente durante la dinastía Yuan (1279-1368). Según Gong Zhen, en 1403, es decir, dos años antes de que zarpara la primera expedición oficial, Zhu Di envió a Zheng He, Jang Min y Li Qi a los países de los mares occidentales. Su misión consistía en contratar navegantes extranjeros capaces de arreglárselas en alta mar. Agradezco a Tai Peng Wang la información fruto de su investigación, así como la que aparece al respecto en los capítulos 3, 5 y 6.

El escritor Yan Congjian afirmó en *Shuyu Zhouzi Lu* («Recopilación de información sobre los países extranjeros más remotos»):

> En el primer año del reinado del emperador Hong Wu de la dinastía Ming [1368], el emperador convirtió la Oficina de Historia en Oficina de Astronomía. También creó la Oficina de Astronomía Sino-Musulmana. En el segundo año [1369], el emperador Hong Wu convocó a once chinos musulmanes incluido Zheng Ah Li, el responsable de Astronomía de los Chinos Musulmanes, a la capital, Nanjing, «con la misión de mejorar los calendarios musulmanes y de observar los fenómenos astronómicos». A todos ellos se les otorgaron presentes y títulos oficiales acordes con dicha misión.

En 1382, el emperador reunió en la corte Yuan, en Beijing, a un grupo de eruditos, entre ellos al funcionario del observatorio musulmán Hai Da Er y a un maestro del islam llamado Ma Sa Yi Hei, para elegir los mejores libros de astronomía entre varios cientos de volúmenes del *Xiyu Shu* («Libros de las regiones occidentales»). Al año siguiente se publicó una traducción china de los libros seleccionados, *Tian Wen Shu* («Obras de astronomía»).

Según Ma Ha, el traductor Ming, el *Tian Wen Shu* fue escrito originalmente por Abu Hassan Koshiya (971-1029), un matemático Yuan que desempeñó un papel predominante en el desarrollo de la trigonometría esférica. Ma Ha alaba a Koshiya diciendo que es «uno de los más grandes eruditos de todos los tiempos, que explicó las teorías más fundamentales de la astronomía en toda su profundidad y con toda simplicidad».

El *Tian Wen Shu* explicaba los conceptos árabes de longitud y latitud. Así pues, queda claro que los conceptos chinos de latitud y longitud y sobre la esfericidad de la Tierra se remontan por lo menos a esta traducción Ming de los libros de geografía árabes. Hacia 1270, el astrólogo árabe Jamal ad-Din había realizado un globo terráqueo que describía correctamente las proporciones de tierra (30 por ciento) y de mar (70 por ciento). Entregó dicho globo a Guo Shoujing, como explicaré en los próximos capítulos.

En la época de Zheng He siguieron apoyándose en los navegantes árabes. El propio Zheng He era musulmán, y, dado el avanzado desarrollo de la navegación y de la astronomía en el mundo árabe, no es de extrañar que contratase a otros árabes para tripular sus flotas. Según el historiador taiwanés Chen Shuiyuan, muchos vivían en Quanzhou, una de las ciudades más cosmopolitas del mundo en la que había cementerios especiales reservados a los marinos musulmanes. Zheng He y su equipo también buscaron navegantes de primer orden en las provincias de Fujian, Guandong y Zhejiang.

A los navegantes y astrónomos extranjeros que viajaron en los barcos chinos se les impuso nombres chinos, como Wang Gui, Wu Zheng y Ma Zheng. Cuando regresaban con la misión cumplida, se les recompensaba. En 1407, por ejemplo, a los extranjeros que regresaron a Quanzhou se les entregaron billetes equivalentes a cincuenta taeles de plata, así como rollos de seda bordada. En 1430, año en que regresó de la expedición final un extranjero musulmán de nombre Sheban, el emperador Xuan De lo ascendió a subcomandante.

En un artículo titulado «Instrumentos y observaciones de la Oficina Imperial de Astronomía durante la dinastía Ming», el profesor Thatcher E. Deane afirma:

> En cuanto al desarrollo de los sistemas calendáricos... era muy evidente al principio de las dinastías, algo menos al principio del reinado de un emperador concreto y casi nada en cualquier otro momento en el que estos gastos no podían atribuirse directamente a la legitimación del Estado y de su gobernante. Para Hong Wu era urgente mejorar el sistema calendárico, puesto que era el primero de la dinastía; a Zhu Di le acusaron de usurpar el trono, así que también él actuó por urgente necesidad.

REGALOS PARA LOS GOBERNANTES EXTRANJEROS

Esta obsesión por mejorar las técnicas de navegación permitió a las flotas de Zheng He llegar a los países extranjeros donde, tras presentar sus credenciales, los embajadores chinos entregarían mapas y tablas de astronomía a los gobernantes. Con esta transferencia gratuita de conocimiento lo que pretendían era darles instrumentos para que pudieran rendir tributo al Reino Medio.

Gracias a las excavaciones realizadas en los hornos de Jingdezhen (donde tuvo lugar la cocción de la mayor parte de la cerámica que se llevó Zheng He) y en El Cairo, junto al canal del mar Rojo, y gracias a las colecciones que se conservan en Europa, sabemos que las delegaciones chinas ofrecían regalos personales a los jefes de Estado extranjeros. A los sultanes mamelucos les regalaron copias de cerámica de sus candelabros, así como vasijas azules y blancas, aguamaniles, tazas de porcelana y cajas para plumas. Al rey de Portugal le llevaron una tapa de aguamanil decorada con una esfera armilar de cobalto, y a los sultanes otomanos, azulejos de cerámica.

También viajaban con regalos para la gente de la calle. A los mercaderes les regalaban juegos de cartas, de ajedrez y de mah-jong. Repartían también tiovivos de juguete, cometas y globos de aire caliente.

El cargamento más deplorable de las grandes flotas eran las mujeres. La costumbre era entregar cien esclavas a cada gobernante extranjero. Cuando las flotas regresaron, el emperador Xuan De observó: «Diez mil países son nuestros huéspedes». La cifra de concubinas y jóvenes esclavas que embarcaron debió de ser asombrosa. En el próximo capítulo veremos como, después de que la escuadra china llegase a Venecia, las esclavas y sus retoños tuvieron repercusiones importantes en la vida doméstica y en la población de Venecia, Florencia y la Toscana.

Por último, unas palabras para la parte más valiosa de las flotas: los marineros. Como les ocurre a sus homólogos modernos, sus posesiones más preciadas eran los recuerdos de los seres queridos que dejaban en casa: dibujos, camafeos con una muestra de cabello de la esposa o los hijos y pequeños regalos, tal vez una mascota, un ramo de rosas, un pájaro enjaulado o un pato con las alas cortadas. Los marinos chinos tenían pasión por el juego; las partidas de cartas y de dados formaban parte de la rutina diaria, así como el mah-jong.

Al igual que los marineros actuales, también ellos querían mejorar sus perspectivas de futuro. A medida que el viaje avanzaba y el aburrimiento empezaba a hacer mella en ellos, debían de ir dejando a un lado las novelas para emprender lecturas más serias. En la época de Zheng He existía la posibilidad de adquirir libros populares y se vendían todo tipo de enciclopedias de bolsillo. Los libros de referencia (*jih yung lei shu*) con ilustraciones y descripciones abarcaban toda la gama de cuestiones prácticas: agricultura, elaboración de sal y azúcar, colección de cerámicas y bronces, fabricación de barcos y de carros, utilización del carbón y los combustibles, fabricación de papel y técnicas de imprenta, técnicas de soldadura, fermentación del alcohol, recolección de perlas y de jade.

El *Nung Shu*, una enciclopedia popular publicada en 1313, ofrecía descripciones e ilustraciones de maquinaria agrícola de todo tipo: martinetes de forja, muelas giratorias, aventadoras, fuelles accionados por bielas, bielas, ruedas hidráulicas horizontales, maquinaria para tamizar la harina impulsada por ruedas hidráulicas, ruedas hidráulicas verticales para impulsar maquinaria agrícola, bobinadoras o tornos con manivelas para operar las grúas, pozos y minas, minas de sal, aparatos para pescar perlas, norias de agua, bombas de cangilones de tracción animal, bombas de cangilones impulsadas solo por la corriente de agua, muelas giratorias impulsadas por molinos de viento horizontales, molinos de ruedas de doble filo impulsados por ruedas hidráulicas horizontales, molinos de rodillo, desmotadoras de algodón y molinos de arroz u otros cereales. (Véanse algunos ejemplos en capítulos posteriores.)

Sin duda, estas descripciones sobre el empleo de una amplia variedad de maquinaria agrícola muy útil serían de gran valor para los campesinos de los países que visitaban. Una vez en tierra, los marineros chinos debían de complementar sus salarios vendiendo estos libros, del mismo modo que los marineros de mi época vendían su ración de cigarrillos a la población local o compartían sus botellas de ron con las chicas guapas.

Otra enciclopedia de bolsillo, la *Wu-chin Tsung-yao*, una colección de las técnicas militares más importantes, describía minuciosamente la construcción y las funciones de todo un arsenal de máquinas militares. A continuación reproduzco la traducción de Joseph Needham del texto que se hallaba junto a una descripción del siglo XI de cómo construir un lanzallamas:

A la derecha está el lanzallamas de nafta [*fang meng huo yu*]. El depósito está hecho de cobre y lo sostienen cuatro patas. De la parte superior salen cuatro tubos verticales sujetos a un cilindro horizontal situado encima de él. Las partes anterior y posterior del cilindro son grandes, [el cuerpo] es de diámetro estrecho. En la parte posterior hay un orificio pequeño del tamaño de un grano de mijo. El extremo anterior tiene dos aberturas redondas.

La descripción continúa durante seis líneas más hasta que empieza a dar las instrucciones para cargar la máquina:

Antes de su uso, se llena el depósito con algo más de tres catties* de petróleo con una cuchara, a través de un filtro [*sha lo*]. Al mismo tiempo, se coloca la pólvora [*huo yao*] en la cámara de ignición situada en la parte anterior. Cuando empieza el ataque, se aplica a dicha cámara un hierro candente y se introduce la biela hasta el fondo del cilindro.[2]

Siguen instrucciones para saber qué hacer en caso de fallo o si se encasquilla.

En este libro notable también hay instrucciones detalladas acerca de otros equipos militares. El arma más formidable que se describe es un buque de guerra accionado por ruedas de palas de la dinastía Song (960-1279). Se trata de un barco con veintidós ruedas de palas al mando de rebeldes y de otro todavía más grande, propiedad del gobierno. «Contra el barco de guerra de ruedas de palas de Yang Yao, las fuerzas del gobierno utilizaron bombas vivas lanzadas desde catapultas tipo fundíbulo. Para estas, utilizaban recipientes de barro cocido de paredes muy finas, que rellenaban con drogas venenosas, cal y fragmentos de hierro. Cuando las lanzaban contra los barcos rebeldes durante los combates, la cal se esparcía por el aire como si fuera humo o niebla, de modo que los marineros no podían ni abrir los ojos.»[3]

Lo que resulta extraordinario es que esta información no era confidencial, sino que cualquiera podía acceder a ella. Debió de re-

* Catty = peso de oro = 2,9818 libras troy. (*N. de la T.*)

44

sultar de gran valor en los reinos que carecían de armas de fuego so-
fisticadas hacia 1430, incluidas Venecia y Florencia. Tal vez los oficiales chinos complementaban su salario vendiendo estas enciclopedias militares de bolsillo.

De lo que podemos estar seguros es que las flotas de Zheng He
iban equipadas con todas las armas conocidas en aquel momento
por los chinos: cohetes rasantes, ametralladoras, minas, morteros,
bombardas para atacar las baterías costeras, cañones, lanzallamas,
granadas y muchas más. Sus flotas eran muy potentes desde el punto de vista militar, y estaban además bien provistas gracias a los barcos cisterna y a los de cereales y caballos, lo que les permitía permanecer en alta mar durante meses y meses. Además, los barcos
eran almacenes de grandes riquezas, tanto materiales como intelectuales.

Igualmente importantes eran los calendarios que llevaban las flotas. Puesto que la orden era informar a las tierras lejanas del inicio del
nuevo reinado de Xuan De, un tiempo en el que «todo empezaría
de nuevo», los calendarios eran imprescindibles para que Zheng He
cumpliera su misión.

Hoy en día los calendarios son poco más que un regalo estacional, como los calendarios de neumáticos Pirelli, con fotos de hermosas mujeres, los calendarios de jardinería repletos de color y los que
nos recuerdan un puente o las fechas en que caerá la Pascua o en que
debemos tramitar la declaración de la renta. En 1430, los europeos
no tenían un calendario unificado, porque no se habían puesto de
acuerdo en cómo medir el tiempo. El calendario gregoriano no empezó a utilizarse hasta un siglo después. No obstante, para los musulmanes era imprescindible un calendario unificado. El musulmán se
basaba en los meses lunares y no en el año solar. Cada mes tenía una
finalidad diferente, como el mes en el que se hacía el hajj, la peregrinación a La Meca, que empezaba el primer día de la luna nueva.
El calendario musulmán señalaba también las horas de las cinco ora-
ciones diarias.

Asimismo, el calendario fue un elemento de gran importancia
política y económica para los chinos, que durante miles de años fueron los pioneros a escala mundial en la elaboración de calendarios.

En *Ancient Chinese Inventions* (p. 67), Deng Yinke describe su meticuloso enfoque:

En 1276 Kubilai Kan, el primer emperador de la dinastía Yuan, encomendó al astrónomo Guo Shoujing la tarea de confeccionar un nuevo calendario para que su recién estrenado imperio tuviese un calendario unificado de norte a sur y para que se corrigieran los errores de los calendarios anteriores. Guo era un científico con un talento y una dedicación excepcionales. Al asumir la tarea, Guo dijo: «Un buen calendario debe estar basado en observaciones, y las observaciones dependen de la calidad de los instrumentos que se utilicen». Luego estudió la Hun Yi [la esfera armilar], el único instrumento del observatorio de la capital Dadu [Beijing], y descubrió que la Estrella Polar estaba situada a 35°, que era la latitud de Kaifeng, donde se había construido la Hun Yi. Aquello significaba que el instrumento no había sido ajustado cuando fue transportado de Kaifeng a Dadu ... por esta razón, la prioridad de Guo fue el desarrollo de nuevos instrumentos. A lo largo de tres años de esfuerzos titánicos, inventó doce instrumentos astronómicos que funcionaban mucho mejor que los anteriores y con mayor exactitud. También ideó instrumentos portátiles para utilizarlos en estudios de campo fuera de Dadu.

Una parte del proyecto de calendario fue un programa de observaciones astronómicas de ámbito nacional, liderado por el propio Guo. Eligió veintisiete emplazamientos en todo el país desde donde se realizarían las observaciones, lo que abarcaba una amplia zona desde la latitud 15° N hasta 65° N y desde la longitud 128° E hasta 102° E. Entre los elementos que observó se hallaban: la longitud de la sombra del gnomon, el ángulo de la Estrella Polar desde la superficie del suelo y la hora de inicio del día y la noche en los equinoccios de primavera y de otoño ... Guo examinó también casi novecientos años de registros de astronomía entre el año 462 y 1278, y eligió seis cifras para calcular la duración del año tropical. El resultado fue de 365, 2425 días, lo cual coincidía con el calendario gregoriano, que es el que se utiliza actualmente en muchas partes del mundo ...

Guo Shoujing y los demás astrónomos trabajaron durante cuatro años y ultimaron el calendario en 1280. Realizaron innumerables cálculos para convertir los datos de los sistemas de coordenadas eclípticas y ecuatoriales, y emplearon interpolaciones dobles para resolver las variaciones en la velocidad del movimiento del Sol, lo que afectaba a la precisión del calendario. La exactitud del mismo no tiene precedentes. Adoptó el solsticio de invierno del año 1280 como hito o punto de referencia del calendario, y estableció la duración de un año tropical en 365, 2425 días y la del mes lunar en 29,530593 días. El error entre la duración de su año tropical y el del recorrido de la Tierra alrededor del Sol fue solo de 26 segundos. Al calendario se le impuso el nombre de Shoushi, que significa «medición del tiempo para el pueblo».

La elaboración de calendarios era una prerrogativa reservada únicamente a los emperadores. Se precisaba mucha exactitud para prever los eclipses y el paso de cometas, señales de que el emperador gozaba del beneplácito de los dioses. Si se demostraba que las previsiones habían sido incorrectas, el astrónomo responsable de ellas era duramente castigado, a menudo con la muerte.

El calendario Shoushi elaborado por Guo Shoujing fue aprobado oficialmente por la Oficina de Astronomía Ming en 1384. Se trata del calendario que Zhu Di y el emperador Xuan De habrían confiado a Zheng He para que lo regalase a los jefes de Estado extranjeros (lo trataremos más a fondo en los próximos capítulos).

El calendario Shoushi puede verse en el *Shi-lu Yuan*, la historia oficial de la dinastía Yuan. Pero algunos ejemplares fueron a parar a manos de europeos, como Samuel Peppys, conocido por sus diarios, y científicos famosos como Robert Boyle y Robert Hooke. Los japoneses y coreanos también lo copiaron, y en nuestra web pueden verse traducciones hechas partiendo de dichos idiomas.

El calendario contenía la duración de un día solar en la latitud de Beijing, es decir, a partir del momento en que el Sol llega a su altura máxima (altitud) en el cielo de un día para otro. Por lo general pensamos que esto dura veinticuatro horas. Pero no. La Tierra efectúa un giro en torno a su eje cada veintitrés horas y cincuenta y seis minutos, al tiempo que se desplaza alrededor del Sol. La combinación de ambos movimientos significa que la posición de la Tierra relativa al Sol, comparada con su posición en relación con las estrellas, experimenta una variación de unos cuatro minutos cada día. Es más, el recorrido de la Tierra alrededor del Sol no es un círculo sino una elipse. El Sol no se halla en el centro de esta elipse, de modo que, a medida que la Tierra se acerca al Sol, acelera. Cuando la Tierra se aleja del Sol, en el tramo más largo de la elipse, desacelera. Su movimiento rotatorio también se acelera cuando se acerca al Sol y se hace más lento cuando se aleja de él.

Así pues, la duración del día solar varía a lo largo del año. La diferencia de esta duración se denomina «ecuación del tiempo del Sol». Para predecir que la duración de un año es de 365,2425 días, que es correcta con una variación de unos diez segundos por día, Guo Shoujing precisó tener en cuenta cuatro de estos movimientos. Para poder hacerlo, tuvo que haber sabido cómo funcionaba el sistema solar, incluido el hecho de que la Tierra gira alrededor del Sol en un recorrido elíptico, que no es el centro del universo y que la Tierra sufre la atracción del Sol, cuya masa es mucho mayor.

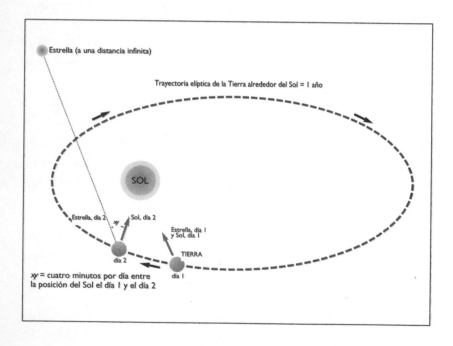

Diagrama de la trayectoria elíptica de la Tierra alrededor del Sol.

Los cálculos de Guo Shoujing para el mes lunar de 29,530593 días eran todavía más impresionantes, y exigían una trigonometría más compleja. La Luna gira alrededor de la Tierra al tiempo que esta efectúa una trayectoria elíptica alrededor del Sol. Ello significa que, cuando la Tierra se acerca al Sol, aumenta la atracción que ejerce la masa del Sol sobre la Luna, de modo que aumenta la velocidad a la que la Luna gira alrededor de la Tierra. Cuando la Tierra se aleja del Sol en la trayectoria elíptica, la velocidad de la Luna disminuye. De ahí que, para realizar estos cálculos extraordinariamente precisos, Guo tuvo que tener en cuenta no solo que la Tierra gira alrededor del Sol en una trayectoria elíptica, sino también que la Luna gira alrededor de la Tierra. Tuvo que saber trigonometría esférica y haber empleado cálculos y tenido una idea precisa de la masa de la Tierra, del Sol y de la Luna respectivamente.

No obstante, los resultados obtenidos por Guo Shoujing tienen más salvedades. La trayectoria de la Tierra alrededor del Sol no es constante; cambia en el transcurso de los años. Guo conocía estos cambios, pues los había recopilado de las observaciones realizadas en China desde hacía ochocientos años. El gran astrónomo francés Pierre-Simon Laplace estaba convencido de que Guo Shoujing conocía lo que él denominó «la disminución de la elíptica», a saber, que la trayectoria elíptica de la Tierra alrededor del Sol se había achatado con el paso de los siglos.

Guo Shoujing tuvo en cuenta todavía más detalles. La Tierra no es una esfera perfecta, sino un esferoide con los polos achatados. Su centro de gravedad se sitúa ligeramente por debajo del centro de su volumen. Esto significa que la Tierra experimenta un ligero bamboleo, que puede deducirse por la posición aparente de las estrellas, especialmente de Polaris, la Estrella Polar, que aparentemente se desplaza en un período de 26.000 años. Este movimiento ya había sido compensado por los chinos antes de la época de Guo Shoujing. Se habían fabricado unas plantillas para ajustar el movimiento aparente de la Estrella Polar.

Por último, Guo Shoujing conocía las órbitas de los planetas alrededor del Sol y también la rotación de Júpiter y de sus satélites circundantes. La escritora norteamericana Rosa Mui y sus colegas Paul

Dong y Zhou Xin Yan me informaron amablemente del trabajo del profesor Xi Zezong, un astrónomo chino, residente en Beijing, que ha averiguado que los satélites o lunas de Júpiter fueron descubiertos por el astrónomo chino Gan De dos mil años antes que Galileo.

Desde el año 85 los astrónomos chinos realizan observaciones precisas de la duración de los giros planetarios alrededor del Sol («intervalos sinódicos»). Son exactos con un margen de variación de pocas horas: Mercurio 115 días, Venus 584 días, Marte 779 días, Júpiter 398 días y Saturno 378 días. (En capítulos posteriores ofreceremos pruebas de que Copérnico, Galileo, Kepler, Hooke y Newton conocían el trabajo de los astrónomos chinos.)

En un trabajo que publicaron Ng Say Tiong y el profesor Helmer Aslaksen, del Departamento de Matemáticas de la Universidad Nacional de Singapur, titulado «Calendarios, interpolación, gnomons y esferas armilares en las obras de Guo Shoujing (1231-1314)», los autores señalan que los movimientos irregulares de la Luna se descubrieron en el período Han Oriental (25-200) y durante las dinastías del Norte y del Sur (386-589), respectivamente. El método de interpolación empleado en el período 554-610 era el método de la segunda diferencia en intervalos iguales. (Le rogamos que consulte nuestra web *1434*, donde hallará más explicaciones.) Guo Shoujing lo mejoró utilizando un método de interpolación de la tercera diferencia, que le permitió determinar la ecuación temporal del Sol y de la Luna y, a partir de ahí, predecir sus posiciones respectivas. Guo Shoujing había desarrollado el método de interpolación lineal que posteriormente desarrolló más a fondo Newton mediante cálculos.

El calendario Shousi que las flotas de Zheng He regalaron a los jefes de Estado, basado en el trabajo pionero de Guo Shoujing, contenía una cantidad impresionante de datos astronómicos que correspondían a miles de observaciones. Permitía predecir con una antelación de años la aparición de cometas y eclipses, así como la hora de la salida y de la puesta del Sol y de la Luna. Se incluía también la posición del Sol y de la Luna respecto de las estrellas y entre ellas, y la posición de los planetas en relación con las estrellas, el Sol y la Luna. Aplicando unos ajustes se podía calcular la hora de salida y la puesta del Sol y de la Luna en diferentes lugares de la Tierra y todos los días del año. Como se verá con detalle en el capítulo 4, el calendario permitía calcular la longitud utilizando la diferencia entre el tiempo solar y el sideral, mediante los eclipses lunares o mediante la distancia angular entre la Luna y la estrella o el planeta elegido. Si desea más información, le ruego que consulte la web *1434* y las notas al final del libro.

Tai Peng Wang ha descubierto las estrellas a partir de las cuales Zheng He se orientaba para navegar. Podemos verlas en el programa de ordenador Starry Night, fijando las fechas en que la flota de Zheng He surcaba el océano Índico rumbo a la costa india de Malabar y a El Cairo. También podemos comparar estas estrellas con las que figuran en las tablas de navegación de Zheng He y en el almanaque del año 1408, que se encuentra actualmente en la Biblioteca Peppys de Cambridge. (Las tablas de 1408 contienen información astronómica similar a la que figuraba en el calendario Shoushi.)

Así pues, Zheng He pudo facilitar a los europeos mapas, herramientas de navegación y un calendario astronómico mucho más avanzado en todos los aspectos de lo que ellos podrían haber elaborado por sí solos. Con estos revolucionarios conocimientos en su poder, los bárbaros podrían llegar hasta el Reino Medio, «con la debida deferencia».

4

EL CÁLCULO DE LA LATITUD Y LA LONGITUD POR LOS NAVEGANTES DE ZHENG HE

En alta mar no hay señales indicadoras. La única forma que tiene un navegante de determinar su posición es utilizando las estrellas, los planetas, el Sol y la Luna. El primer paso es disponer de un sistema de marcadores de los mares. Los marcadores utilizados durante miles de años por las civilizaciones marítimas han sido la latitud y la longitud. Consiste en dibujar líneas horizontales y verticales en todo el globo terrestre. A las líneas horizontales se las denomina «líneas de latitud» y a las verticales, «líneas de longitud».

Las líneas de latitud son paralelas al ecuador; cada línea de longitud pasa por el Polo Norte y por el Polo Sur. Así se puede fijar la posición exacta de un navegante en la Tierra utilizando un sistema común.

Para poder elaborar un mapa fiel del mundo en 1418, las flotas chinas tenían que contar con un sistema como este, que les permitiese determinar su posición en el mar. Sin un sistema preciso, los capitanes no habrían podido saber el emplazamiento correcto de las tierras recién descubiertas, y cualquier mapa derivado de cálculos dispares hubiera sido un lío sin pies ni cabeza.

A diferencia de los europeos, que emplearon los 360° de longitud de los astrónomos babilonios, los chinos partían de 353 $1/4$ grados. Utilizaban grados de latitud por debajo de la Estrella Polar (a 90° de elevación), y los europeos se servían de la latitud por encima del ecuador (elevación 0° respecto de la Estrella Polar). Los resultados son los mismos en ambos sistemas.

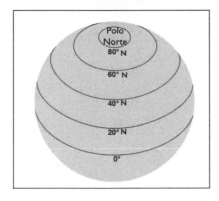 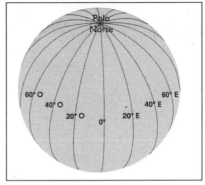

Diagramas de las líneas de latitud y de longitud en el globo.

Tras fijar un sistema común para la Tierra, los chinos se dispusieron a establecer un mapa común para los cielos. Todos los navegantes tendrían que utilizar el mismo nombre para cada estrella y el mismo mapa de estrellas a partir del cual se habrían determinado las longitudes.

CÓMO DETERMINABAN LOS CHINOS LA POSICIÓN DE LAS ESTRELLAS EN EL CIELO

En el siglo XII, el astrónomo Guo Shoujing fijó la posición de las estrellas principales en relación con Polaris (la Estrella Polar). Polaris aparece en la prolongación del eje de la Tierra, a miles de millones de kilómetros por encima del Polo Norte. Debido a la rotación de la Tierra, parece que el firmamento gire alrededor de Polaris. Cuanto más al norte nos desplazamos, mayor extensión de cielo vemos.

En 1964 yo formaba parte de la tripulación del buque de guerra británico *HMS Narwhal*, un submarino que navegaba por debajo del casquete polar. De vez en cuando encontrábamos «lagos» de agua cristalina, denominados *polynyas*, donde emergíamos para poder determinar nuestra posición a partir de las estrellas. El firmamento aparecía sobre nosotros como un enorme globo. A medida que nos acercábamos al Polo Norte, nos parecía estar dentro de un cuenco mirando a un hemisferio de estrellas desplegadas en una bóveda que se cerraba alrededor de nosotros hasta el horizonte.

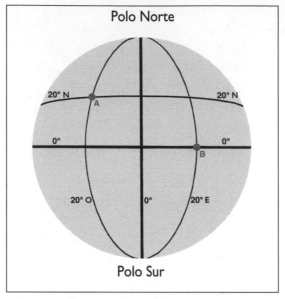

Diagrama de la posición de los barcos A y B en el globo.
El barco A se halla a 20° N 20° O y el barco B, a 0° N 20° E.

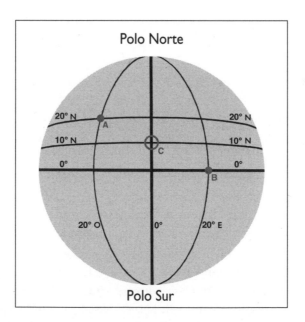

Los barcos A y B que descubren nuevas tierras en C
determinarán la misma posición para estas: 10° N 0° E.

En el Polo Norte, los chinos podían determinar la posición de cada estrella del hemisferio norte en relación con la Estrella Polar. Las estrellas están tan lejos que, para un observador de la Tierra, nunca cambian su posición respecto de las demás.

Los chinos dividieron el cielo en veintiocho segmentos o mansiones. Imaginemos una naranja con la piel cortada en gajos; los cortes empiezan donde la naranja estaba fijada al árbol y continúan hacia abajo, verticalmente. A cada mansión la llamaron *hsiu*. Fijaron la posición de las estrellas en lo alto de cada una de las veintiocho mansiones en relación con la Estrella Polar (ABC).

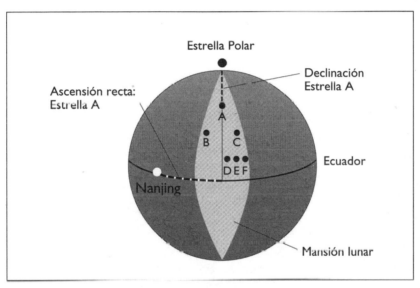

Los chinos fijaron la posición de las estrellas en lo alto de cada una de las veintiocho mansiones lunares respecto de la Estrella Polar.

Luego, fijaron las estrellas de la parte inferior (DEF) de cada segmento en relación con las de la parte superior (ABC). Como las estrellas nunca cambian de posición en relación con las demás, aunque los chinos no estuvieran cerca del Polo Norte y, por tanto, no pudiesen ver las estrellas de la parte inferior de cada segmento (porque estas estaban por debajo del horizonte), siempre sabían su posición. Por ello pudieron elaborar mapas de estrellas.

Anotaron las posiciones verticales de cada estrella por debajo de la Estrella Polar (ninguna puede estar encima) y la posición horizontal de cada *hsiu* en relación con Nanjing (longitud). Llamaron «declinación» a la altura vertical de cada estrella por debajo de la Estrella Polar y «ascensión recta» a su posición a lo largo del ecuador partiendo de Nanjing. Así pues, para determinar la posición de las estrellas del cielo los chinos utilizaron el mismo sistema de medición que empleaban para determinar la latitud y la longitud. A este se le denominaba «sistema ecuatorial», muchísimo más sencillo que el sistema equinoccial utilizado en la época medieval antes de Guo Shoujing, que se basaba en las coordenadas eclípticas o en el horizonte. A partir de 1434, los europeos adoptaron el sistema chino, que se sigue empleando hoy en día.

A continuación, los chinos necesitaron instrumentos para medir la posición de cada estrella. Guo Shoujing les facilitó las herramientas. Para empezar, colocaron un tubo de observación apuntando a la Estrella Polar a un ángulo exactamente igual a la latitud del observador; es decir, si el observador estaba en el Polo Norte, el tubo estaría colocado a 90° de elevación (véase la p. 57). En este diagrama, el instrumento se alinea con la Estrella Polar a 39° 49' N, la latitud de Beijing. Una vez en posición, el instrumento se fijaba al suelo, porque si cambiaba el ángulo de la latitud del observador se volvía inservible.

Luego el observador elegía una estrella y la contemplaba a través de otro tubo sujeto a un círculo graduado. El movimiento del tubo a lo largo del círculo ofrecía el número de grados por debajo de la Estrella Polar donde se hallaba la estrella elegida (el arco y-z), que es la declinación de la estrella.

El ángulo horizontal, el ángulo desde Nanjing, se averiguaba haciendo girar el anillo por el círculo ecuatorial, lo que daba el ángulo horizontal de la estrella desde Nanjing (su ascensión recta). Entonces se registraba la posición de la estrella en las tablas estelares. Los chinos registraron 1.461 estrellas en sus tablas, en un proceso que requirió el trabajo de muchos astrónomos a lo largo de cientos de años.

Las tablas se imprimieron y se entregaron a cada navegante, junto con un mapa estelar. De este modo, todos los navegantes poseían un sistema común de latitud y longitud para determinar sus posiciones en el globo y un mapa idéntico del firmamento, que les permitía reconocer todas las estrellas.

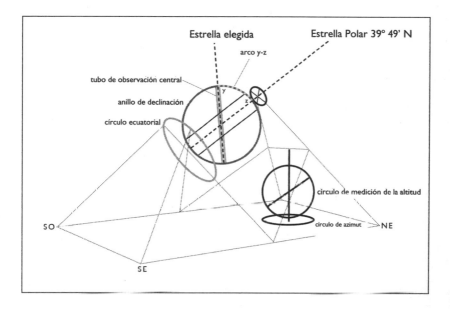

Torquetum basado en el sistema de coordenadas ecuatoriales, como el que utilizaron los navegantes de Zheng He, y que Guo Shoujing utilizó por primera vez.

DE CÓMO LAS TABLAS ESTELARES PERMITÍAN CALCULAR LA LONGITUD

Para poder ofrecer esta descripción estoy en deuda con el profesor Robert Cribbs, que ha comprobado la eficacia del método que expongo. Este método permite determinar la longitud en un día claro sin tener que esperar a un eclipse lunar y sin tener que enviar mensajes a Beijing. Se trata de un método mucho más avanzado que el descrito en mi libro *1421* (el cual, según me explicaron amablemente el profesor John Oliver y Marshall Payn, depende de los eclipses de luna, que no son muy frecuentes).

El método del profesor Cribbs se basa en el hecho de que la Tierra no solo gira alrededor de su eje cada veintitrés horas y cincuenta y seis minutos, sino que además se desplaza en una trayectoria elíptica alrededor del Sol, algo que Guo Shoujing ya había averiguado en 1280. La combinación de estos dos movimientos implica que hay una diferencia de cuatro minutos cada día entre la hora en que la Tierra se halla en la misma posición en relación con el Sol (tiempo solar, veinticuatro horas) y la hora en que la Tierra se halla en la misma posición en relación con las estrellas (tiempo sideral, veintitrés horas y cincuenta y seis minutos). Esta diferencia entre el tiempo sideral y el solar equivale a un día cada 1.461, o sea cada cuatro años. El efecto visible de esto es que cada medianoche, doce horas después de que el Sol haya llegado al punto más alto de su recorrido en el cielo, habrá una estrella diferente alineada con la Estrella Polar.

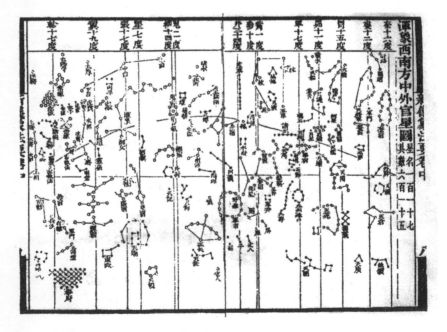

Típico mapa celeste utilizado por Zheng He y sus navegantes.

Los astrónomos de Nanjing observaron el cielo nocturno todos y cada uno de los 1.461 días del ciclo y anotaron la estrella que se alineaba con la Estrella Polar exactamente a medianoche. Elaboraron una tabla de 1.461 días y la distribuyeron entre los navegantes. El calendario astronómico de 1408 abarca 366 días de dicho ciclo. En el anexo en color del presente libro figura la copia de una página de las tablas astronómicas de 1408.

Con las tablas en la mano, un navegante que se halle, pongamos por caso, en el océano Índico tiene que saber únicamente en qué día del ciclo se encuentra, lo que calcula contando el número de puestas de sol que ha visto desde que zarpó de Nanjing. Si salió de Nanjing el día 61 del ciclo y ha anotado 81 puestas de sol, está en el día 141. En las tablas verá que el día 141 Aldebarán está alineada con la Estrella Polar (observada desde Nanjing).

No obstante, en el océano Índico observa otra estrella alineada con la Estrella Polar, que no reconoce. Consulta el mapa celeste y confirma mediante las tablas que se trata de Betelgeuse. Ahora puede hacer dos cálculos: anotar la diferencia en la ascensión recta entre Aldebarán y Betelgeuse, que será igual a la diferencia de longitud entre el observador de Nanjing y él mismo, o bien puede anotar el tiempo que tarda Aldebarán en alinearse con la Estrella Polar. Si son, por ejemplo, seis horas (una cuarta parte de veinticuatro horas), su diferencia de longitud desde Beijing es de 90° (un cuarto de 360°).

Para que el cálculo sea exacto, tanto el observador de Nanjing como el navegante del océano Índico tendrán que estar debidamente orientados al norte, a la Estrella Polar. Si desean emplear el segundo método para calcular la longitud, ambos tendrán que tener exactamente la misma hora a medianoche. Lo hacen de la siguiente manera: en primer lugar, utilizan una vara vertical para medir la sombra del sol; en el momento en que la sombra es mínima, el sol está en su altura máxima al mediodía y se dirige hacia el sur. Ambos observadores construyen una zanja norte-sur, una zanja que puede llenarse de agua para ver en ella el reflejo de la Estrella Polar por la noche y vaciarse para medir la sombra del sol al mediodía.

La sombra mínima del sol puede medirse en la zanja. Para captar el segundo exacto, la sombra se enfoca mediante una cámara de agujero de alfiler colocada encima de un poste denominado «gnomon» (cuya descripción aparece en la web). Empleando gnomons idénticos y una cámara de agujero de alfiler normalizada, los observadores de Nanjing y del océano Índico pueden determinar exactamente el mismo rumbo sur/norte y el mismo instante en que el sol alcanza su punto más alto, es decir, al mediodía. Los experimentos que describimos en la web de *1434* han mostrado que se puede realizar un cálculo de este tipo con un margen de error de dos segundos. Ahora pueden utilizar un reloj normalizado para calcular la medianoche, doce horas después del mediodía. La web de *1434* explica cómo funcionaba este reloj chino y cómo, en la época de Zheng He, se le incorporaron mejoras para compensar las diferentes temperaturas y presiones atmosféricas, que habrían afectado al número de gotas que salían del reloj. Así pues, daban la hora exacta con un margen de error de dos segundos.

Al utilizar el reloj de agua, el observador de Nanjing y el del océano Índico fijan la misma hora de medianoche. Una vez que se pone el sol, se inunda la zanja y se colocan dos postes, uno a cada extremo; entre ambos postes se suspende una cuerda. Otra cuerda se cuelga verticalmente de modo que el observador puede ver su reflejo en el agua de la zanja alineada con la Estrella Polar. Exactamente a medianoche, el navegante del océano Índico mira en dirección a la estrella alineada con la Estrella Polar que se refleja en el agua, que está alineada a su vez con la cuerda. (En nuestro ejemplo, la estrella correspondiente al día 141 es Betelgeuse.) Las tablas indican que el día 141 la estrella en Nanjing es Aldebarán. A partir de ahí puede determinar su longitud. Según Robert Cribbs, el método presenta un margen de error de dos segundos, lo que equivale a un error máximo de longitud de tres grados, cifra insignificante para dibujar un mapa del mundo.

Este método exige que el navegante esté en tierra. No obstante, el profesor Cribbs ha desarrollado también un método para determinar la longitud en el mar utilizando la ecuación de tiempo de la luna y la distancia angular entre la Luna y una estrella elegida. Para utilizar este método (véase la web de *1434*) se precisan algunos cálculos que establezcan la posición futura de la Luna en el ciclo de 1.461 días. En 1280, Guo Shoujing había formulado un sistema muy parecido a dicho cálculo. Los resultados aparecían en sus tablas y en su calendario, que fueron adoptados por la dinastía Ming en 1384. En consecuencia, estaban a disposición de las flotas de Zheng He, así como las tablas de declinación del sol.

Gracias a Tai Peng Wang, que me hizo caer en la cuenta de ello, y a la investigación de Xi Feilong y Tang Xiren, que han descubierto recientemente los mapas celestes de los viajes de Zheng He, sabemos qué estrellas utilizó realmente Zheng He para determinar la latitud y la longitud en su travesía a la India. Navegaron con los monzones tras salir de Pulau Rondo, en el extremo noroccidental de Sumatra, ahora denominada Banda Aceh, el 10 de octubre de 1432, y determinaron la latitud y la longitud de la manera siguiente: «Midiendo las posiciones verticales de las estrellas determinadas por encima del horizonte en el este, oeste, norte y sur, llegaron a Sri Lanka». Mediante la utilización de Vega, Sagitario, Géminis y Poscidón, llegaron a Calicut (11° N, 76° E) el 10 de diciembre. (Véase en la web de *1434* el trabajo de Tai Peng Wang «La delegación de Zheng He ante la Corte papal de Florencia».)

Por último, ¿hasta qué punto eran exactos los cálculos de los navegantes de Zheng He? Dos respuestas arrojan el mismo resultado: su medida de la declinación de 22° 23' 30" (correcta con un margen de variación de dos millas) y la precisión de su vista, que puede juzgarse con un margen de variación de un cuarto de grado (la luna llena parece amplia pero su diámetro es inferior a medio grado, es decir, 30 millas).

En mi opinión, los navegantes de Zheng He eran capaces de calcular la latitud con un margen de error de medio grado (o treinta millas) y la longitud con un margen de error de dos segundos (o tres grados). Cuando las flotas llegaron a Venecia y Florencia, sus métodos de cálculo de la latitud y la longitud fueron transmitidos a los europeos. En su momento, Colón y Vespucci los utilizaron para llegar hasta el Nuevo Mundo.

5

VIAJE AL MAR ROJO

El 9 de enero de 1431 las flotas zarparon de Nanjing (China). Siempre iniciaban la navegación en enero, porque así aprovechaban la energía gratuita que les proporcionaban los monzones, que a día de hoy siguen determinando los patrones de navegación de China a la India y África[1] a través del océano Índico.

La diferencia de temperatura entre la inmensa cordillera del Himalaya y el mar provoca los monzones. En verano, la masa continental asiática se calienta más que el mar, atrayendo los vientos y el vapor de agua del mar. En abril, los vientos occidentales del océano Índico anuncian los monzones del sudoeste. Pero en mayo los monzones del sudoeste llegan a Indochina y alcanzan su punto álgido y su regularidad en julio, momento en que los vientos alcanzan los treinta nudos en el mar de China Meridional. En esa época, las lluvias monzónicas inundan la India. Durante el mes de septiembre las temperaturas descienden bruscamente y en noviembre, cuando en el Himalaya hace ya un frío espantoso, el mar, más caliente, aspira el aire de las montañas.

Los monzones del nordeste se inician a finales de diciembre, tras lo cual el viento va amainando hasta abril, mes en el que vuelve a comenzar el ciclo. Los barcos que navegaban entre China, la India y África aprovechaban los monzones para avanzar impulsados por el viento y regresar en los próximos monzones a sus respectivos países. Esperaban a que cambiase el viento en algún puerto resguardado. Por ejemplo, en el sudeste asiático, en la época en que los barcos indios habían llegado al estrecho de Malaca con los vientos monzónicos del sudoeste, los juncos chinos no habían salido todavía de sus puertos de atraque. Cuando llegaban los barcos chinos, los indios ya se habían ido. De ahí la necesidad de puertos en el océano Índico donde pudieran almacenarse las mercancías de unos monzones a los siguientes. Los chinos y los árabes construyeron en el sudeste asiático y en el océano Índico puertos de depósito donde se guardaban las mercancías en ruta hacia su destino final.

Los monzones eran tan previsibles —e importantes— que fueron incorporados a los calendarios árabes, que ilustraban el sistema enormemente sincronizado de los transportes de mercancías regulares entre Egipto, África oriental, la India y el golfo Pérsico. Uno de estos calendarios describe, por ejemplo, el día 68 (16 de marzo): «Fin de la navegación de los barcos indios que se dirigen desde su país a Adén; nadie se aventura después de esta fecha». (Véase en las notas el trabajo de investigación de Tai Peng Wang.)

Las flotas de Zheng He aprovecharon este calendario de navegación árabe, añadiéndole el programa regular de envíos de mercancías. Como señala el historiador Paul Lunde en «El navegante Ahmad Ibn Majid», el día 100 (15 de abril) estaba previsto que llegase a Adén la última flota procedente de la India. La partida de Egipto de los primeros barcos del convoy, propiedad de los mercaderes Karimi, se planeaba de modo que la llegada de la flota coincidiese con la de los indios. Al cabo de cuatro meses, el 14 de agosto (día 220), llegaban a Adén los últimos barcos procedentes de Egipto. Seis días después, partían de regreso a casa los barcos de Sri Lanka y Coramandel. La última salida de Adén, impulsada por los monzones, tenía lugar el día 250 (13 de septiembre).

En la época de Zheng He, el comercio marítimo estaba dominado por los árabes y los chinos. Los chinos producían artículos muy codiciados por el resto del mundo, principalmente porcelanas y seda. Los juncos chinos transportaban estos valiosos cargamentos a Malaca, la India y El Cairo. Malaca era prácticamente una colonia china. En Calicut, en la costa india de Malabar, había tantos mercaderes chinos como árabes.

Las relaciones entre chinos y árabes habían sido amistosas durante siglos. En El Cairo, los chinos constituían una minoría establecida. A su vez, en el puerto chino de Quanzhou había un importante barrio árabe. Muchos navegantes e intérpretes árabes entraron a formar parte de la tripulación de las flotas de Zheng He.

Los chinos llevaban una ventaja de siglos a los árabes en todos los aspectos: en la cantidad y calidad de los barcos construidos, en capacidad de carga, alcance, defensa, comunicaciones y aprovisionamiento, en la habilidad para navegar sin referencias por el océano y en la reparación y mantenimiento de los barcos en alta mar durante meses y meses. La flota más poderosa, después de la china, pertenecía a Venecia, que poseía unas trescientas galeras: barcos rápidos, ligeros y de poco calado, impulsados por remeros. Las galeras venecianas —la mayor de las cuales podía transportar como mucho cincuenta toneladas— eran apropiadas para los tranquilos días estivales del Mediterráneo, pero no para bregar como lo hacían las flotas chinas.

Los barcos de exploración de Zheng He eran monstruos de la navegación, capaces de navegar en medio de tormentas en alta mar en cualquier punto del planeta durante meses y meses. Con cargamentos superiores a las mil toneladas, podían llegar a Malaca en cinco semanas, y al estrecho de Ormuz en doce. Estaban equipados con camarotes para los embajadores y su personal a su regreso a la India, al golfo Pérsico y a África. La tripulación del almirante contaba con más de 180 oficiales médicos; cada barco tenía un oficial médico para cada 150 hombres, que ingerían suficientes cítricos y coco para protegerse del escorbuto por espacio de dos meses. Durante el viaje, se ocupaba del mantenimiento de los barcos un equipo de calafateadores, veleros, reparadores de anclas, montadores de andamiajes, carpinteros y especialistas en aplicación de aceite de madera de China. Además, en los barcos viajaban intérpretes que podían comunicarse con los gobernantes de la India, África y Europa, en hindi, swahili, árabe y lenguas romances. Y, como en cualquier otra expedición china, astrólogos y geomantes acompañaban a las flotas.

Mientras que las galeras venecianas eran protegidas principalmente por arqueros, los barcos chinos iban equipados con armas de pólvora: bombardas, morteros de fragmentación, cañones, flechas de fuego y hasta proyectiles que esparcían excrementos sobre sus destinatarios. Con este armamento impresionante, el almirante Zheng He no tenía ningún problema para destruir a las flotas de piratas. Un enfrentamiento entre una flota china y una armada rival debía de parecerse al de un tiburón con un pececillo de agua dulce. En su último viaje, Zheng He estuvo al mando de unas flotas cuyo tamaño era diez veces superior a la de Nelson en la batalla de Trafalgar.[2]

No obstante, hubo dos diferencias de primer orden entre este último viaje y los anteriores. En primer lugar, los enormes avances en materia de cartografía, técnicas de navegación y construcción de barcos hicieron que los viajes fueran mucho más seguros y que las probabilidades de llegar a destino fueran mucho mayores. En segundo lugar, la finalidad principal de este viaje era regalar a los jefes de Estado extranjeros el calendario de Xuan De y cartas de navegación y otros instrumentos que les permitiesen rendir tributo a China. Cuando los juncos de Zheng He regresaron en 1434, el emperador Xuan De, Zhu Zhanji, pudo afirmar que «diez mil países [son] nuestros huéspedes».[3] En los años inmediatamente posteriores, una docena de países rindieron tributo al emperador, entre ellos una delegación enorme procedente de Egipto.

Gracias al trabajo de investigación de Tai Peng Wang, podemos seguir la ruta exacta de las flotas de Zheng He y de Hong Bao hasta Calicut. Xi Feilong, Yang Xi y Tang Xiren, en su reciente descubrimiento y análisis de *The Charts of Zheng He's Voyages*, han reproducido su ruta y han identificado las estrellas que utilizaron sus navegantes para determinar la latitud y la longitud de camino a la India.

Impulsados por los monzones a través del océano Índico, su punto de partida el 10 de octubre de 1432 fue Pulau Rondo (Banda Aceh), en el extremo noroccidental de Sumatra (6" 04' N, 95" 07' E). El libro de cartas de navegación de Zheng He relata que «midiendo las posiciones verticales de las estrellas elegidas por encima del horizonte en el este, oeste, norte y sur, llegaron hasta Sri Lanka».

A primera vista, la elección de las estrellas (en realidad de grupos de estrellas, algunos de los cuales contienen estrellas múltiples y binarias) utilizadas por los navegantes de Zheng He para cruzar el océano Índico es desconcertante. Las ascensiones rectas («longitud en los cielos») son Poseidón, veinte horas, Vega, dieciocho horas, Sagitario, diecinueve horas, y Géminis, siete horas. Así que las posiciones calculadas en sus mediciones corresponderían a su ascensión recta y a las distancias de las estrellas ilustradas por las líneas CD, EF, GH e IJ de la figura 6 de nuestra web. Es decir, una línea aproximada de 015/195 (siete horas/diecinueve horas). ¿Por qué todas las estrellas elegidas tienen aproximadamente las mismas ascensiones rectas? ¿Por qué no seleccionaron estrellas de distintas partes del firmamento?

La respuesta resulta clara cuando se tiene en cuenta la Estrella Polar. La Estrella Polar está a 90° de elevación del Polo Norte y a 0° del ecuador. Así pues, su altura en el cielo (altitud) es igual a la latitud (la línea AB, figura 6 de nuestra web). Midiendo la altura de la Estrella Polar, un navegante podía establecer su latitud. Las mejores estrellas para determinar la longitud serían las que estuvieran en ángulo recto con la Estrella Polar, es decir, las estrellas cuyas ascensiones rectas fueran de 90 y 270 grados (seis y dieciocho horas).

El descubrimiento de Tai Peng Wang y sus colegas nos permite esclarecer la manera en que los marinos de Zheng He determinaban la latitud y la longitud. Para la latitud, utilizaban el Sol al mediodía (paso del Sol por el meridiano) y la Estrella Polar por la noche en el norte. Para la longitud, utilizaban las estrellas de las tablas de efemérides que tenían las ascensiones rectas más próximas a seis o dieciocho horas o, alternativamente, la luna. (Yo estuve navegando en un submarino durante cuatro años y jamás se me ocurrió una solución tan ingeniosa. En situación de máximo riesgo habría bastado echar un par de vistazos a través del periscopio: uno a la Estrella Polar y otro a Pólux.)

Wang Jinghong, otro almirante, llevaría su flota hasta el golfo Pérsico.

En este capítulo describimos la travesía de Zheng He y de Hong Bao, para seguir después a un destacamento mucho menor de la flota de este último, que navegó por el mar Rojo hasta El Cairo y llegó al Mediterráneo, en la estela del viaje de Zheng He al mismo mar en 1408.

El 18 de noviembre de 1432, cuando las flotas se hallaban al sur de Sri Lanka, Zheng He ordenó a Hong Bao que dirigiese la flota a Calicut, su próxima escala. Un jefe supremo no ordena a uno de sus oficiales superiores que lleve la flota a puerto si él mismo va a estar presente. Eso significa que Zheng He puso parte de su flota al mando de Hong Bao.[4]

Sabemos por las cartas de navegación de Zheng He que Hong Bao zarpó de Calicut rumbo a Dandi Bandar, situado más al norte en la misma costa (16° N, 73° E), atravesó el mar de Arabia con un rumbo de aproximadamente 330 y llegó a Jebel Khamish (22° 25' N, 59° 27' E). Al cabo de pocos días prosiguió hacia Bandar Abbas, adonde llegó el 16 de enero de 1433. Las flotas de Hong Bao regresaron a Calicut el 25 de marzo y partieron para China el 9 de abril, llevando la triste noticia de que Zheng He había fallecido.

¿Cómo sabía Hong Bao que Zheng He había fallecido? Después de sus órdenes a Hong Bao, de la impresión de que Zheng He se hubiera esfumado. En mi opinión, por razones que expondré en otro libro, después de separarse de Hong Bao, Zheng He puso rumbo a África y América del Norte y se estableció cerca de lo que hoy es Asheville (Carolina del Norte), donde murió.

Ma Huan, el historiador que viajaba a bordo de la flota de Zheng He,[5] describe con todo detalle la ciudad de Calicut. Casi una décima parte del libro de Ma Huan está dedicada a esta ciudad-Estado, que se había convertido en una base de avanzadilla muy importante para las flotas de Zheng He. Ma Huan, musulmán, se quedó maravillado al descubrir que había más de veinte mezquitas para una población de treinta mil musulmanes. Ofrece un relato pormenorizado de la actividad comercial entre los representantes de la flota de exploración y los mercaderes e intermediarios locales. Tras las negociaciones, todas las partes se daban la mano y juraban que nunca dejarían de respetar los precios acordados.

Estos relatos fascinantes se reflejan en los de Niccolò da Conti, que había llegado a Calicut en 1419. Como señala Richard Hall en *Empires of the Monsoon*, las descripciones de Ma Huan y de Niccolò da Conti son idénticas,[6] por ejemplo en la descripción de la prueba india de la culpabilidad (se sumergía el dedo del acusado en agua hirviendo y, si se quemaba, era culpable).

Niccolò describe con exactitud la construcción de los juncos chinos, así que estoy convencido de que estuvo a bordo de los de

Zheng He en 1421, lo que le habría brindado la oportunidad ideal de adquirir un mapa; de uno como el que describiré más adelante, y que apareció en Venecia antes de 1428 y cuya copia puede verse en el palacio del dux. (Aunque puede que Niccolò da Conti no regresara a Venecia hasta 1434, a partir de 1420 confió su correo a un amigo, Piero Tafur, que lo llevó a Venecia en su nombre.)

En su viaje de 1432, Hong Bao no permaneció mucho tiempo en Calicut. Cuando llegó, los mercaderes de Calicut estaban a punto de partir rumbo a Tianfang (Egipto) en sus flotas. Hong Bao aprovechó la oportunidad y destacó dos juncos con siete altos oficiales en una delegación comercial cargada de sedas y porcelanas, que se unieron a la flota de Calicut.[7]

Relata esta historia Ibn Tagri Birdi, el famoso historiador egipcio, en su historia de Egipto, *Al-Nujun Az-Zahira Fi Mulek Misr Wal Kahira*. En 1432 escribió:

> Llegaron nuevas de La Meca, la honrada, de que habían llegado unos cuantos juncos de China a los puertos marítimos de la India y de que dos de ellos habían anclado en el puerto de Adén, de que no habían descargado allí sus mercancías, porcelanas, sedas, almizcle y otros, debido a los desórdenes del Estado de Yemen ... El sultán les escribió para permitirles ir a Jedda y rendirles honores.[8]

Como señala Tai Peng Wang, los enviados chinos tenían razones de peso para dirigirse rápidamente a La Meca: Zheng He y muchos de sus capitanes eunucos eran musulmanes. El emperador Ming había ordenado a sus enviados que anunciasen el edicto imperial del emperador Xuan De a los reinos de Maijia (La Meca), Qian Lida (Bagdad), Wusili (El Cairo), Mulanpi (Marruecos) y Lumi (los Estados Papales) para informarles de que todos eran sus súbditos.

Según el *Shi-lu Ming*, la historia oficial de la dinastía Ming, Egipto y Marruecos eran dos de los países extranjeros que ya habían recibido el edicto imperial chino y los correspondientes regalos (la visita de 1408, según el *Shi-lu Ming*) durante el reinado de Zhu Di (1403-1424), pero en 1430 todavía no habían correspondido a China. No obstante, el *Shi-lu Ming* señalaba que los Estados Papales y Bangla

Desh figuraban entre los países extranjeros que ya habían rendido honores a la China Ming durante el reinado del emperador Zhu Di.

En 1432 La Meca formaba parte del reino mameluco de Egipto. Los mamelucos gobernaban el país más rico, con diferencia, del mundo occidental de aquella época; El Cairo era el puerto más grande del planeta fuera de China. Los barcos que Hong Bao había enviado a La Meca tenían órdenes de ir también a El Cairo,[9] un poco más al norte del mar Rojo a través del canal mar Rojo-Nilo. La descripción de las pirámides en el mapa chino de 1418 y en otros documentos chinos de la época es una prueba de la visita de esos barcos a El Cairo.

Ibn Batuta nos ofrece una descripción vívida de los primeros juncos chinos, y escribe acerca de su enorme tamaño, sus armas de petróleo, las lujosas dependencias para los mercaderes y las pobres esclavas.

Descripciones de las embarcaciones chinas

Hay tres clases de embarcaciones chinas: barcos grandes denominados «juncos», de tamaño medio denominados «zaws» y pequeños, denominados «kakams». Los barcos grandes tienen entre doce y tres velas hechas de varas de bambú trenzadas como en una esterilla. Nunca las arrían, sino que las giran según la dirección del viento; cuando están anclados, las dejan a merced del viento. El barco lleva una dotación de mil hombres, seiscientos de los cuales son marinos y cuatrocientos, hombres armados, entre ellos arqueros, hombres con escudos y ballesteros, es decir, hombres que lanzan nafta. Cada barco grande va acompañado por tres más pequeños, el medio, el tercero y el cuarto. Estas embarcaciones se construyen solo en la ciudad de Zaitun, en China, o en Sin Kalan, que es Sin al-Sin [Canton] ... Al lado de estas vigas están los remos, que son largos como mástiles y necesitan diez o quince hombres juntos para moverlos, que reman de pie. En la embarcación hay cuatro cubiertas [con] camarotes, suites y salones para mercaderes. Cada conjunto de habitaciones tiene varias de ellas y una letrina; puede cerrarse con llave desde dentro y el que la usa puede entrar con esclavas y esposas ... Algunos chinos poseen gran número de barcos en los que sus agentes son enviados a tierras extranjeras. No hay pueblo en el mundo más rico que el chino.[10]

Ibn Batuta también describió el intercambio de esclavos entre los potentados: «El rey de China ha enviado al sultán [de la India] cien mamelucos y esclavas, quinientas piezas de terciopelo ... [El sultán] correspondió el presente con uno todavía más espléndido ... cien esclavos, cien bailarinas y cantantes indias».[11]

Las delegaciones comerciales entre Egipto y China habían sido frecuentes no solo siglos antes de los viajes de Zheng He, sino siglos antes de Ibn Batuta. Estaban dirigidas por el Karim, una organización de mercaderes judíos egipcios que se especializaron en el comercio entre El Cairo, la India y China.[12] Un tal Bazaldeen Kulami Karimi,[13] nacido en 1149, viajó a China cinco veces, y amasó una gran fortuna con el comercio de cerámicas y sedas de aquel país. Zhao Ruqua, cronista del siglo XII, cita a un acaudalado mercader tazi que financió un cementerio árabe en el barrio sudoriental del puerto chino de Quanzhou, para que los mercaderes árabes pudiesen ser enterrados de cara a La Meca.[14]

Los mercaderes chinos importaron enormes cantidades de incienso árabe. Documentos históricos de la dinastía Song indican que Chen Xin Lang, un mercader, importó incienso por un valor de 300.000 guan. En China los mercaderes del Karim vivían en casas lujosas y gastaban mucho, y eran la envidia de todo el puerto comercial. En consecuencia, el emperador ordenó a los funcionarios locales que vigilaran «las conductas impropias y alteradas».

El comercio entre Calicut y los mamelucos egipcios floreció entre 1420 y 1430. El historiador Stanley Lane Poole cuenta que en 1425 un capitán escoltó catorce embarcaciones con valiosos cargamentos hasta Yidda. Al año siguiente, por lo menos cuarenta barcos zarparon de la India rumbo a El Cairo y Persia y pagaron derechos por valor de setenta mil dinares.[15]

El intercambio de visitas no estaba restringido a los mercaderes. El reino de La Meca envió una delegación para corresponder al emperador chino después de la visita de Zheng He en 1414; el sultán apareció en persona con un león y un *quilin* («jirafa») como presentes para Zhu Di. En 1433 el sultán envió una delegación al frente de Shu Xian para acompañar a los delegados chinos que regresaban a su país.[16]

Liu Gang, propietario actual del mapa de 1418, señala un modelo muy interesante que se repite en diversos documentos históricos chinos, entre ellos *Tomando vistas del litoral oceánico*, *Notas sobre los bárbaros de los mares occidentales*, *Registro de los tributos de los mares occidentales* y el propio *Shi-lu Ming*.[17] Cada uno de estos cuatro libros ofrece una descripción de Ormuz que no puede referirse al Ormuz que conocemos hoy en día. Explica que la vegetación florece en primavera, las hojas caen en otoño, hiela en invierno, llueve poco y hay mucho rocío. Los libros afirman también que Ormuz es uno de los reinos más grandes de los mares occidentales y que los hombres de negocios de las tierras bárbaras llegan allí por mar o por tierra. Añaden que Ormuz está cerca de la costa al final del mar Occidental. Sus gentes son blancas y de alta estatura. En aquella sociedad están muy desarrollados la literatura, los conocimientos médicos, la astronomía, el arte y la técnica, muy superiores a los de otros pueblos bárbaros. En efecto, comparan su nivel de civilización con el de Zonghua (China).

Nada de esto puede referirse al Ormuz que conocemos gracias a los relatos de muchos mercaderes del siglo xv, que es una isla pequeña en el estrecho de Ormuz, con poca vegetación y sin heladas, un lugar diminuto, inaccesible y tan espantosamente caluroso que solo estaba habitado tres meses al año. Apenas puede decirse que hubiese civilización, ni siquiera en materia de astronomía o de técnicas médicas.

En mi opinión, el «Ormuz» que describen los libros chinos del siglo xv solo puede referirse a El Cairo. Esto queda corroborado por el *Shi Waigua Zhuan Ming* («Perfil de los países extranjeros durante la historia Ming»), recopilado por You Ton, de la dinastía Qing.[18] Afirma que los enviados chinos, incluido Zheng He, pasaron por Mosili (El Cairo), pero que no les devolvieron la visita. Son innumerables las descripciones del comercio chino con El Cairo. En *Feiizhou Hualiko Huarem* («Historia de los viajes chinos a África») el erudito chino Li Anshan identifica el reino de Mosili con Egipto y el reino Jiegentou con el puerto de Alejandría. En el trabajo pionero de Zhang Xing Gang y de Han Zhenghua, también identifican Mosili con Egipto y Jiegentou con Alejandría, en una transliteración china del nombre árabe de Zuilkarnain, que empleaban los árabes para referirse a Alejandro Magno. En *Religiones chinas y minorías nacionales*, el historiador chino Bai Shouyi escribe: «Mi Xi en [Egipto] ya había enviado con regularidad sus mercaderes y delegados a China y esta a veces enviaba los suyos a aquellos países».

El *Shi-lu Ming* reza: «En el año 6 [1408], Zheng He fue a Ormuz y a otros países de los que regresó en el año 8 [1410]». Los mapas atestiguan también que las flotas de Zheng He visitaron El Cairo. El mapa de 1418 contiene la siguiente descripción: «Hay una ciudad inmensa cuyas piedras tienen dimensiones comparables a las de las tumbas del emperador de la dinastía Qin». El volumen de la pirámide del emperador Qin y el de la pirámide de Giza, del faraón Keops, son aproximadamente iguales, si bien la base de la de Qin es más amplia y la pirámide de Keops es más alta. El *Mapa de los países marítimos del sudoeste*, de la época de Zheng He, también describe las pirámides egipcias.

Así pues, Egipto no supuso una frontera nueva para Zheng He: sus antepasados habían viajado a aquel destino durante siglos. Habían llegado a El Cairo a través de canal mar Rojo-Nilo, de escasa profundidad, al que habrían accedido también los juncos más pequeños de Zheng He. Una vez en El Cairo, el Mediterráneo y la Europa meridional estaban a un paso.

6

EL CAIRO Y EL CANAL
MAR ROJO-NILO

E l mejor lugar para comprender la importancia del río Nilo para El Cairo y para Egipto es la planta 36 del hotel Ramsés Hilton, donde está el Mirador del Mundo. Cada vez que visito la ciudad de El Cairo, hago todo lo posible por beberme una cerveza allí, rodeado de vencejos y golondrinas que revolotean piando mientras se pone el sol. Al oeste, realzadas por la luz del crepúsculo, están la meseta y las pirámides. Al este están las colinas de Moqattam. Al norte y al sur, el gran río sale de África con gran estruendo, dibujando una curva enorme que deja atrás al Hilton y acaba en el borrón de color verde que es el delta en el norte.

Entre las pirámides y las colinas de Moqattam se extiende el gran valle por el que crece la ciudad de El Cairo. En otra época, este valle se hallaba a unos doscientos cincuenta metros por debajo del nivel del mar y ocupaba una superficie de entre cuarenta y sesenta kilómetros de longitud. El gigantesco río fue secándose progresivamente hace miles de años y se cubrió de una espesa selva poblada de fauna variada: elefantes, hipopótamos, antílopes y todo tipo de venados y pájaros. En el río abundaban los peces, entonces y ahora. El sol, que lucía casi todo el año, y aquel interminable flujo de agua hacían que la vida fuera fácil para los cazadores.[1] Esta es la razón por la que en Egipto ha existido una de las civilizaciones más antiguas del mundo, comparable a la de China a lo largo de los ríos Yangze y Amarillo o a la de Mesopotamia, entre el Tigris y el Éufrates.

En el transcurso de los siglos, el limo arrastrado a lo largo del continente africano por el poderoso río ha ido depositándose en las orillas oriental y occidental de lo que ahora constituye El Cairo moderno. A medida que se estrechaba el río, los puertos iban trasladándose ininterrumpidamente hacia el norte.

Los primeros europeos que pisaron estas tierras fueron los griegos, quienes construyeron una ciudad en Heliópolis, a unos seis kilómetros y medio al sur del Ramsés Hilton, en la orilla oriental del Nilo. Los romanos construyeron Babilonia, al norte de Heliópolis; los árabes levantaron Al-Fustat/Misr (El Cairo) aún más al norte, y a finales de la Edad Media el puerto se trasladó al norte de donde se halla actualmente el Hilton, primero a Maks y luego a Bulaq, que en la actualidad se encuentra frente a la estación principal de ferrocarriles de El Cairo. A medida que se desplazaban los puertos, cambiaba también de lugar la entrada al canal mar Rojo-Nilo desde el río. En la década de 1420, la entrada se hallaba debajo de lo que hoy es el Hilton. Si miramos al nordeste desde el Mirador del Mundo, todavía puede distinguirse su perfil. Cuando se tapó en 1899 se dejaron los muros laterales, lo que le permitía recoger agua. En la actualidad, el tranvía pasa por encima de este canal olvidado; una línea verde que va desde el Hilton hasta la estación de tren.[2] Hoy en día se puede ir junto al canal desde El Cairo hasta Zagazig, como hicimos Marcella y yo en 2006; tiene una anchura de unos treinta metros en todo su recorrido.

Para ver cómo se ha ido estrechando paulatinamente el río Nilo, puedes subirte a un falucho y navegar contra corriente aguas arriba empujado por una suave brisa, que en otoño es como de medio nudo. Todavía puede verse la antigua fortaleza romana de Babilonia, con una iglesia copta muy antigua en lo alto. Alrededor de la ciudad romana quedan un puñado de iglesias coptas y de sinagogas. Allí, las autoridades egipcias han colocado un cartel que reza: ESTO ERA LA ENTRADA AL CANAL DEL MAR ROJO–NILO.

Existe muchísima información sobre la evolución del canal desde los tiempos del faraón Necao II (610-595 a. C.). Herodoto nos cuenta (*Historias*) que Darío (522-486 a. C.) erigió cuatro estelas para conmemorar la construcción del canal. Carol A. Redmount, profesora de Berkeley, explica en «El Wadi Tumilat y el Canal de los faraones» que las estelas se colocaron en elevaciones para que pudieran ser vistas por los barcos del canal. La estela más occidental se descubrió en Tell el-Maskhuta y las otras, a lo largo del canal, que finaliza a unos seis kilómetros al norte de Suez. En una cara de las estelas aparecen jeroglíficos y en la otra, escritura cuneiforme (en caracteres persas, elamitas y babilonios).[3]

La profesora Redmount nos cuenta que Herodoto, que viajó a Egipto a mediados del siglo v a. C., fue el primer autor clásico que mencionó explícitamente el canal que conectaba el Nilo con el mar Rojo. Explicaba que la construcción fue iniciada por Necao II y finalizada por Darío. Aristóteles, que escribió en el siglo iv a. C., cita a Sesostris como creador del canal. Ptolomeo II Filadelfo (reinó en 285-246 a. C.) relata la excavación del canal a través del Wadi Tumilat. Le sigue Diodoro Sículo, quien en una visita a Egipto realizada en el año 59 a. C. confirmó que Necao había iniciado la construcción del canal, Darío la había continuado y Ptolomeo II la había finalizado dotándola de una esclusa para compensar las crecidas y retiradas del Nilo. Según dijo Estrabón (64 a. C.-24 d. C.) el canal tenía 46 metros de ancho y suficiente profundidad como para poder acoger a barcos grandes. En su *Historia natural*, Plinio afirma que el canal tenía treinta metros de ancho y doce de profundidad a lo largo de un tramo de 37,5 millas romanas hasta las Fuentes Amargas. El astrónomo de Alejandría Claudio Ptolomeo denominó al canal «el río de Trajano», e indicó que empezaba en la corriente principal del Nilo por encima de Babilonia, es decir, desde Heliópolis. Lucien, un funcionario egipcio al servicio de los emperadores antoninos, describió alrededor del año 170 a un viajero que navegó por el canal desde Alejandría hasta Clysma, en el golfo de Suez:

> Entonces llegaron los árabes.
> [El] califa Muiz había invertido una gran fortuna personal en la conquista de Egipto, de modo que quería recuperar la inversión lo antes posible y, como siempre, el canal del mar Rojo iba a ser el instrumento para su riqueza. El puerto aduanero de Al-Maks, que significa «impuesto aduanero», se halla en el meandro del río que llega casi hasta las murallas de Kahira, en el lado oeste, cerca del canal, y este Mu'iz

lo conquistó inmediatamente y lo convirtió en un astillero, manteniendo su carácter tributario, pero poniendo además los cimientos para que se convirtiese en un puerto de su propiedad, que rápidamente se llevó gran parte de las transacciones que normalmente se realizaban en Fustat-Misr.

Allí Mu'iz construyó seiscientos barcos y unos 77 años más tarde, cuando Nasir Ibn Khusrau llegó a El Cairo [en el siglo XI], siete de sus barcos estaban todavía en la orilla del río. «Yo, el autor de esta narración, Ibn Khusrau, dice: "Los he visto".» Medían treinta *erich* por sesenta *arech* (84 metros de eslora por 33 de manga). Aquellos barcos eran sin duda una inversión brillante porque podían transportar enormes cantidades de cargamento de una sola vez, de modo parecido a los gigantescos petroleros modernos. A Mu'iz no se le escapaba nada que pudiera reportarle beneficios, por lo que reorganizó todo el sistema de impuestos en un organismo central de recaudación que acabó con los recaudadores locales, que solían llevarse una gran parte de lo que ingresaban. En un día, recaudaba más de 475.000 dólares (equivalente actual) en impuestos, solo en Fustat-Misr.[4]

En *A History of Egypt in the Middle Ages*, Stanley Lane Poole nos cuenta que ciento veinte mil obreros trabajaban invierno y verano en el mantenimiento y la mejora de los diques y canales. El antiguo canal denominado tradicionalmente Amnis Trajanus, que conectaba Babilonia (El Cairo) con el mar Rojo, fue dragado y reabierto en menos de un año, y enviaron el trigo a Medina por barco en lugar de por caravana, como habían hecho el año anterior.[5]

En resumen, son numerosas las pruebas aportadas por escritores griegos, romanos y árabes que afirman que el canal permitía el transporte de mercancías en barco del Nilo al mar Rojo y viceversa. El trigo era transportado desde los campos de Sudán a Roma, La Meca, Arabia y la India. La porcelana y la seda chinas llegaban a Roma y el cristal veneciano, a la India.

En el 642, Amir ibn al-As dragó el antiguo canal, que se había ido llenando de limo que arrastraba el Nilo. Un siglo después se produjo una rebelión en La Meca y en Medina, y en el 767 Abbasid Abu Ja'far al-Mansur bloqueó el canal para impedir que los cargamentos de trigo llegasen a La Meca. Poco después, en el 780, durante el califato de Al-Mahdi, se reabrió el canal. Posteriormente, en el año 870 Ahmad ibn Tulun dragó el canal una vez más, que fue ampliado de nuevo en el 955.

La siguiente gran reforma del canal fue llevada a cabo por el sultán Al-Malik an-Nasir en 1337, quien destinó cien mil hombres a la tarea. También construyó el nilómetro al sur de la isla de Roda, que todavía puede verse hoy. Medía la altura de las aguas del río y, por tanto, servía de aviso de inundación.

El historiador James Aldridge resume las ampliaciones y dragados que conformaron el canal definitivo en su obra *Cairo: Biography of a City*, que se basa en las descripciones de Al-Makrizi, historiador egipcio del siglo xv:

> Las tierras que emergían alrededor de la isla del Elefante eran pantanosas y blandas, y Makrizi, que nos cuenta todo esto, dice que los mamelucos practicaban allí el tiro con arco. Pero a mediados del siglo xiv Al-Nazir unió el canal del mar Rojo con la nueva orilla del río secando estas tierras cenagosas. A esta salida nueva del canal antiguo se la denominó Khalig Al-Nasir, y siguió siendo la salida del mar Rojo hasta este siglo, aunque más adelante volvió a ser desviado y se le llamó el canal Ismailiya. Entroncaba con el río en el lugar donde se halla actualmente el Museo Faraónico Egipcio, cerca del Nile Hilton. Esta versión definitiva del canal de Nazir se cubrió a finales del siglo xix para construir lo que actualmente es la calle de Ramsés II, y cualquiera que se halle en lo alto del Nile Hilton con algo de tiempo que perder podrá contemplar esta calle y trazar el recorrido del antiguo canal hasta la plaza de la estación, que fue en otro tiempo el puerto de Al-Maks.[6]

Como hemos señalado, uno de los nombres que los chinos daban a la ciudad de El Cairo era Misr, derivado del nombre faraónico del puerto fluvial de Babilonia. Con el paso del tiempo, Al-Fustat y Misr se convirtieron en nombres indistintos para el puerto y para la ciudad de El Cairo, «sin duda porque, con el tiempo, todo el comercio con Egipto se dirigía al puerto de Misr o procedía de él —explica Aldridge—. Así que parece lógico que acabara llamándose Fustat-Misr (que es como se refiere a él con frecuencia Al-Makrizi) y después Misr, a secas. Hoy en día, los egipcios siguen

utilizando el nombre de Misr para referirse tanto a su país como a
El Cairo».

El 26 de noviembre de 2004, la Sociedad de Cerámica Oriental
de Francia dio una conferencia en París sobre el comercio entre
China y el Mediterráneo antes del siglo XVI. En la conferencia se
ofreció todo lujo de detalles sobre la exportación de cerámica china
a Egipto, a Oriente Próximo y al Mediterráneo.[7]

En las excavaciones realizadas en la periferia al sur de El Cairo se
han hallado cerámicas chinas de los siglos x al XIV. En «Porcelana
china de Fustat», el arqueólogo R. L. Hobson describe la importancia de los hallazgos de porcelana y cerámica:

> Examinando las pilas de fragmentos almacenados en Fustat y en el
> Museo Árabe de El Cairo ... nos damos cuenta con toda claridad de la
> amplitud y de la antigüedad del comercio entre Egipto y el Lejano
> Oriente. Hay, por ejemplo, piezas de gres con vidriado color crema
> jaspeado de verde o amarillo bronce, que procedían de China en la
> época de la dinastía Tang; hay también diversas variedades de porcela-
> na de celadón que nos remiten a los comerciantes Sung. Y hay porce-
> lana blanca y azul que va desde el período Yuan hasta el final del perío-
> do Ming...
>
> Abundan los típicos celadones Lung ch'uan y ch'u-chou de los
> períodos Sung, Yuan y Ming, cuencos y platos con diseños tallados o
> con relieves de peces y flores, piezas tan conocidas que no necesitan
> mayor explicación ...
>
> Era lógico que el volumen de comercio con China se incrementa-
> se durante la dinastía Ming ... Prueba de ello es la cantidad enorme de
> porcelana blanca y azul que se encuentra en Egipto, no solo los frag-
> mentos hallados en Fustat, sino en todos los alrededores de El Cairo.
>
> ... Una de las piezas más antiguas es el fondo de un cuenco con el
> sello del reinado de Yung Lo (1403-1424), es decir, de Zhu Di.[8]

Este extraordinario comercio de porcelana y cerámica era alimentado por el Karim. El Karim poseía sus propios almacenes de
depósito (*fonduqs*) desde El Cairo hasta la India y más allá. Construían sus propios barcos y en ocasiones los alquilaban. También
ejercían de banqueros, lo que les llevó a la ruina.

En 1398, el Karim hizo un préstamo muy elevado al sultán de los mamelucos para financiar un ejército que pusiera freno a la marcha de Tamerlán hacia El Cairo. Cuando reclamaron la devolución del préstamo, el sultán no estaba en condiciones de devolverlo. Al-Ashraf Barsbay nacionalizó el canal del Nilo-mar Rojo para volver a llenar sus arcas, fijando los precios de compra y venta de las mercancías que atravesaran Egipto. De un plumazo se esfumó la seguridad de los préstamos del Karim: el comercio a través del canal. En unas décadas el Karim se arruinó. Cuando China se retiró de la escena mundial a partir de 1430, después del último viaje de Zheng He, las mercancías chinas dejaron de llegar.

EL CAIRO: CIUDAD MUSULMANA INTEMPORAL POR EXCELENCIA

El Cairo se alza hoy exactamente igual que en 1433. La ciudad fortificada ha resistido los embates de sus invasores durante cinco siglos. Durante las guerras mongolas, las fortificaciones de Saladino ofrecieron cobijo a todos los musulmanes, convirtiendo El Cairo en un refugio no solo para el califa, sino también para filósofos, artistas, artesanos y maestros, así como para cientos de miles de personas de a pie que huían de Gengis Kan y de sus sucesores. Afluyeron a la ciudad una gran cantidad de riquezas que se materializaron en un suntuoso conjunto de mezquitas, madrazas, mausoleos y hospitales. Esta es la ciudad medieval coronada de cúpulas que debió de ver Zheng He.[9]

A primera vista, las ciudades y pueblos árabes son un entramado caótico para el visitante occidental, con sus callejuelas retorcidas y serpenteantes que salen sin orden ni concierto en todas direcciones. No obstante, tenían un plano maestro. En «el centro de la ciudad árabe se levanta la mezquita del viernes; todo sale de ella y va hacia ella, como si fuera el corazón».[10] Junto a la mezquita se levanta la madraza, precursora de la universidad occidental, donde se enseñan la ley y la teología del islam. En torno a la mezquita y la madraza se extiende el bazar, con sus kans y caravasares, donde los mercaderes descansan, dan de comer a sus camellos y guardan sus mercancías.

El comercio y la religión se dan la mano en el islam, lo que da mucho prestigio a los mercaderes (Mahoma era uno de ellos). El estatus de un mercader venía dado por la distancia de su tienda a la mezquita del viernes; las tiendas de perfumes, especias e incienso eran las más próximas, seguidas de las de oro y plata. Los más alejados eran los zapateros. Tanto la mezquita como el mercado estaban relativamente cerca de los caravasares.

En la plaza central tenían cabida todo tipo de entretenimientos, y resonaban en ella los gritos de los encantadores de serpientes, de los osos, de los bailarines y de los contadores de cuentos. Irradiando hacia el exterior desde el bazar había un batiburrillo de barrios residenciales divididos por razas y religiones, y alrededor de ellos, una muralla defensiva (en El Cairo, la de Saladino) para mantener a raya a los mongoles y a los ladrones.

En el centro de El Cairo medieval estaba la mezquita de Al-Azhar, fundada en el 970, tan pronto como finalizó la construcción de las murallas del recinto de Al-Qahira. Se trata tal vez de la mezquita más famosa y está vinculada a la universidad más antigua del mundo. Durante más de mil años, la Universidad de Al-Azhar ha ofrecido gratuitamente a los estudiantes musulmanes de todo el mundo alojamiento y enseñanzas de teología centradas en el Corán y en la ley islámica, así como de lógica, gramática, retórica, astronomía y ciencia.

Durante siglos las mezquitas se han llenado hasta rebosar todos los viernes. Cuando ya no queda sitio, los hombres colocan sus esterillas fuera, en las aceras. Rezan todos juntos en filas uniformes, ricos y pobres, ancianos y jóvenes, capas doradas junto a mugrientos *kashmaks*. Todos los hombres son iguales según el islam; no hay tribunas reservadas a la gente bien. El interior de Al-Azhar se parece a la catedral londinense de Southwark, aunque no es tan alta y resulta bastante más austera. Estudiantes con túnicas, sentados entre columnas de mármol gris, reciben las enseñanzas de un imán arrugado sentado en una silla alta. (Las togas de Oxford y Cambridge se copiaron de las que llevaban los estudiantes musulmanes, del mismo modo que nuestra «cátedra» procede del asiento elevado del imán.)

La mezquita de Al-Azhar compite con las de Sayyid Hasan, Al-Ghuri y la del sultán Al-Ashraf Barsbai, todas a un tiro de piedra entre sí. El presidente egipcio frecuenta la mezquita de Al-Azhar. Sus muecines llaman a los fieles a la oración cinco veces al día. Tradicionalmente, se elige a los muecines de entre los invidentes, de manera que no puedan ver desde el alminar el interior de las casas donde las mujeres van sin velo y se desvisten.

En la plaza se celebran los *mulids*, los festivales de El Cairo, y la hermandad sufí reza con estandartes y tambores; la música resuena toda la noche. Con motivo de la festividad de Eid, llegan riadas de personas desde el delta y se reúnen en los cafés en torno a la plaza, en la que cada pueblo del delta tiene su preferido.

Uno puede entender sin dificultad por qué El Cairo fue un foco de atracción para todas las gentes del islam, incluidos Zheng He y sus colegas musulmanes que regresaban de La Meca. En términos generales, los extranjeros vivían en El Cairo y los egipcios nativos, de piel blanca —los *fellahin*—, vivían en el delta y en el valle del Nilo. Teniendo la mezquita más sagrada del mundo junto al mercado más grande del mundo, la ciudad lo tenía todo. Allí podían estudiar el Corán, vender sus mercancías y disfrutar de las legendarias delicias nocturnas de la ciudad.

Hoy en día, como en la Edad Media, El Cairo es una ciudad de gentes amables que viven apiñadas, en un ir y venir a empujones de una esquina a la siguiente. Para los peatones y motoristas que se abren paso a través de la multitud, unos cientos de metros pueden parecer un kilómetro. La población de El Cairo es políglota, habitada por los hijos de los hijos de mercaderes sudaneses, armenios, judíos, georgianos, persas, norteafricanos e indios. En efecto, los egipcios se mezclaron con los descendientes de los conquistadores y de los mercaderes hasta tal punto que hoy en día es difícil encontrar un egipcio «puro».

Los marinos de Zheng He verían, junto a la mezquita de Al-Azhar, dos complejos imponentes: la madraza y la *wikala* de Al-Ghuri, cuyo nombre deriva de uno de los últimos sultanes mamelucos. *Wikala* es la palabra egipcia para «caravasar». Tanto los caravasares como las madrazas complementaban a la mezquita y con frecuencia eran financiadas por una organización benéfica, o *wakf*, fundada por el sultán o por algún comerciante acaudalado.

La madraza de El Cairo, típico ejemplo de cómo eran las primeras universidades musulmanas, es un gran edificio rectangular con un patio abierto en el centro rodeado de amplios claustros. En los claustros, los alumnos debaten con los maestros en pequeños grupos; se da mucha importancia a la agilidad mental. Mientras Europa avanzaba a duras penas por la oscuridad de los inicios de la Edad Media, El Cairo guardaba celosamente la biblioteca más grande del mundo. Allí, las grandes obras de los antiguos, incluidos Aristóteles y Platón, se guardaron hasta que por fin fueron llamadas a echar una mano en la Ilustración.

En el caravasar de Al-Ghuri, los mercaderes procedentes de China cargados de oro, sedas y cerámicas podían descansar en un entorno sencillo y limpio, a un tiro de piedra del frescor de la mezquita. En la época de Zheng He había once caravasares en El Cairo, veintitrés mercados de comercio internacional, cincuenta mercados más pequeños (zocos) de comercio local y once pistas de carreras.

El historiador Al-Makrizi ofreció un vivo retrato de la vida en los caravasares en la década de 1420. Se vendían toda clase de especias imaginables, junto con toda suerte de sedas y artículos más prosaicos: fruta, frutos secos y mermeladas en grandes cantidades. Los mercaderes viajaban con sus arcas de oro y de plata, todas sus riquezas materiales. Los robos estaban a la orden del día. El castigo, todavía vigente en Arabia Saudí, consistía en cercenar la mano derecha del culpable.

A finales de la Edad Media, El Cairo era el emporio mundial de tres de los artículos más importantes del comercio internacional: oro, especias y perfumes. A consecuencia de la expansión del islam, la ciudad se había convertido en la capital mundial de las reservas de metales preciosos. Los califas árabes, que necesitaban cada vez más oro para alimentar el comercio, adoptaron inicialmente las monedas bizantinas, grabando en ellas el busto del califa. Tras la invasión del norte de África por los ejércitos árabes, se adueñaron del comercio de oro procedente de Mali y Guinea, que contaban con los filones más grandes con diferencia.

El control árabe del comercio del oro hizo que el dinar de oro se convirtiera en la moneda de cambio del Mediterráneo. Los gobernantes de Castilla, Aragón y León copiaron los dinares de los almorávides y los llamaron «morbetinos».

El mercado de especias de El Cairo, el Khan el-Khalili, se halla frente a la mezquita de Al-Azhar. Fue construido por un acaudalado mameluco que le dio su nombre en 1382, y sigue siendo un hervidero de negocios seiscientos años más tarde. Es en la parte más prestigiosa del bazar, la más próxima a la mezquita, donde se encuentra el legendario incienso. Traídas desde los wadis del sur de Arabia, estas esencias concentradas se venden por onzas, diluidas en alcohol: una parte a nueve para el perfume, una a veinte para el *eau de toilette* y una a treinta para el agua de colonia. Las tiendas de El Cairo siguen manteniendo la tradición medieval de vender los perfumes en botellas alargadas junto con las hierbas y las especias, y Egipto sigue siendo la fuente de muchas de las esencias empleadas por las casas de alta costura francesas.

En la Edad Media los perfumes y las especias se valoraban mucho y por igual. El comercio de especias con Oriente a través de El Cairo fue la piedra angular de la riqueza veneciana.

Los europeos devoraban las especias, que eran lo mejor que existía para hacer apetitosos sus platos de carne salada y de pescados desecados. Además de realzar el gusto de los alimentos, las especias eran utilizadas ampliamente por los boticarios. Preparaban purgas con casia o ruibarbo, y la triaca, una combinación de hierbas y especias variadas, era la panacea para todo tipo de dolencias, desde el estreñimiento a la fiebre o incluso la peste. Se decía que las mermeladas de jengibre facilitaban la micción. La canela aliviaba los dolores de menstruación y era valiosa en un ataque de aerofagia, y la nuez moscada aliviaba la tos y el asma. Como señala Iris Origo en *The Merchant of Predo*, no existía especia oriental, por rara o cara que fuera, que no llegase a las ollas o a los botiquines de los banqueros y mercaderes italianos.

Si uno sale hoy del mercado de especias, se encuentra con las tiendas de bronce y cobre, abarrotadas de cafeteras árabes, jarras de agua, tableros de mesa, cubos para el carbón y bandejas. Minúsculas piezas de nácar, hueso y marfil se incrustan en complicados mosaicos en las cajas de madera. Aunque las cuentas de oración, hechas de ámbar, se utilizan para contar las gracias de Alá —un poco como los católicos utilizan los rosarios—, el ámbar tiene menos valor en el mercado que el cobre.

Un poco más allá están los puestos de piel y de ropa. Los hombres egipcios, como sus antepasados medievales, llevan *galabayas*, túnicas sin cuello que parecen camisones muy anchos y desgarbados. (Los caftanes son la versión más colorida, bordada en la parte delantera y en las costuras.) Las mujeres buscan vestidos para el ajuar confeccionados por los beduinos del desierto. El mercado abarca todo un mundo. Es increíble que casi todo lo que se vende aquí hoy en día estuviera también en venta para los marinos de Zheng He y los mercaderes chinos que pasaron por El Cairo en 1433. Con la ayuda de la corriente, es fácil navegar aguas abajo desde El Cairo. Justo al norte de El Cairo el Nilo se divide, y el canal occidental de Rosetta lleva a Alejandría, que queda así conectada al río por el canal. En Alejandría las autoridades mamelucas insistieron en que los barcos que pasaban por allí depositaran los mapas que habían utilizado para el viaje. Los copiaban y devolvían los originales. Una vez cumplido este trámite, los chinos se dejaron llevar por las aguas del Nilo hasta el Mediterráneo.

Segunda parte

China enciende la chispa del Renacimiento

7

HACIA LA VENECIA DE NICCOLÒ DA CONTI

En la Edad Media, el tráfico marítimo entre Egipto y Europa estaba determinado por la geografía del Mediterráneo.[1] En torno a él se levantan varias cordilleras: al sudoeste, en Marruecos, las montañas del Atlas, y luego, en el sentido de las agujas del reloj, Sierra Nevada en el sur de España, los Pirineos, los Alpes franceses, italianos y eslovenos, las montañas de Grecia, Bulgaria y Turquía, y, por último, la cordillera del Antilíbano, entre Líbano y Siria.

Estas montañas deciden el clima mediterráneo. Entre el equinoccio de septiembre y el de marzo, se genera un fuerte anticiclón en las Azores, que permite que las depresiones atlánticas pasen rápidamente a través del estrecho de Gibraltar y luego se desplacen veloces de poniente a levante por todo el Mediterráneo. Cuando estos vientos cálidos y húmedos entran en contacto con el frío de las montañas de la costa, generan vientos tempestuosos y lluvias. El mistral de Francia es tal vez el más conocido, pero cada región mediterránea tiene en invierno sus vientos racheados y acompañados de lluvia, que hacen que los viajes por mar sean peligrosos.

Todo el Mediterráneo tiene un clima común; los inviernos lluviosos vienen seguidos de veranos tranquilos y cálidos. Regular como un reloj, el sol se desplaza hacia el norte todos los años, arrastrando con él el anticiclón de las Azores que se detiene frente al estrecho de Gibraltar. Los vientos húmedos del Atlántico quedan entonces desterrados del Mediterráneo y el aire deja de correr. Hacia el mes de julio, todo el mar está como una balsa de aceite, sin una pizca de brisa. El viento sahariano seco sopla hacia el norte, el cielo se limpia hasta el infinito y en toda la costa soplan vientos abrasadores, como el terral del sur de España. Las tres potencias marítimas de Europa —Aragón, Génova y Venecia— explotaron esta geografía para llevar a cabo intercambios comerciales con Oriente a través de Alejandría y El Cairo. Las inmensas fortunas de Venecia y Génova dependían por entero del comercio. La ceremonia veneciana de La Sensa, que se celebra el día de la Ascensión, da una idea de la pasión con que Venecia se entregó al mar.[2]

El dux sube a su gran nave dorada, el *Bucintoro*, en San Marcos. Se sienta en un trono dorado muy por encima de la tripulación de 150 remeros, que lo transportan hasta el Lido atravesando la laguna. Los ropajes dorados del dux llevan bordados el León de San Marcos y va tocado con un casquete incrustado de diamantes, *la renza*, el mismo que utilizaban los almirantes chinos en los primeros tiempos de la dinastía Ming. Por encima de su cabeza ondean los estandartes de seda. Tras un breve servicio, el dux lanza un anillo de oro al agua. Mientras desaparece en las profundidades azuladas, él proclama: «Mare, noi ti sposiamo in segne del nostro vero perpetuo dominio» («Oh mar, te desposamos en señal de nuestro verdadero y eterno dominio»).

En 1434 el ritual matrimonial tenía ya más de cuatrocientos años de antigüedad. Se inició cuando el papa Alejandro III regaló al dux un anillo y le dijo: «Recibe este anillo como símbolo de tu imperio sobre la mar ... Tú y tus sucesores os casaréis con ella año tras año, para que las futuras generaciones sepan que la mar es tuya y te pertenece como la esposa al marido».[3]

La riqueza de Venecia hunde sus raíces en su conquista de Bizancio. En 1204 se organizó una cruzada para conquistar Jerusalén. Hubo dificultades para financiar la cruzada hasta que el dux Dandolo ofreció su apoyo, con la condición de que los cruzados tomasen Zara (la actual ciudad croata de Zadar) en su camino hacia el sur. Los cruzados aceptaron, convirtiéndose así en mercenarios.

La tentación de conquistar también Bizancio para Venecia resultó irresistible para los cruzados, que iniciaron el saqueo de la capital cristiana ortodoxa en nombre de otro Estado cristiano.[4] Cuando cayó Bizancio, el Imperio bizantino fue repartido entre los vencedores. El botín que correspondió a Venecia, ejemplificado por los cuatro caballos de bronce y el mármol de la fachada de la basílica de San Marcos, incluía islas y puertos repartidos por todo el imperio desde el mar Negro hasta el Jónico, pasando por el Egeo. Así, las galeras venecianas se hicieron con puertos amigos en toda la ruta de Bizancio a Alejandría.

A partir de entonces Venecia controló el Adriático. En 1396, seis años después de haber derrotado a Génova y catorce después de la revuelta de Creta, se hizo con Corfú. Corfú, de vital importancia para Venecia debido a su situación estratégica, se convirtió en una base fortificada desde la que las galeras venecianas patrullaban el estrecho que llevaba al Adriático.

Venecia construyó maravillosas ciudades coloniales en aquellas islas del Adriático. Sus puertos, concebidos a su imagen y semejanza, cada uno con su *campanile*, su catedral, su plaza y su paseo nocturno, jalonan la costa dálmata. Desde Ulcinj en el sur a Piran en el norte, los puertos de Bar, Dubrovnik, Corcula, Hvar, Split, Zadar, Rab, Krk, Pula y Porec son legados sublimes de la arquitectura veneciana. En 1433 había puertos de escala para las flotas que transportaban cerámicas, sedas y especias procedentes de Alejandría y de El Cairo a los almacenes de Venecia. Mientras resuenan en las montañas los cantos eslavos de las iglesias ortodoxas, en la costa las campanas que llaman a misa a los católicos tañen los domingos.[5] San Jacobo en Sibenik, San Marcos en Piran, San Lorenzo en Trogir y Nuestra Señora de Rijeka son iglesias extraordinarias desde cualquier punto de vista. Ellas fueron algunas de las estampas que saludaron a Zheng He y a su tripulación en su travesía de Alejandría a Venecia. Aun apostando quince hombres en cada remo, de Alejandría a Creta habrían sido necesarios diez días de esfuerzos en un mar encalmado. Una vez en el Adriático, habrían aprovechado una ligera brisa nocturna que los habría empujado hacia la costa. ¡Qué alivio si así hubiese sido!

Conozco bien aquellas islas a raíz de una visita que hice en 1966. En diciembre de 1965 había conocido a Marcella; nos prometimos en junio y decidimos tomarnos unas vacaciones y viajar por las islas dálmatas hasta Montenegro y Serbia. Antes de conocerla, había servido cuatro años como oficial de navegación en el *HMS Narwhal*, un submarino de guerra británico. Estábamos en plena guerra fría y nuestras patrullas estaban desplegadas en el norte. Los inviernos eran grises y fríos; el sol salía solo durante una hora o así, al mediodía, y casi todo el tiempo mirabas al hielo, al mar y al cielo, confundidos en una gama interminable de tonos grisáceos.

En agosto de 1966, Marcella, mi tío Edward y yo embarcamos en un ferry en Venecia rumbo a Dubrovnik, que serpenteó por el archipiélago dálmata antes de llegar a destino. Pasamos por la casa de Marco Polo en Corcula, por el enorme palacio de Diocleciano en Split y por Hvar, una isla de color miel. El azul intenso del mar y del cielo realzado por el blanco radiante del litoral cárstico, las torres bermejas de los campanarios y el color rojizo y dorado del tabaco que se secaba al sol, han quedado grabados en mi memoria y me acompañarán toda mi vida.

Dormimos en la cubierta superior, bajo las estrellas, nos bañamos en playas remotas observados únicamente por las gaviotas, y deleitamos nuestro paladar con pescados locales regados con Dingaz, un vino tinto áspero, con mucho cuerpo, casi negro.

La misma escena idílica habría dado la bienvenida a los marinos de Zheng He y a las esclavas mientras los juncos avanzaban a golpe de remo por la costa. Habrían visto los perfiles de aquellas pequeñas Venecias desde muchas millas de distancia, desperdigadas por toda la costa desde Dubrovnik a Trieste, hasta llegar a la mismísima Venecia. Habrían avistado el imponente palacio de Diocleciano, el espectacular puerto de Hvar y las relucientes murallas blancas de la fortaleza de Dubrovnik, y seguramente habrían atracado en algunos de aquellos puertos.

Así pues, en mi opinión deberíamos encontrar pruebas del paso de las flotas de Zheng He en los museos de la costa dálmata. Durante años, Marcella y yo hemos visitado los museos con más probabilidades: la vieja escuela marítima de Perast, el museo de la familia Matko en Orebic, el Museo del Gremio de los Marinos en el golfo de Kotor, el Museo de Ivo Vizin en Prcanj y el Museo Marítimo de Kotor. Ni rastro.

No obstante, mi interés renació y aumentó cuando conocí al

doctor Gunnar Thompson en Seattle, en 2004. Me había enseñado el mapamundi de Albertin di Virga. Este mapa había sido hallado en una librería de segunda mano en Srebrenica, cerca de la costa dálmata. Estaba fechado entre 1410 y 1419 y en él figuraba el mundo desde Groenlandia hasta Australia, África incluida, perfectamente dibujado, décadas antes de que los europeos supieran qué forma tiene África y siglos antes de que conocieran el aspecto y las posiciones relativas de China, Japón y Australia. La autenticidad del mapa fue certificada por el profesor Franz von Wieser, el principal cartógrafo de nuestros días. Debieron de copiarlo de un mapa de procedencia no europea, y según el doctor Thompson solo podía ser la copia de un mapa chino que hubiera sido impreso antes de 1419, opinión que comparto. Es más, el doctor Thompson ha hallado pruebas de que, entre 1440 y 1450, habían salido barcos de la costa dálmata en dirección a América del Norte y se habían instalado cerca del río Roanoke, en Virginia (los famosos «croatas»).[6] Yo creo que los barcos dálmatas no habrían visitado América cincuenta años antes que Colón si no hubiesen tenido mapas que les mostraran el camino, lo que apunta una vez más a que las flotas de Zheng He hicieron escala en Dalmacia y dejaron mapas a su paso. En 2005 habíamos vendido los derechos literarios de *1421* para su traducción al serbocroata, esperando recabar más pruebas de las escalas chinas en aquella costa, pero, desafortunadamente, no surgió ningún dato más.

Entonces, de repente, el 21 de octubre de 2007 recibí dos correos electrónicos del doctor A. Z. Lovric, un genetista cuyo antiguo apellido era Yoshamya (en el siglo XVI, después de las invasiones otomanas los apellidos se cambiaron a la fuerza). El doctor Lovric me decía que su prestigioso predecesor, el profesor Mitjel Yoshamya, había publicado un voluminoso trabajo (de casi doscientas páginas) en el que afirmaba que un almirante dálmata, Harvatye Mariakyr, había navegado por todo el mundo antes de las invasiones otomanas. Lo había hecho después de recibir mapamundis de un almirante chino que había atracado en la costa dálmata. En la web de *1434* figuran las copias de estos correos.

A continuación ofrezco un resumen de los argumentos que ofrecía el doctor Lovric en su correo:

1. Existe una leyenda entre los habitantes de las islas del mar Adriático según la cual antes de las invasiones otomanas (antes de 1522) visitaron la costa adriática unos veleros extranjeros tripulados por «orientales amarillos de ojos rasgados» (en dálmata antiguo, «pashoglavi zihodane»).

2. Tras las visitas de los barcos orientales, el almirante medieval Harvatye Mariakyr, con siete barcos adriáticos, devolvió la visita y navegó a través del océano Índico (Khulap-Yndran) hasta el Lejano Oriente, llegando a Zihodane, en Khitay (Cathay).

3. A su regreso del Lejano Oriente, el almirante Mariakyr, que había sabido de la existencia de nuevas tierras en el oeste, decidió zarpar con su flota rumbo a Semeraye (América de Sur); perdió la vida en el Parané medieval (Patagonia). Este viaje quedó registrado en escritura glagolítica medieval.

4. Estudios recientes de ADN han confirmado que en algunas islas del mar Adriático (Hvar, Corcula) y en las costas adyacentes (Makarska) algunas familias poseen el genotipo del este de Asia.

5. Hasta el siglo XX algunos habitantes de estas islas del Adriático tenían apellidos cuyo origen no era ni eslavo ni europeo, por ejemplo Yoshama, Yenda, Uresha, Shamana, Sayana, Sarana y Hayana. En 1918, cuando fueron derrotados los austrohúngaros, los isleños fueron obligados a eslavizar aquellos apellidos extranjeros, pero se han conservado hasta la actualidad bajo la forma de apodos y alias.

6. La utilización simbólica de los colores en los mapas medievales dálmatas era la misma que la de los chinos: negro = Norte, blanco = Oeste, rojo = Sur, azul y verde = Este.

7. Hasta fecha reciente los habitantes de las islas del mar Adriático utilizaban nomenclatura no europea para América y para el Lejano Oriente, basada en traducciones de la nomenclatura china.

8. Se dice que los cactus americanos (sobre todo el *Opuntia*) de la Dalmacia medieval, presentes en Dubrovnik y en todas partes, fueron llevados allí por los primeros barcos llegados del Lejano Oriente.

El correo electrónico del doctor Lovric se refería al trabajo de investigación del profesor Mitjel Yoshamya, publicado en lengua croata en Zagreb en 2004. El extenso trabajo abarca la propagación de los antiguos nombres dálmatas por todo el Pacífico antes de los viajes de los exploradores españoles: Sion-Kulap (Pacífico), Skopye-Kulapne (Filipinas), Sadritye-Polnebne (Melanesia), Sadritye-Zihodne (Micronesia), Skopye-Zihodne (Japón), Artazihod (Corea) y Vela-polneb (Nueva Zelanda). Goa era la principal base dálmata del comercio con el Lejano Oriente. (Estos nombres dálmatas antiguos figuraban en los mapas alemanes del Pacífico hasta que Alemania fue derrotada en la Segunda Guerra Mundial, tras lo cual fueron eliminados y sustituidos por los nombres españoles, franceses y portugueses.) Espero que haya estudiantes jóvenes que traduzcan al inglés la totalidad del manuscrito del profesor Yoshamya, puesto que ahora solo están traducidos algunos extractos del mismo.

Como se verá cuando lleguemos a Venecia, decenas de miles de niñas y mujeres asiáticas fueron desembarcadas en sus muelles y vendidas o regaladas como esclavas. Sin duda, muchas de ellas escaparían cuando las flotas hacían escala en las islas de camino a Venecia, y esto debería reflejarse en el ADN o genoma mitocondrial.

El primer paso para establecer un programa de investigación del ADN de las poblaciones veneciana y dálmata fue averiguar si ya existía algún dato al respecto. El doctor Lovric, que trabaja en el Departamento de Genética Molecular, tuvo la amabilidad de facilitarme esta información. Existían una docena de informes locales sobre el ADN de los habitantes de las islas adriáticas, que quedaron resumidos en la obra de Lovorka Bara, Marijana Perii et al., «Y Chromosomal Heritage of Croatian Population and its Island Isolates» («Herencia cromosómica Y de la población croata de sus islas»).[7] Como puede verse en el resumen, los autores afirman: «En una de las poblaciones de la isla sur (Hvar), hallamos una frecuencia relativamente elevada (14 por ciento) de linajes que pertenecían al grupo P* (xM 173), lo cual no es habitual en las poblaciones europeas. Es interesante constatar que la misma población también contenía el haplogrupo F mitocondrial, que está prácticamente ausente en las poblaciones europeas, lo que indica una conexión con las poblaciones de Asia central, posiblemente con los ávaros».

Luego, en el tercer párrafo de la página 6 del artículo afirman:

> Merece la pena señalar el dato de una elevada frecuencia del haplogrupo P* (xM 173) en los habitantes de la isla de Hvar. Según Wells *et al.* ... Este linaje se manifiesta al máximo en Asia central, y es poco frecuente en Europa, Oriente Próximo y el Lejano Oriente. Su presencia en Hvar resume nuestro hallazgo del haplogrupo F de MtADN en la isla de Hvar y en la población de Croacia, que está prácticamente ausente de Europa, pero, de nuevo, es corriente en poblaciones de Asia central y oriental ... Existen varias posibilidades para la aparición del linaje ancestral de M 173. Una es la bien documentada alianza entre los ávaros (un pueblo mongol) y los eslavos (croatas) tras la llegada de los ávaros al Adriático oriental en el siglo VI. La otra es la expansión del Imperio otomano entre el siglo XVI y el XVII, durante la cual los refugiados de los Balcanes occidentales emigraron con frecuencia a las islas. Por último, la antigua Ruta de la Seda que unía China con Asia occidental y con Europa también podría ser un posible camino del linaje P(xM 173). Cualquiera de estos modelos migratorios podría haber introducido la mutación en la población estudiada.

Como puede verse, los prestigiosos profesores no consideran una cuarta posibilidad: que la herencia de los genes chinos y asiáticos (mongoles) llegara por mar en la tripulación de los barcos que iban de Alejandría a Venecia. Si miramos un mapa, vemos que esta es, con diferencia, la vía de entrada más probable. Los ávaros se establecieron cerca del río Drava, en la frontera húngara. ¿Por qué iban a decidir emigrar hacia el oeste teniendo que atravesar una de las cadenas montañosas más accidentadas del planeta para llegar hasta Hvar? ¿Por qué elegir la isla más remota, la más alejada de la costa para instalarse?

En segundo lugar, si hubiesen emprendido esta ruta extraña, veríamos sus genes en las poblaciones ubicadas entre las orillas del Drava, donde se establecieron, y Hvar; no es el caso. Lo mismo podría decirse de las invasiones otomanas en el curso bajo del Danubio. ¿Por qué iban a elegir un lugar remoto en medio del mar para establecerse cuando tenían la fértil llanura del Danubio? La cantidad de ADN asiático es notable, un 14 por ciento; los documentos que guardan constancia de las invasiones danesas del territorio británico revelan un 7 por ciento, lo cual es comparable. Además, en mi opinión, el hecho de que se establecieran en Hvar tanto hombres (cromosoma Y) como mujeres (cromosoma X) asiáticos significa que llegaron de Asia juntos. Los ejércitos mongoles invasores procedentes del este debían de tener contactos sexuales con las mujeres que encontraban a su paso, pues seguramente no viajaban con sus esposas y concubinas. A diferencia de lo que ocurría en los juncos chinos, donde las esclavas y los marinos convivían.

No existen relatos dálmatas que hablen de pueblos asiáticos que atravesaran los Alpes dináricos hasta Hvar, pero sí hay relatos locales (cotejados por el profesor Lovric) de embarcaciones a vela extranjeras, tripuladas por «orientales amarillos de ojos rasgados», que atracaron en la costa antes de las invasiones otomanas del siglo XVI. En un mapa podemos comprobar que Hvar se encuentra en plena ruta de Alejandría a Venecia (vía Corfú).

En mi opinión, los resultados del ADN forman parte de una secuencia de acontecimientos lógica. La escuadra de Zheng He llega al mar Mediterráneo a finales de 1433 o principios de 1434. Uno o más barcos atracan en Hvar, donde marinos y esclavas desembarcan. Los otros barcos prosiguen rumbo hacia Venecia, donde toman tierra las esclavas. Los oficiales viajan entonces hacia Florencia, donde se reúnen con el Papa en 1434. La escuadra regresa vía Dalmacia a finales de 1434, fecha en que una flota dálmata se une a ellos para el viaje de regreso a China a través del canal del mar Rojo-Nilo. Al llegar a su país, la flota china es retenida, así que el almirante Harvatye Mariakyr se adentra en el Pacífico con sus siete barcos y «descubre» treinta islas en el Pacífico, a las que pone nombres dálmatas. Regresa a casa con su flota a finales de la década de 1430 y principios de la de 1440 con un mapa chino de América y zarpa rumbo a aquellas tierras. Si esta hipótesis es correcta, el ADN de los venecianos debería reflejar el de la población de Hvar, y lo mismo habría que decir del ADN de los indios americanos, en los lugares que visitó la flota del almirante Mariakyr (donde dejaron inscripciones glagolíticas que dejaban constancia de sus viajes por Nueva Inglaterra y Nueva Escocia).

Esta investigación sobre el ADN se llevará a cabo y los resultados se colgarán de nuestra web. También confiamos en que se traduzcan los manuscritos glagolíticos.

Volvamos ahora a la escuadra de Zheng He que zarpa de Hvar rumbo al norte para, tras varios días de navegación, llegar a Venecia. Allí los chinos encontrarían astilleros de reparación excelentes, de importancia capital para ellos, porque a aquellas alturas sus barcos llevaban casi tres años fuera de sus puertos de origen. Una suerte para los chinos, pues Venecia llevaba cientos de años construyendo y reparando galeras.

Para desarrollar el comercio entre Alejandría, El Cairo y Venecia, esta última construía galeras y las dotaba de hábiles hombres de mar. El Arsenal, el mayor astillero medieval de toda Europa, era la clave de la supremacía marítima de Venecia. En 1434, Venecia tenía capacidad para hacerse a la mar con treinta y cinco galeras grandes, además de con tres mil naves más pequeñas tripuladas por veinticinco mil marineros. A principios del siglo XV, el gremio de constructores de barcos contaba con más de seis mil miembros, cuando la población total de Venecia era de ciento setenta mil. El Senado promulgaba leyes estrictas para controlar la construcción de barcos. Estaba limitado el número de galeras que podían construirse para exportar. Todo extranjero que desease hacer un pedido debía obtener antes una autorización expedida por el Gran Consejo.

Las galeras se construían «en cadena» en una cinta de transmisión sobre la que los barcos eran remolcados a lo largo de una serie de estaciones de montaje, donde iban incorporándoles cabos y velas, armamento y comestibles no perecederos.[8] Cuando Enrique III de Francia visitó Venecia, los carpinteros de navío montaron una galera de dos mil setecientas toneladas en el tiempo que el dux y su visitante real tardaron en dar cuenta del banquete de Estado. Las galeras se construían, siguiendo instrucciones homologadas, de modo que hubiese piezas de recambio en los astilleros venecianos de todo el Adriático y del Mediterráneo.

Para que el Arsenal se mantuviese activo y a los expertos carpinteros de navío no les faltase trabajo, se ofrecían incentivos financieros a los constructores y propietarios de barcos. No se permitía a los banqueros que les cobraran intereses excesivos. La banca pública tenía la facultad de concederles préstamos blandos; si era preciso acelerar la construcción, se subvencionaban los costes. Casi todos los ciudadanos participaban de alguna manera en el comercio marítimo con Oriente; incluso los remeros de galera tenían derecho a comerciar por su cuenta. Un solo viaje a Alejandría o a El Cairo podía enriquecer a toda la tripulación de una nave.

Asimismo, Venecia se ocupaba de formar tanto a oficiales navales como a prácticos y marineros. En Venecia, los almirantes y los oficiales de navío solían ser licenciados de la escuela naval veneciana de Perast, un puerto situado en el golfo de Kotor, en el sur de Dalmacia, cerca de Hvar. El puerto tenía fama internacional;[9] el zar Pedro el Grande de Rusia envió allí a sus primeros oficiales cadetes. De la navegación de la flota en las cercanías de la costa se ocupaban los prácticos profesionales, formados en Porec, al norte de la costa dálmata. Los mejores de estos marineros, los *pedotti grandi*, dirigían las maniobras de la flota hacia el interior de la laguna a su regreso de Alejandría.

Durante siglos, Dalmacia ha sido famosa por sus hombres de mar. Los nombres de sus ilustres oficiales aparecen de vez en cuando en los relatos de batallas épicas desde Coromandel a los dominios españoles en el Caribe. Las galeras venecianas se construían casi exclusivamente con madera dálmata (pino para los tablones, resina para calafatear y roble para los timones, quillas y mástiles). Aproximadamente la mitad de la tripulación de las galeras era dálmata.

Venecia explotó brillantemente sus activos marítimos. Con la adquisición de puertos en la costa dálmata, obtuvo abundante madera. Siglos de historia y tradición habían forjado hábiles y curtidos hombres de mar. En su travesía hacia el norte de Alejandría, las flotas de Zheng He habrían encontrado numerosos puertos, primero en Creta y luego por todo el mar Jónico hasta el Adriático. Era una travesía fácil, incluso en las calmas chichas estivales, en las que los remeros chinos —quince en cada remo— habrían tenido que devorar millas. Seguramente los chinos contaban con los expertos prácticos de cada localidad para que los orientasen.

El Cairo entró en contacto con Europa a través de Venecia, que había concluido un tratado comercial con los mamelucos en virtud del cual les concedía derechos comerciales exclusivos. A ambas ciudades les unía su pretensión de crear un monopolio del comercio entre Oriente y Occidente.

El vínculo con El Cairo abrió nuevas posibilidades de comerciar con China y nuevas formas de llegar a aquella tierra distante. Numerosos mercaderes y misioneros franciscanos partieron de Venecia en dirección a China. Las aventuras orientales han llegado hasta nosotros gracias a los cronistas, entre los que se cuentan los hermanos Polo, Giovanni da Pian del Carpine y su *Historia Mongalorum* (1247), Guillermo de Rubruck, quien escribió *Itinerarium* (1255), *Raban Sauma* (1287) y Odorico de Pordenone (1330), y *Mirabilia*, de Jordan de Sévérac (c. 1329). Los judíos también tenían sus mercaderes itinerantes, de entre los que cabe mencionar a Jacobo de Ancona, anterior a Marco Polo. Venecia mantenía una estrecha relación con China. Sus mercaderes, en especial los Polo, amasaron verdaderas fortunas comerciando con las sedas exóticas chinas y los *drappi tartareschi*. Papas y emperadores eran enterrados envueltos en seda china.

No es de extrañar pues, teniendo en cuenta los siglos de intercambio con China, que los venecianos fueran los primeros europeos en poseer mapas de su contraparte comercial. El mapa de Di Virga del hemisferio oriental fue editado en 1419, y el de Pizzigano que reproduce el Caribe apareció en 1424. Hoy en día puede verse en la pared del palacio del Dux un mapamundi anterior a 1428 en el que aparece América del Norte. Como corroboran los letreros de las pareces, el mapa se creó a partir de la evidencia traída de China por Marco Polo y Niccolò da Conti. La inscripción referida a Da Conti reza: «ORIENTALIS INDIAS HAC TABULA EXPRESSUS PEREGRATIONIBUS ET SCRIPTIS ILLUSTRAUNT EN NARATIS MERCANTORIAM AD JIUVIERE SAECOLO XV NICOLAUS DE COMITIBUS. EDITO ITENERARIO LUSITANE POST MODUM VERSO NOVAM LUCEM NAUTIS ALLATURO». Traducción propia: «Las Indias Orientales [es decir, China y las Indias en la terminología del siglo XV] tal como quedan plasmadas aquí son sin duda el resultado de los viajes al extranjero y de los escritos ilustrados, así como de los relatos de Niccolò da Conti, mercader del siglo XV. La publicación de dicho itinerario arroja nueva luz sobre los [viajes de los] marineros».

Probablemente este mapa se finalizara antes de 1428 (fecha de la inauguración del palacio del Dux), pero fue destruido a causa de un incendio en 1486; los mapas originales (de los cuales se entregó una copia al rey Don Pedro) colgaban de las paredes. Según Lorenzetti, el mapa fue reproducido por Ramusio en 1540 después del incendio, el mismo Ramusio que había dicho que el mapamundi de Fra Mauro era una copia de otro que se hallaba en el monasterio Camolodensiano de la (actual) isla de los Muertos, en la laguna veneciana. En el mapa de Giovanni Forlani aparecen Oregón y el estrecho de Bering con anterioridad a Bering o a Vancouver. En el mapa de Zatta aparece la isla de Vancouver con anterioridad a Cook o a Vancouver, y ubica en ella la «Colonia dei chinesi» («colonia china»).

Hacia 1418, Venecia se había convertido en el Estado más rico de Europa. Las caravanas de mulas de la ciudad podían caminar sin ser molestadas desde el territorio veneciano hasta el paso del Brennero.[10] Como el puerto de mar más próximo al corazón de Europa, Venecia explotó su acceso al lago Constanza, que era el principal centro comercial de los mercaderes procedentes de Francia, Alemania, Austria, Polonia y Rusia.

Durante más de ciento cincuenta años antes de que entrara en escena Zheng He, los banqueros venecianos habían estado empleando un sistema de giro no metálico, en virtud del cual se anotaba la transferencia en el haber de un comerciante y en el debe de otro.[11] Los banqueros italianos, liderados por los Bardi y por los Peruzzi, fueron los pioneros de la banca internacional a lo largo y ancho de Europa. Casi todos los ciudadanos de la República veneciana participaban de una u otra manera en algún aspecto del comercio:[12] los tenderos en la venta al por menor, los mozos de cuerda y los comerciantes de pescado en la venta al por mayor, los estibadores en las actividades de carga y descarga, los carpinteros de navío en el Arsenal y los remeros en las galeras. Había pocos mendigos y menos personas sin trabajo.

De vital importancia para los Conti, los Di Virga, los Correre (la familia materna del papa Eugenio IV) y los Contarini eran las grandes galeras de remos que zarpaban del Rialto rumbo a Alejandría, Beirut, El Cairo, Flandes y Londres. Las rutas de las galeras hacia Alejandría y Oriente se parecen a los radios de una amplia tela de araña.[13] Los «magistrados de las aguas» promulgaban órdenes estrictas de navegación que los mercaderes tenían la obligación de cumplir. La siguiente orden dirigida a una galera que salía rumbo a Aigues Mortes, en Provenza, subraya la importancia del comercio de la seda:

> La galera podrá cargar telas y especias de Venecia hasta el próximo 13 de enero; deberá zarpar de Venecia el día 15 del mismo mes. Este plazo no podrá prorrogarse, suspenderse o incumplirse so pena de una multa de 500 ducados. En esta galera no podrán cargarse ni enviarse mercancías de seda, ni en la bahía de Venecia ni fuera de ella, aparte de velos, tafetanes y ropas sarracenas. Si el maestro de galera carga o permite el cargamento de algún artículo de seda, será suspendido de su cargo durante cinco años, durante los cuales no podrá estar al mando de galera alguna, ya sea estatal o privada.[14]

El magistrado de las aguas controlaba estrictamente el movimiento de barcos y los puntos donde se les permitía cargar o descargar. Cada tipo de producto tenía asignado un muelle de descarga: barcazas con piedra en la Incurabile y barcos de madera en la Misericordia y en Fondamente Nuove. Los juncos de Zheng He procedentes de Alejandría habrían amarrado en la Riva degli Schiavoni. Los mercaderes venecianos se sometían a esta disciplina, sabedores de que beneficiaba a todos. Las familias dominantes apostaban agentes en Creta, Alejandría, El Cairo y en todos los puertos importantes para coordinar su comercio internacional.

Hoy en día, el área que circunda la basílica de San Marcos sigue repleta de barcos que descargan pasajeros, fruta, verdura y vino. He estado en Venecia en múltiples ocasiones desde que fui por primera vez siendo un joven oficial del buque de guerra británico *Diamond*, hace cincuenta años. Mi más vivo recuerdo es el de una sofocante tarde de agosto de hace veinte años, después de haber asistido a vísperas con Marcella en la basílica de San Marcos, el edificio de arte bizantino más espectacular del mundo, el epítome del arte cristiano medieval y el símbolo del comercio de Venecia con Alejandría y con Oriente.

Durante más de mil años esta gloriosa catedral ha sido el edificio más importante de Venecia. En ella se bendijeron las cruzadas, incluida la que financió el anciano dux Dandolo, invidente, quien imploró a san Marcos que entregase Bizancio a Venecia. En ella los venecianos se reunían para rezar pidiendo protección en tiempos de peligro o para agradecer a Dios sus victorias. Generación tras generación de mercaderes venecianos han donado fortunas a la fabulosa catedral de la ciudad.[15]

Construida en planta de cruz griega, la catedral se erige frente a la laguna permitiendo al visitante disfrutar de la vista ya sea desde el mar o desde tierra, a la luz cambiante del día a medida que este avanza. Los mejores artistas han decorado el interior y el exterior con obras maestras de mármol y de mosaico. La fachada occidental es un derroche de mármoles de color verde, rojo, dorado y azul traídos de todos los rincones del Imperio veneciano.

En el interior, los feligreses pueden admirar el resto de la riqueza en los techos de pan de oro. La mejor forma de contemplar la basílica es a la luz de las velas durante el rezo de vísperas, desde uno de los bancos que se hallan debajo de la cúpula central. Desde allí, parece que Jesús asciende a los cielos en brazos de cuatro ángeles rodeados de los apóstoles y de la Virgen. Cada milímetro del monumental techo, de las paredes y del suelo está cubierto de mosaico. Ante el visitante se despliegan todo tipo de tesoros, por ejemplo un altar de oro macizo con rubíes y esmeraldas engastados. En los paneles se describen escenas de la vida de Cristo y de san Marcos. Sedas y cerámicas chinas, relicarios bizantinos, cristal tallado de Persia, copas de cristal y espadas tártaras de plata llenan el museo. Todo ello es fruto de siglos de comercio marítimo.

La riqueza de la Venecia del siglo XV queda de manifiesto en el discurso del dux Tommaso Mocenigo en su lecho de muerte:

> Esta ciudad destaca ahora por sus negocios en distintas partes del mundo. Diez millones de ducados han ganado anualmente los barcos y galeras, y el beneficio no es inferior a dos millones de ducados al año. En esta ciudad hay tres mil barcos de cien o doscientos *amafore* con diecisiete mil marineros. Hay un centenar de naves grandes con ocho mil marinos. Cada año se hacen a la mar cuarenta y cinco galeras con once mil marineros, y existen tres mil carpinteros de navío y tres mil calafateadores. Hay tres mil tejedores de seda y dieciséis mil tejedores

de tela corriente. Se estima que el valor de las casas asciende a siete millones quinientos mil ducados. Las rentas ascienden a quinientos mil ducados. Hay mil nobles cuyas rentas oscilan entre los setecientos y los cuatro mil ducados.[16]

Venecia se enorgullecía de su riqueza, pero también de su gobierno republicano, consagrado en una Constitución escrita repleta de complejos equilibrios de poder. Aunque el dux era el jefe de Estado, su poder estaba limitado por diversos comités y consejos. Cuando Génova fue derrotada en 1380, las ciudades-Estado de Verona, Vicenza y Mantua aceptaron de buen grado la *Pax Venetica*. Sus órganos de gobierno se incorporaron al Gran Consejo. Hacia 1418, Venecia había vencido tácticamente al emperador del Sacro Imperio Romano y había extendido sus territorios hacia el sur. Representantes de Istria, Friuli y Dalmacia engrosaron aún más el Gran Consejo. Gentile da Fabriano, Antonio Veneziano y Jacobeló del Fiore fueron contratados por los procuradores de San Marcos para que adornaran las paredes de la Cámara del Gran Consejo con pinturas de la historia gloriosa de la Serenísima. Roberti esculpió los maravillosos capiteles de mármol que adornan la fachada. En 1419 se inauguraron los frescos de Pisanello.

El palacio del Dux había sido concebido para desempeñar diversas funciones. Frente a él, de cara a la laguna, está la Cámara del Gran Consejo. En el extremo opuesto, junto a San Marcos, los aposentos del dux están conectados con las zonas legislativas por escaleras doradas. En el centro del palacio está la sala de los mapas, la mayor de todas las que componen sus aposentos.

Podríamos perfectamente decir que la sala de los mapas es el corazón del Imperio veneciano. Allí, el dux recibía la visita de los jefes de Estado, y por lo tanto de las delegaciones chinas. En las dos alargadas paredes de la sala hay pintados once mapas del mundo. Frente al visitante, un mapa del Imperio veneciano en el Mediterráneo oriental muestra la ruta a China y a Oriente, y a la izquierda está el Imperio veneciano en el Mediterráneo occidental. En ninguno de estos mapas aparecen latitudes ni longitudes. Ocupan la misma superficie que los mapas de la pared de enfrente en los que figura el resto del mundo. De esta manera, el Imperio veneciano parece más grande de lo que en realidad era.

La pared de enfrente queda dividida por la puerta que da a la Sala dei Filosofi. A la izquierda de la puerta aparece un mapa de Asia central desde Creta hasta Tíbet, el antiguo imperio comercial de Bizancio. A la derecha aparece un mapa del mundo desde Arabia hasta California y todo el océano Pacífico. El trazado general de la India y las Indias, China, Japón, el Pacífico y América del Norte, desde Alaska a California, es exacto. En otros mapas aparece el paso nordeste de las islas Feroe a los ríos de Siberia; América del Norte y del Sur; el mar Rojo y Arabia; la costa atlántica de América del Norte a 55° N y Asia central. Aparece todo el mundo menos la parte sur de Australia.

El más interesante de estos mapas es el que muestra el océano Pacífico y América del Norte. Tiene dos letreros con sendas inscripciones; una describe el papel que desempeñó Marco Polo a la hora de recopilar la información y la otra explica la aportación de Niccolò da Conti. Son los mapamundis que Pedro de Portugal recibió como regalo en su visita de Estado a Venecia entre el 15 y el 22 de abril de 1428. Un sinnúmero de documentos venecianos dan fe de dicha visita: *Les Chroniques Venetiennes*: *The Diaries of Antonio Morosone from 1416-1433*; *The Manuscript Zorsi delfine*. En el maravilloso libro *The Travels of the Infante, Don Pedro of Portugal*, de F. M. Rogers, figura una bibliografía exhaustiva.

No se aprecian diferencias materiales entre los diversos relatos, que el profesor Rogers resume así: «En marzo de 1428, Mario Dandolo, embajador veneciano ante el rey de Hungría, informó de que el infante don Pedro se dirigía a Venecia. El dux [Francesco Foscari] y el Consejo decidieron recibir al príncipe portugués y a su séquito de manera regia, como huéspedes suyos y a su costa ... el dux recibió a don Pedro a bordo del *Bucintoro* [la barcaza real]».

El profesor Rogers cita varios relatos de los presentes entregados a don Pedro en su visita a Venecia,[17] el primero de ellos el del famoso historiador Antonio Galvão:

En el año 1428 está escrito que don Pedro, el primogénito del rey de Portugal, era un gran viajero. Fue a Inglaterra, Francia, Alemania y de allí a Tierra Santa y a otros lugares; y regresó a su país pasando por Italia, donde visitó Roma y Venecia; de ahí trajo un mapa que describía todas las partes del mundo y de la Tierra. En él, el estrecho de Magallanes se llamaba Cola del Dragón, y aparecían el cabo de Buena Esperanza, el frente marítimo de África y también otros lugares; gracias a este mapa, don Enrique, el tercer hijo del rey, tuvo mucha ayuda e hizo más descubrimientos ...

Francis de Souza Tavares me dijo que en el año 1528 don Fernando, hijo y heredero del rey, le enseñó un mapa aparecido en el estudio de la Alcobaza que había sido dibujado ciento veinte años antes [1408], el cual mostraba toda la navegación a las Indias Orientales, con el cabo de Buena Esperanza tal como lo habían descrito nuestros últimos mapas; por lo cual parece que en tiempos antiguos habían descubierto tanto o más que ahora. (*Tratado dos diversos e desayados caminhos*, Lisboa, 1563.)

El profesor Rogers también confirma este extremo: «A principios de 1502 el famoso impresor alemán Valentin Fernandes publicó en Lisboa un precioso volumen de las Indias Orientales [China] ... Incluyó traducciones al portugués del mismo a partir de la información recopilada en Florencia por Niccolò da Conti y por delegados del Consejo [presidido por Eugenio IV] que figura en el Libro IV de su tratado *De Variaetate Fortunae*». Más adelante, el profesor Rogers escribe:

En la segunda parte de esta extensa introducción a Marco Polo, Valentin Fernandes hace la siguiente afirmación, preñada de significado desde diversos puntos de vista: «En lo que respecta a este asunto, he oído ... que los venecianos han ocultado este libro durante muchos años en su Tesoro. Y que en el momento en que su tío, el infante don Pedro, de glorioso recuerdo, llegó a Venecia [1428] ... le ofreció como regalo digno dicho libro sobre Marco Polo para que le guiase, puesto que estaba deseoso de ver mundo y viajar por él. Dicen que este libro está en la Torre de Tombo». (p. 47)

Además, el profesor Rogers resumió las aportaciones de Marco Polo y de Da Conti a los mapamundis:

Una vez doblado el cabo [de Buena Esperanza], quedó clara la ruta por mar a la India. A Valentin Fernandes no se le ocurrió mayor servicio a este monarca que la publicación de la traducción portuguesa de las tres mejores descripciones de los dominios del rey Manuel. Una de ellas era de Marco Polo; otra era la descripción de las Indias (es decir, China) de Pogio el Florentino, basada en la información que le facilitaron los delegados del Consejo de Florencia y Niccolò da Conti. (p. 266)

Me parece incuestionable que el mapamundi que puede verse hoy en el palacio del Dux se basa, como defienden los venecianos, en la información que Marco Polo y Niccolò da Conti llevaron a Venecia, y que es el mismo mapa que llevaron a Portugal para entregárselo a Don Pedro en 1428. En consecuencia, tanto los venecianos como los portugueses conocían el contorno de todo el mundo antes incluso de que se iniciaran los viajes de los grandes exploradores portugueses. Sabemos que Da Conti estuvo en Calicut al mismo tiempo que las flotas de Zheng He, porque realizó una descripción de los juncos y esta coincide con las de Ma Huan, el historiador de Zheng He, que estuvo en Calicut en 1419.[18]

Como hemos señalado, en 1419 Pisanello (1395-1455) había pintado los murales del palacio del Dux. Pisanello era de Verona, que para entonces ya se había adherido a la *Pax Venetica*; es decir, de entre sus próceres se elegían algunos miembros del Gran Consejo de Venecia. Alrededor de 1436, Pisanello pintó otro fresco en la iglesia de Santa Anastasia de Verona titulado *San Jorge y la princesa de Trebisonda*. A la izquierda hay un grupo de jinetes. Sobre un caballo ricamente enjaezado aparece un general mongol cuyos rasgos, ropas y sombrero son muy parecidos a los de las esculturas de los generales de Zhu Di que bordean la carretera que lleva a la tumba de Zheng He, al norte de Beijing. El dignatario mongol viste suntuosas ropas de seda. Los dibujos de Pisanello del rostro del mongol, adusto y potente, pueden verse en el Louvre de París. Tanto los dibujos como el cuadro son tan reales que llego a la conclusión inevitable de que Pisanello pintó lo que vio a finales de la década de 1430: un general mongol en Venecia o Verona, un capitán o almirante de alguna de las flotas chinas.[19] (Véase la nota 20 en relación con los demás dibujos de visitantes chinos en Venecia realizados por Pisanello en aquel período.) Yo creo que los dibujos de Pisanello representan al almirante chino y a su principal asesor mandarín en atuendo formal cuando fueron a ver al dux. En calidad de capitán del buque *HMS Rorqual*, yo habría llevado mi espada ceremonial a la reunión con los dignatarios locales que inaugurase una visita oficial. El almirante chino habría llevado su arco ceremonial.

Dibujo de dos rostros mongoles por el artista veronés Pisanello, década de 1430.

Los juncos chinos atracados en la Riva degli Schiavoni, o «Muelle de los Esclavos», no habrían llamado mucho la atención; los barcos chinos y árabes eran allí algo corriente. El embajador y los capitanes habrían presentado sus credenciales al dux en su palacio, a unos cientos de metros de allí, junto con el calendario astronómico *Shoushi*, que ofrecía los datos sobre la concepción y el nacimiento del emperador Xuan De. A continuación, habrían ofrecido a modo de regalo sedas y porcelana imperial blanca y azul, y, por último, los mapas de China. Así los bárbaros podrían devolverles la visita.

Los chinos cargarían el barco de carne fresca, fruta, pescado, verduras y agua, parte de lo cual pagarían en ducados (que habrían adquirido en El Cairo) y otra parte en arroz. Las flotas de Zheng He decidirían a continuación el destino de las pobres concubinas y esclavas que no habían fallecido durante el viaje o que no habían sido entregadas en una escala anterior, ya fuera en el mercado de esclavos o para enviarlas a Florencia.

Se habría fijado una fecha para regular el precio de venta de las cerámicas que atiborraban las bodegas. Se habrían taponado las armas, tras lo cual los marineros podrían disfrutar de su permiso en tierra. Podemos imaginar que los marineros chinos que se preparaban para saltar a tierra lo harían de forma similar a la que caracterizaba a mis colegas de tripulación hace cincuenta años, cuando el buque *HMS Diamond* atracó frente a la Riva degli Schiavoni: nos recortamos la barba, nos cortamos el pelo y nos lavamos a conciencia. En el caso de los chinos, tal vez primero fuera un baño en el Lido antes de ponerse sus mejores ropas, tomar una copa y pertrecharse con algún regalo para las chicas. En 1434, probablemente serían juguetes infantiles o miniaturas de carros, juncos o tiovivos, o tal vez una de las enciclopedias de bolsillo como la *Nung Shu*, que enseñaba cómo construir maquinaria agrícola.

Una vez en tierra, se podría disculpar a los marineros chinos si por un momento pensaron que habían regresado a Quanzhou: sus homólogos mongoles estaban por todas partes. Venecia era la puerta de entrada a la Toscana y el punto a través del cual las esclavas llegaban a Europa. Lazari escribe: «Muchas de las esclavas descritas en el *Registro degli schiavi*, la mayoría de ellas adolescentes, eran vendidas estando embarazadas y se empleaban después como nodrizas ... De este modo, penetró en la población toscana un gran influjo de sangre asiática».

Lynn White cita a Lazari: «Lazari, que ha estudiado con todo detalle los registros de estas desgraciadas en Venecia, asegura que la mayoría procedían de las regiones limítrofes con Tíbet y China en el norte. "Puesto que llegaron a miles y fueron rápidamente absorbidas por la población local, no habría sido infrecuente encontrar rasgos mongoles en las casas y calles de la Toscana"».[20]

Iris Origo describe con realismo a las esclavas que llegaban a Florencia procedentes de Venecia:

> Es posible que los viajeros que llegaran a la Toscana en aquella época se sorprendieran del aspecto de las criadas y los mozos de las damas florentinas. La mayoría eran pequeñas y de baja estatura, de piel amarilla, cabello negro, pómulos salientes y ojos oscuros y rasgados ... sin duda parecían pertenecer a una raza diferente a la de los florentinos ... y si el viajero tenía amigos en uno de los *palazzi* y les hacía una visita, podía encontrar allí también otras figuras exóticas: niñas de once o doce años de piel amarilla o morena ... que trabajaban cuidando a los principitos, hijos de los mercaderes florentinos, o jugando con ellos.
>
> Todas ellas eran esclavas, la mayoría tártaras ...
>
> Hasta la esposa de un notario o de un pequeño tendero tenía al menos una, y no era infrecuente encontrarlas entre las posesiones de un sacerdote o de una monja. También en una canción popular aparecen, tal vez en una visión algo romántica, las jovencísimas esclavas sacudiendo las alfombras por las ventanas que dan al Arno. «Le schiavette amorose / scotendo le robe la mattina / fresche e gioiose come fior di spina» [«Las encantadoras niñas esclavas / sacudiendo la ropa por la mañana / frescas y alegres como capullos de espino»].[21]

Acompañemos ahora al rico embajador chino y a las pobres esclavas por las arboladas llanuras de la Toscana hasta llegar a Florencia.

8

LA FLORENCIA DE PAOLO TOSCANELLI

A su llegada a Florencia, las delegaciones chinas habrían visto la imponente cúpula de la catedral de Santa Maria del Fiore, símbolo de la fe religiosa y homenaje a la genialidad de los arquitectos e ingenieros florentinos.

El arquitecto de la catedral fue Filippo Brunelleschi, un hombre testarudo y amante de la polémica. Para poder construir aquella obra, había diseñado un elevador capaz de levantar los cuatro millones de ladrillos que requería. El novedoso invento podía funcionar a dos velocidades, dependiendo de la carga, y podía cambiar de dirección sin detener a los bueyes que le suministraban energía. Cuando los ladrillos llegaban a la base de la cúpula, unas grúas gigantes, otro ingenioso invento, los colocaban en su sitio.

La cúpula era única, parecida a un limón al que se le hubiese cortado la punta. Al poner de pie un limón sobre la base que queda al cercenar una punta, uno puede ver el incremento de la curva a medida que la cúpula asciende. En un primer momento, los ladrillos de la catedral suben verticalmente, y luego las hileras se curvan cada vez más a medida que ascienden, hasta que, en lo alto, se aguantan casi en posición horizontal. Sin soportes internos que los apuntalen, lo normal sería que los ladrillos se hubiesen desplomado hacia el interior. Pero Brunelleschi resolvió este problema con complejas matemáticas tridimensionales aplicables al volumen de los conos invertidos, una solución extraordinaria a la que llegó con ayuda de Paolo Toscanelli.[1]

Brunelleschi diseñó y organizó todo lo que tenía que ver con esta gigantesca estructura, que en aquel momento era la mayor del mundo después de la de Santa Sofía de Bizancio. Supervisaba los hornos donde se cocían los ladrillos, fijaba la proporción de limo y bicarbonato de sodio para el mortero, y diseñaba formas nuevas de modelar los ladrillos. Llegó a construir sus propios barcos, articulados, para facilitar su navegación por el río Arno, poco profundo y serpenteante, cargados con el mármol procedente de las canteras de Carrara. Se le concedió una patente por este invento, acompañada del derecho ¡de prender fuego a los barcos que le hicieran la competencia! Durante tres años todo el mármol se transportó en las barcazas del Signor Brunelleschi. Parece ser que Brunelleschi, como Leonardo da Vinci, no llegó a ir a la universidad, pero se convirtió de todos modos en un genio que pudo haberse dedicado a cualquier cosa.

La ciudad que fue creciendo alrededor de la catedral en la década de 1430 era un enorme solar en obras, con una actividad frenética de ingeniería civil.[2] Solo la cúpula generó miles de puestos de trabajo; albañiles, canteros, carpinteros, herreros, torneros, yeseros y afiladores de herramientas trabajaban como abejas obreras. Los contratistas extraían piedra de las colinas circundantes, y suministraban mármol de Carrara, de Siena, de Monsummano y de Campiglia. Las fundiciones de plomo de Florencia funcionaban a pleno rendimiento; las fábricas de tejas y de ladrillos de Castinno, Lastra, Campi e Impruneta trabajaban por turnos al máximo de su capacidad. Los agricultores plantaron más viñas, excavaron nuevos pozos y construyeron más graneros.

Entre la adquisición del puerto de Pisa en 1406 y la del de Livorno en 1421, Florencia gozó de un crecimiento económico enorme y continuado. Los comerciantes amasaron grandes fortunas y patrocinaron a toda una serie de arquitectos, escultores, pintores e ingenieros. En aquella época extraordinaria, Florencia llegó a su apogeo, y «produjo genios con la facilidad de un malabarista».[3] O eso parece.

En el siglo XIV Italia era un mosaico de pequeños estados independientes con escaso poder político y militar. El dialecto, el dinero e incluso las pesas y medidas eran diferentes en unos y otros. La propia ciudad de Florencia era un lugar atrasado. Pero entre 1413 y 1470, Florencia produjo una serie de obras tan majestuosas que casi seis siglos después todavía lo dejan a uno sin aliento. ¿Por qué prendió el Renacimiento en esta pequeña ciudad italiana? ¿Qué es lo que hizo que los arquitectos, escultores y pintores góticos adoptasen el estilo radical que denominamos «renacentista»? ¿Cómo pudo surgir de la oscuridad tal cantidad de genios en tan pocos años? ¿Por qué allí? ¿Por qué en aquel momento?

Parte de la explicación radicaría en el hecho de que la naturaleza fue muy generosa con la Italia septentrional. Los Alpes se extienden en un semicírculo defensivo en su frontera norte; en primavera, el deshielo alimenta al río Po y a sus afluentes, que serpentean por la llanura de Lombardía hasta el mar Adriático. Llueve todo el año; hasta en pleno verano los campos de heno están verdes y exuberantes, y los de maíz alcanzan más de dos metros y medio. Tres o cuatro cosechas al año producen forraje para el ganado en invierno. Un sol intenso, abundante agua y un suelo aluvial rico producen cosechas de todo tipo: nueces y castañas en la montaña; manzanas, peras, uva y melocotones en las estribaciones, y naranjas, limones y palosanto en la Riviera. Desde Alejandría hasta Mantua, hay kilómetros y kilómetros de dorados campos de arroz. Más de diez mil kilómetros cuadrados de cultivos intensivos en el valle del Po producen alimento abundante para todo el mundo.

Italia gozaba también de otras bendiciones. A lo largo de toda la Edad Media, la vida era allí diferente que en el norte dominado por los bárbaros.[4] La vida urbana que habían generado los romanos sobrevivió a las invasiones de los ostrogodos y los hunos. Tras la caída del Imperio romano, los italianos (a diferencia de los toscos ingleses) no se replegaron a los bosques. El feudalismo no arraigó (Italia aportó pocos guerreros a las cruzadas).

La Italia septentrional tenía una densidad de población superior a cualquier otro punto de Europa. La riqueza urbana y el comercio habían fomentado la afluencia de mano de obra procedente del campo, lo que estimuló todavía más el crecimiento económico. Las viejas ciudades romanas fortificadas les ofrecían protección. Las ciudades, más que los estados o los reyes, dominaban la vida de la Italia septentrional. Las personas nacían, vivían, luchaban y morían como tales.

Durante miles de años, Venecia había sido el centro neurálgico del comercio europeo, lugar de intercambio de las exquisiteces de Oriente por las materias primas del norte. La riqueza de Venecia se distribuyó por todo el Véneto y el valle del Po. Los comerciantes genoveses, florentinos y venecianos establecieron sus negocios en Alejandría, Bizancio y Trebisonda. En el norte de Europa, por el contrario, generación tras generación a duras penas conseguían sobrevivir en los fríos bosques y ciénagas que constituían su hábitat. Apenas había excedente de mano de obra para el comercio.

Florencia, al abrigo de los Apeninos, disfruta de un sinnúmero de ventajas naturales. Desde Venecia llegar hasta allí es fácil, a través de valles verdes y exuberantes, cuyas laderas suaves están cubiertas de robles, castaños, serbales, eucaliptos y acacias. A pesar de que las inundaciones tienen efectos calamitosos, en general el río Arno ha beneficiado a la ciudad, suministrándole pescado en abundancia, además de arrastrar río abajo las aguas fecales y los materiales de construcción. Florencia nunca se ha visto demasiado afectada por la escasez de agua que limitaba el crecimiento de las ciudades construidas sobre colinas. Casi todas las fases del procesamiento de la lana —la separación de los vellones, el curtido de las pieles, el lavado, el hilado y el abatanado— necesitaban grandes cantidades de agua.

En el siglo XIV se había construido ya una carretera junto al Arno. El tráfico procedente de Venecia y el de la llanura lombarda convergían en Bolonia, desde donde el trayecto más corto hacia Roma atravesaba los Apeninos. Florencia ocupaba ambas rutas comerciales: la del mar Adriático al Mediterráneo y la de Venecia a Roma.

El fácil acceso de Florencia a Venecia le permitió beneficiarse de algunas de las ventajas del comercio de esta última con Oriente. Y además hizo que la ciudad recibiese la influencia de chinos y otros asiáticos, como puede verse en las pinturas y esculturas de esa época. «Por aquella época —explica el historiador del arte Bernard Berenson en *Essays in the Study of Sienese Painting*— el arte y la artesanía del Oriente contemporáneo empezaron a invadir Italia.»[5]

Ambrogio Lorenzetti, que nunca salió de la Toscana, pintó «El martirio de los frailes franciscanos» en la iglesia de San Francisco de Siena, en el que aparecen unos mercaderes chinos con gorros cónicos.

El almirante Zheng He, pionero de las exploraciones del mundo, responsable en gran medida de esta extraordinaria aventura.

凡未加紅圈者
皆原圖所未命
名者
北
地中海
西洋
小西洋
天竺
南
采慧齋收
乾隆癸未仲秋月
倣明永樂十六年
天下諸番識貢圖
莫易仝繪

El mapa de Liu Gang de 1418-1763, tributo a los audaces viajes de descubrimiento de Zheng He.

Estatua de un león de bronce en la entrada del palacio de Verano del emperador (Beijing).

Visitantes en el palacio de Verano (Beijing), hacia 1902.

Delicada pieza de hermosa porcelana Ming, como la que se comercializó en todo el mundo gracias a la flota de exploración.

Vista de la magnífica Ciudad Prohibida (Beijing), cuya construcción prosperó bajo los grandes emperadores de la dinastía Ming.

Vista de la Gran Muralla china serpenteando por la escarpada cordillera de Simatai.

Una gran flota de juncos chinos podía transportar mucha más carga que una caravana de camellos.

La flota navegó rumbo al norte hasta las aguas
cristalinas del mar Rojo, para llegar a los bulliciosos
zocos de El Cairo y más allá.

Anteriormente habían aparecido ojos orientales en algunos rostros pintados por Giotto y Duccio. Como escribió Leonardo Olschki en «Exotismo asiático en el arte italiano de principios del Renacimiento»: «Se tiene la impresión de que la Toscana fuera casi un país vecino del Imperio mongol y de que los mandarines, janes y dignatarios orientales se sentían tan a gusto en Florencia y en Siena como en Pekín, Tabriz y Calicut».[6]

Varios decenios después de 1434, había en Florencia una importante población china y mongol, que Olschki describe a continuación:

En virtud de este comercio [de esclavos], el tipo mongol se hizo muy corriente en la Italia septentrional y especialmente en Florencia, donde las familias de más postín, como los Adimari, Alberti, Cavalcanti, Médicis, Strozzi, Vespucci y muchas otras, tenían criados «de genere Tartarorum», y fueron emuladas por notarios, sacerdotes, médicos, mercaderes y, por último, por artesanos y artistas ... Un antepasado de Alesso Baldovinetti trajo tres de estas muchachas exóticas cuyos retratos dibujó en el margen de su diario, aún inédito ... Parece que las chicas mongolas les resultaron lo suficientemente atractivas a los varones florentinos como para convertirse en un elemento distorsionador de la vida familiar y de la moral general de la ciudad. Es sintomático que una dama de la categoría de Alessandra Macinghi Strozzi escribiera jocosamente, en 1464, acerca de una joven esclava que coqueteaba con su hijo y que se comportaba como la señora de la casa. Existen bastantes pruebas del importante papel que desempeñaron estas mujeres en la vida sentimental de la ciudad. Los números impresionan. De los 7.534 bebés nacidos entre 1394 y 1485 en la inclusa florentina, hasta el 32 por ciento fueron hijos ilegítimos de estas esclavas orientales.

De esta forma, penetró en la población toscana una importante dosis de sangre asiática durante la época más brillante de su evolución cultural y económica.[7]

Las familias florentinas podían permitirse el lujo de tener esclavas asiáticas gracias a la riqueza que generaba el comercio de la lana y la seda. Pero dicho comercio jamás habría florecido sin las innovaciones de la banca italiana.

En Florencia nacieron dos banqueros geniales: Giovanni de Médicis y Francesco di Marco Datini.[8] Desde 1398 hasta su muerte en 1410, Datini ideó una serie de instrumentos financieros novedosos que revolucionaron la banca europea. Giovanni de Médicis ocupó su puesto cuando Datini lo dejó,[9] lo que convirtió a su familia en la más rica de Florencia y, con mucho, en la mecenas más importante del saber y del arte del Renacimiento. Los Médicis patrocinaron profusamente a artistas, astrónomos, ingenieros, arquitectos y cartógrafos.

Además de arte, la familia compró poder, cortejando asiduamente al Papa. Durante el cisma que desembocó en la existencia de dos papas rivales, uno en Aviñón y el otro en Roma, un pirata de nombre Baldassare Cossa fue elegido papa Juan XXIII. Los Médicis habían comprado a Baldassare el capelo cardenalicio con un préstamo de diez mil ducados. Cuando Baldassare ocupó el papado, los Médicis se convirtieron al poco tiempo en sus principales banqueros. (Durante un breve período de tiempo los Spini los sustituyeron, pero a finales de 1420 el banco Spini se volvió insolvente y los Médicis se hicieron con sus negocios.)

En 1421, Giovanni de Médicis ocupó el cargo de *gonfaloniere*, o dirigente de Florencia, durante el período preceptivo de dos meses. Al cabo de pocos años, no solo el banco de los Médicis se había convertido en la empresa comercial más próspera de Italia, sino que la familia era la más rentable de toda Europa. Durante los ciento cincuenta años siguientes, el poder y el dinero de los Médicis impulsaron el Renacimiento.

El Renacimiento provocó un enorme apetito por personas con talento; ingenieros, astrónomos, matemáticos y artistas cuyas obras fueron tan profusamente aclamadas que otros se inspiraron en ellas para seguirles los pasos confiadamente. En este aspecto, Florencia gozaba, una vez más, de un clima ideal.

Mientras que los Médicis y otros mecenas acaudalados ofrecían los fondos, los proyectos más importantes eran supervisados por las *operas*,[10] comités integrados por una muestra representativa de la sociedad. Artistas, ingenieros y banqueros se sentaban con abogados, astrónomos y aristócratas, igual que hacían en el órgano de gobierno de la ciudad, la Signoria. Esta comunicación distendida entre las diferentes clases sociales tenía lugar en una sociedad que valoraba la diversidad. Entre los amigos de los Médicis estaba el Papa, el canciller de Florencia (Leonardo Bruni), Toscanelli, Brunelleschi, León Battista Alberti y Nicolás de Cusa. Comían, bebían y rezaban juntos, a menudo a diario. Examinaban casi todos los aspectos de la actividad humana con una mirada fría e inquisitiva. Si el ser humano podía explicar el funcionamiento básico de los cielos, podía hablar con la misma confianza de escultura, pintura, arte dramático, poesía, música, medicina, ingeniería civil y guerra.

Una tradición muy importante, que cohesionaba a la jerarquía florentina, era su encuentro gastronómico privado, la *mensa*, que se celebraba dos veces al día en la sede de la Signoria, en el Palazzo Vecchio. Timothy J. McGee escribió en «Música de comedor para la Signoria florentina, 1350-1450»:[11]«La *mensa* tenía lugar en el edificio de oficinas municipales que ahora se denomina Palazzo Vecchio, que ha sido la sede del gobierno de Florencia desde que se construyó en 1300 ... La Signoria era la rama ejecutiva del gobierno de la ciudad ... En la *mensa* estaban presentes algunos miembros veteranos del personal de la Signoria (la *famiglia*), visitantes distinguidos ocasionales y huéspedes de la ciudad».

La delegación china, con sus ideas, sus inventos fabulosos y la profundidad de su cultura, debió de ejercer una honda impresión en los intelectuales florentinos que se daban cita en la *mensa*, entre los que estaría Paolo Toscanelli. Florencia fue el caldo de cultivo ideal para las semillas intelectuales chinas.

Por pura casualidad, los chinos llegaron a Florencia justo cuando los Médicis volvieron del exilio. En septiembre de 1433, la Signoria había desterrado a Cósimo de Médicis junto con casi toda su familia. Pero en las elecciones de septiembre de 1434, la facción conservadora de la Signoria fue derrotada. Los Strozzi, rivales de los Médicis, fueron desterrados o apartados de sus cargos.

Cósimo de Médicis había sufragado los gastos de la facción ganadora, y se convirtió en el director de la banca familiar en 1420. Demostró ser un banquero excepcional. Los beneficios de 1420 a 1435 fueron de 186.382 florines, y alcanzaron los 290.791 florines entre 1435 y 1450. Era una cifra astronómica, que superaba la renta de algunos estados europeos. Cósimo abrió oficinas bancarias en Ancona, Pisa, Génova, Lyon, Basilea, Amberes, Brujas y Londres, con lo que se convirtió en el primer banco europeo internacional. Financió el Consejo de Florencia (1438-1439) y aportó fondos para derrocar a los Visconti de Milán, la eterna rival de Florencia.

Como ha mostrado Mary Hollingsworth, a partir de 1434 Cósimo dio un vuelco espectacular a su actividad y se dedicó desenfrenadamente al mecenazgo. Financió palacios y capillas exóticos —San Lorenzo, San Marcos y el palacio Médicis— dotándolos de espectaculares bibliotecas. Financió la edición de libros, mapas e instrumentos científicos para nutrirlas. Vespasiano da Bisticci, un importante librero florentino, explicaba que Cósimo había contratado a cincuenta y cinco escribanos para copiar doscientos textos, empresa modesta comparada con la enciclopedia de Zhu Di, pero gigantesca para los parámetros europeos. (Enrique V de Inglaterra poseía veinte libros cuando murió en 1422.)

Entre 1434 y 1471, la familia Médicis gastó 663.755 florines en mecenazgo. Entre los beneficiarios figuran el papa Eugenio IV, Toscanelli, Alberti, Poggio Bracciolini, fray Mauro (para el mapamundi de 1459), Cristóbal Colón (véase el capítulo 10) y el joven Américo Vespucci.[12]

La familia apoyó a humanistas florentinos como Toscanelli y Alberti que ofrecían un nuevo enfoque del mundo, basándose en la razón más que en el misticismo. Cósimo financió a artistas que utilizaban la perspectiva y la proporción, y a científicos que defendían que la Tierra es un globo, que podían vislumbrar la existencia de nuevas tierras llenas de riquezas a las que podía llegarse por mar, sin precipitarse nunca por un borde. Apoyó y financió la actividad de científicos capaces de explicar el lugar que el ser humano ocupa en el universo.

Mary Hollingsworth cita a Cósimo y a su hermano Lorenzo al explicar que la decoración de la sacristía de San Lorenzo supone una presencia notable de la ciencia en el mismo corazón de la iglesia:

> En la pequeña cúpula que corona el altar, un fresco de astronomía describía la posición del Sol, la Luna y las estrellas el día 6 de julio de 1439, día oficial de la unión entre la Iglesia oriental y la occidental

firmada en el Concilio de Florencia ... La elección de un tema tan explícitamente moderno para conmemorar este acontecimiento fue significativa. Un firmamento pintado de azul y con estrellas de oro engastadas era una forma corriente de representar el cielo en las iglesias medievales. Pero era insólita esta descripción científicamente exacta de un día astronómico concreto.[13]

La posición del Sol, la Luna y las estrellas el 6 de julio de 1439 vista desde Florencia puede comprobarse con el paquete de software Starry Night en la latitud 43° 48' N. Lo más desconcertante es: ¿cómo pudo el artista de Cósimo —sin contar con tablas de astronomía computerizadas— saber la posición exacta del Sol, la Luna y las estrellas aquel preciso día?

Lo primero que pensé cuando vi aquel firmamento pintado en la cúpula azul encima del altar fue que el artista debía de tener algún tipo de cámara para fotografiar el cielo con tanta exactitud. El misterio se acentuó todavía más cuando estudié fotografías en color de la cúpula, en las que se reconocía información celeste muy precisa.

La constelación Canis Maior, tal como quedó plasmada en el firmamento nocturno de Alberti de la sacristía de San Lorenzo.

Alguien sabía las posiciones exactas de cada estrella en relación con las demás y la del Sol en relación con la Luna y en relación con las demás estrellas. Quienquiera que pintara aquel fresco conocía el sistema solar. Patricia Fortini Brown, en «*Laetentur caeli*: El Concilio de Florencia y el fresco astronómico de la antigua sacristía», afirma: «Esta no es otra bóveda decorada con estrellas; tiene los meridianos celestes claramente definidos, así como una franja graduada con las coordenadas elípticas, claramente señaladas en grados, por lo que representa el firmamento en una fecha y lugar determinados con precisión aparentemente "científica"».

Como hemos explicado en el capítulo 4, la posición aparente de las estrellas respecto del Sol y de la Tierra cambia a diario a lo largo de un ciclo de 1.461 días. Dada la impresionante precisión del fresco, es posible determinar el día concreto de este ciclo representado en el fresco. Brown lo explica así:

> El reciente descubrimiento de las tablas astronómicas por ordenador que permiten un grado de exactitud al que no tuvo acceso el astrónomo Warburg (que intentó determinar la fecha anteriormente), hace posible que hoy determinemos con seguridad la fecha indicada por la posición de la Luna y del Sol en el fresco de la antigua sacristía ... El profesor John Heilbron ha podido verificar de manera independiente la fecha de 6 de julio de 1439 anteriormente mencionada por Bing y establecer la hora del día aproximadamente a las doce del mediodía.[14]

A las doce del mediodía del día 6 de julio de 1439 se celebró una misa para conmemorar el triunfo del papa Eugenio IV, quien el día anterior había sellado la unión de las iglesias cristianas de Oriente y de Occidente en el Concilio de Florencia. (Ultimada la unión, la armada de Venecia derrotó a la otomana y levantó el bloqueo de Bizancio.) El 6 de julio se declaró día festivo y en la catedral de Santa Maria del Fiore se prepararon dos tronos para los obispos católico y ortodoxo, respectivamente. El papa Eugenio IV celebró una misa pontificia a las doce del mediodía, en la que se leyeron la epístola y el evangelio en latín y en griego. El Decreto de Unión se promulgó luego en una bula papal que empezaba: «Laetentur caeli» («Que los cielos se regocijen»).

Posteriormente se pintó en la cúpula el momento en que los cielos se regocijaban. Pero ¿cómo se pintó con tal precisión y quién lo hizo?

A primera vista pensé que el pintor se había basado en la observación de la bóveda celeste. Al estudiarlo de cerca, me di cuenta de que aquello era imposible. Era pleno día; aunque ciertamente las estrellas ocupaban en el firmamento la posición que tenían en la cúpula, habría sido imposible verlas a las doce del mediodía.

¿Y si se hubiese observado el cielo la noche del 6 de julio y luego se hubiese extrapolado hacia atrás la posición de las estrellas? Esta hipótesis falla por dos razones. La primera es que el fresco muestra el Sol, la Luna y las estrellas, pero, naturalmente, el Sol no se ve de noche. En segundo lugar, habría sido necesario un ejército de observadores para medir con precisión los ángulos entre las estrellas y entre estas y el Sol, la Luna y las demás estrellas, todas a la vez en un momento en que el Sol no estuviera visible. En 1439 Florencia no disponía de un ejército de observadores cualificados ni de instrumentos de medición apropiados.

Realizar esta complejísima pintura precisó años, durante los cuales la posición de las estrellas en relación con la Tierra habría ido cambiando conforme al ciclo de 1.461 días. Por lo tanto, no podría haber sido el resultado de observaciones parciales realizadas en el transcurso de la obra. Por el contrario, la conclusión incuestionable es que el artista tuvo acceso a tablas astronómicas exactas.

De los documentos financieros (citados por James Beck, cuando enumera los pagos realizados a los artistas en *Leon Battista Alberti and the Night Sky at San Lorenzo*)[15] se desprende que la pintura se inició tras la muerte de Giovanni y de su mujer, Piccarda Bueri, en abril de 1433, posiblemente se interrumpió durante el exilio de los Médicis (octubre de 1433-octubre de 1434) y se reanudó en 1435, puesto que los últimos pagos se realizaron en mayo de 1439 y en enero y septiembre de 1440. Así pues, la pintura se realizó a lo largo de seis años. La explicación de la increíble precisión de la fecha es, en mi opinión, que las constelaciones con sus respectivas figuras (la mayor parte del trabajo) se pintaron a lo largo de los seis años anteriores a la Unión de las Iglesias, tras lo cual se pintaron las estrellas concretas en la posición que habrían ocupado a las doce del mediodía del 6 de julio de 1439. Esto último es un trabajo relativamente fácil si se conocen la declinación y la ascensión recta de cada estrella.

Beck ha mostrado que el pintor fue León Battista Alberti, tal vez ayudado por su amigo Paolo Toscanelli. En 1439, ambos eran los matemáticos y astrónomos más importantes de Florencia. Alberti había acompañado a Eugenio IV a Florencia, donde conoció a Toscanelli.

En breve descubriremos que la explicación más probable al misterio del fresco de Toscanelli es que Alberti, que hacía las veces de notario del Papa, conoció a los delegados chinos y obtuvo una copia del calendario astronómico que estos regalaron a Eugenio IV. El calendario contenía la información necesaria sobre las ascensiones rectas y las declinaciones de las estrellas para poder dibujar el cielo nocturno en un día y una hora determinados.

9

ENCUENTRO ENTRE TOSCANELLI
Y EL EMBAJADOR CHINO

Esta es una traducción de la carta que escribió Paolo Toscanelli en Florencia el 25 de junio de 1474 al canónigo Fernan Martins (Martínez de Roriz), confesor del rey Alfonso de Portugal en la corte de Lisboa:

A Fernan, canónigo de Lisboa, Paulus el médico [es decir, Toscanelli] os envía saludos. Me complació tener noticia de vuestra intimidad y amistad con vuestro rey grande y poderoso. Ya he hablado en muchas ocasiones de la ruta marítima desde aquí a la India, la tierra de las especias; una ruta más corta que la de Guinea. Me decís vos que Su Alteza desea que le explique este extremo con mayor detalle para que fuera más fácil comprender esta ruta y emprenderla. Aunque podría mostrárselo en un globo que representase a la Tierra, he decidido hacerlo de manera más sencilla y clara, mostrando la ruta en una carta de navegación. Éste es el motivo por el cual envío a Su Majestad una carta dibujada por mí mismo, en la que he indicado la línea costera occidental desde Irlanda en el norte hasta el final de Guinea y las islas que se hallan en este recorrido. Frente a ellas, en dirección a Occidente, he indicado el inicio de la India [es decir, China, en la nomenclatura del siglo XV], junto con las islas y lugares que iréis encontrando a vuestro paso: la distancia que deberíais mantener respecto al Polo Norte y al ecuador, y cuántas leguas deberéis recorrer hasta llegar a dichos lugares, que son los más ricos en toda clase de especias, gemas y piedras preciosas. Y no os sorprendáis de que afirme que crecen especias en las tierras de Occidente, aunque normalmente decimos de Oriente; porque el que navegue hacia el oeste siempre encontrará estas tierras, y el que viaje por tierra rumbo este, llegará a las mismas tierras del este.

Las líneas horizontales de esta carta muestran la distancia de este a oeste, mientras que las líneas transversales indican la distancia de norte a sur. La carta indica también diversos lugares de la India a los que puede llegarse en caso de tempestad, de viento de proa o de cualquier otro contratiempo. Conviene que tengáis toda la información posible sobre estos lugares; deberíais saber que las únicas personas que viven en estas islas son mercaderes que comercian en ellas.

Se dice que hay tantos barcos, marineros y mercancías allí como en todo el resto del mundo, especialmente en el puerto principal, denominado Zaiton, donde cada día cargan y descargan un centenar de naves enormes de pimienta, por no hablar de muchos otros barcos con otras clases de especias. Aquel país tiene muchos habitantes, provincias, reinos y un sinnúmero de ciudades, gobernadas todas ellas por un príncipe denominado Gran Kan, que en nuestro idioma significa «rey de reyes», quien reside principalmente en la provincia de Cathay, cuyos antepasados desearon ardientemente entrar en contacto con el mundo cristiano y hace unos doscientos años enviaron embajadores al Papa, con la petición de que les enviase hombres eruditos que pudiesen instruirlos en nuestra fe; pero estos embajadores [los hermanos Polo] tuvieron dificultades por el camino y se vieron obligados a regresar sin haber llegado a Roma. En los tiempos del papa Eugenio [1431-1447], llegó hasta él un embajador chino que le testimonió sus sentimientos de amistad por todos los cristianos, y yo mantuve una larga conversación con el embajador acerca de muchas cuestiones: sobre el inmenso tamaño de los edificios reales, sobre la impresionante longitud y anchura de sus ríos, y sobre el gran número de ciudades que se levantan en sus orillas, tantas que a ambos lados de un solo río había doscientas ciudades con puentes de mármol muy largos y anchos, y adornados con muchos pilares. Este país es más rico que cualquiera de los que se han descubierto hasta la fecha, y no solo podría aportar grandes ventajas y muchas cosas valiosas, sino que además posee oro y plata, piedras preciosas y toda suerte de especias en grandes cantidades, cosas que de momento no llegan a nuestros países. Y existen asimismo muchos eruditos, filósofos y astrónomos, y otros hombres versados en las ciencias naturales, que gobiernan ese gran reino y dirigen sus guerras.

Desde la ciudad de Lisboa en dirección oeste, la carta muestra veintiséis secciones de cuatrocientos kilómetros cada una, cuyo conjunto representa casi una tercera parte de la circunferencia de la Tierra, hasta llegar a la magnífica ciudad de Kinsai. Esta ciudad ocupa una circunferencia de unos ciento sesenta kilómetros y posee diez puentes de mármol, y su nombre significa «ciudad celestial» en nuestro idioma. Se han contado cosas increíbles acerca de sus gigantescos edificios, sus tesoros artísticos y sus rentas. Se halla en la provincia de Manji, cerca de la provincia de Cathay, donde reside el rey mayormente. Y desde la isla de Antilia, que ustedes llaman la Isla de las Siete Ciudades, hasta la muy famosa isla de Cipangu, hay diez secciones, es decir, cuatro mil kilómetros. La isla es muy rica en oro, perlas y piedras preciosas, y sus templos y palacios están revestidos de oro. Pero, como todavía no se conoce la ruta hasta allí, todas estas cosas permanecen ocultas y secretas; y, no obstante, se puede viajar hasta allí sin ningún peligro.

Podría contaros aún muchas otras cosas, pero como ya os las he dicho personalmente y vos sois hombre de juicio, no me dilataré más en este tema. He intentado responder a vuestras preguntas todo lo bien que me han permitido mi falta de tiempo y mi trabajo, pero siempre estoy dispuesto a servir a Su Alteza y a dar respuesta a sus preguntas más extensamente si así lo desease.

Escrito en Florencia el 25 de junio de 1474.[1]

El papa Eugenio IV nació en Venecia, de nombre Gabriele Condulmer, en 1383.[2] Fue Papa desde el 3 de marzo de 1431 hasta su muerte, el 23 de febrero de 1447. Por parte de madre, pertenecía a una rica familia de mercaderes, los Correre, cuyos suntuosos palacios pueden verse todavía hoy en día a lo largo del Gran Canal de Venecia.[3] Fue coronado Papa en San Pedro de Roma el 11 de marzo de 1431. A partir de junio de 1434 ejerció su pontificado en Florencia, hasta que se trasladó a Ferrara en 1438.

Poco después del envío de la carta al canónigo Martins, Toscanelli escribió a Cristóbal Colón:

Pablo, el médico, saluda a Cristóbal Colón. He recibido vuestras cartas con las cosas que me enviasteis, que me dieron gran satisfacción. Percibo vuestro ambicioso y magnífico deseo de navegar desde puntos de Oriente a Occidente [es decir, navegar a China rumbo oeste] de la forma que expuse en la carta que os envié [una copia de la carta al canónigo Martínez], y que quedará mejor demostrado en una esfera redonda. Me complace sobremanera que me hayáis comprendido bien; porque el viaje no solo es posible sino que es real, y con toda seguridad aportará honor y beneficios incalculables, una muy grande fama entre todos los cristianos. Pero no se puede saber esto a la perfección si no es por experiencia propia y por la práctica, como yo he podido tener gracias a la información más abundante, valiosa y verdadera de boca de hombres distinguidos y muy ilustrados que han venido aquí, a la corte de Roma [es decir, Florencia en aquella época], desde aquellas tierras [China], y de otros, mercaderes, que han hecho negocios durante mucho tiempo en estas tierras, hombres de gran autoridad. Así pues, cuando este viaje se realice, será a reinos y ciudades poderosos y a las provincias más nobles, muy ricas en toda suerte de bienes, en gran abundancia y muy necesarios para nosotros, a saber, toda clase de especias en gran cantidad y de joyas en mayor cantidad todavía.[4]

En estas dos cartas, Toscanelli les dice al canónigo Martins y a Cristóbal Colón que la Tierra es redonda y que se puede llegar a China zarpando de España y navegando rumbo oeste. Toscanelli escribe que Eugenio IV recibió a un embajador de China y que este y otros hombres muy cultos que llegaron a Florencia en tiempos de este Papa (1434 o posteriormente) le facilitaron aquella información.

No obstante en 1474, cuando Toscanelli escribió aquellas cartas, los europeos no habían llegado al sur de África y faltaban todavía dieciocho años para que Cristóbal Colón partiera rumbo a América. ¿Cómo sabía Toscanelli que a China podía llegarse no solo por el este, rodeando África, sino por el oeste? Las afirmaciones que hace a Colón respecto del mapa o el globo terráqueo son extraordinarias.[5] Afirma que la carta de navegación muestra que la distancia, rumbo oeste, de Lisboa a Kinsai, en China, equivale solo a una tercera parte de la circunferencia de la Tierra, y que desde Antilia (la isla de las Siete Ciudades) a la «muy famosa isla de Cipangu» hay una distancia de cuatro mil kilómetros. En su carta a Colón, da a entender que la información se refiere a una esfera redonda y que a las tierras de las especias puede llegarse navegando rumbo oeste.

La «famosa isla de Cipangu» es Japón. Por ello, parece absurda la afirmación de Toscanelli de que la distancia que separa Japón de Antilia, en el Caribe, era de cuatro mil kilómetros. Lo mismo vale para el dato de que la distancia de Lisboa a China navegando rumbo oeste equivale a una tercera parte de la circunferencia de la Tierra según el mapa; en realidad, equivale casi a dos tercios. Si el relato de Toscanelli es cierto, debía de referirse a un mapa muy singular.

He estado buscando este mapa durante doce años. Empecé investigando los mapas de Regiomontano, el amigo de Toscanelli. Como explicaremos en capítulos posteriores, Regiomontano trabajó en estrecha relación con Toscanelli. Algunos historiadores, especialmente Ernst Zinner, principal autoridad en el tema de Regiomontano, y Gustavo Uzielli, creen que el mapa que Toscanelli envió a Colón fue dibujado con ayuda de Regiomontano.[6] Así se expresa Zinner:

> Toscanelli fue famoso por sus cartas de 1474 a Colón y al canónigo Martins en las que les aconsejaba que viajasen a las Indias cruzando el océano del mundo y les sugería un mapa para el viaje. Es posible que existiera un prototipo de aquel mapa en una de las cartas de navegación de Bessarion en las que figuraban islas parecidas a las que descubrió Colón; Marco Parenti dio testimonio de ello en marzo de 1493. Puesto que Bessarion [patrocinador de Regiomontano y amigo del Papa] murió en 1472, Uzielli, que describió el trabajo de Toscanelli, se formó la opinión de que el mapa había sido dibujado por Regiomontano con la ayuda de Toscanelli. Este trabajo conjunto no es imposible puesto que ... ambos mantenían correspondencia.[7]

En un primer momento parecía que la investigación iba por buen camino. En 1471 Regiomontano obtuvo permiso para fijar su residencia en Nuremberg, y al año siguiente estableció una imprenta para publicar documentos. En 1472 declaró su intención de publicar mapas: «Et fiet descriptio totius habilitatis note quam vulgo appellant Mappam Mund Ceteru germanie particularis tabula; ite Itali; Hispanie; gallie universe; Greciq» (que yo traduciría así: «Para hacer una descripción de todo el mundo habitable, denominado comúnmente mapamundi. Se describe detalladamente Alemania, así como Italia, España, Galia y Grecia»).

Durante los tres años siguientes, Regiomontano se dedicó a las tablas de efemérides y a los calendarios. En 1475 el Papa lo llamó a

Roma, donde murió, probablemente a consecuencia de la peste. No llegó a conseguir que se publicara su mapa del mundo. Zinner, en su extenso libro sobre Regiomontano, no menciona la publicación de un mapamundi. Así que esta línea de investigación acabó en un callejón sin salida.

Entonces, inesperadamente, en abril de 2007 recibí un correo electrónico de A. G. Self, amigo de nuestra web, que incluía diez páginas de un libro sobre Magallanes escrito por un tal F. H. H. Guillemard.[8]

En el libro, Guillemard mostraba esferas terrestres que había publicado Johannes Schöner en 1515 y 1520.[9] El autor deseaba demostrar que, antes de que Magallanes embarcase, se habían publicado mapas europeos que mostraban el estrecho que lleva del Atlántico al Pacífico, y que actualmente denominamos «estrecho de Magallanes». En los mapas figuraban también el océano Pacífico y China. Nunca se ha puesto en duda la autenticidad de los mapas de Schöner de 1515, 1520 y 1523.

Estudié el mapa de Schöner de 1515 con el máximo interés. Era prácticamente idéntico a la copia de una esfera terrestre que figuraba en un mapamundi de Waldseemüller de 1507. Ambos figuran en el segundo anexo de ilustraciones en color de este libro.

Entonces se me hizo la luz. El mapa de Schöner de 1515 coincidía exactamente con la descripción de la esfera terrestre que aparece en las cartas de Toscanelli enviadas al rey de Portugal y a Colón. Es como si Toscanelli hubiese tenido delante de él la esfera terrestre de Schöner cuando escribió las cartas. A continuación enumero citas textuales de Toscanelli (T), acompañadas de mis comentarios (C). Ruego al lector que tenga a la vista las esferas terrestres de Schöner.

1. T: «Ya he hablado en muchas ocasiones de la ruta marítima desde aquí a la India, la tierra de las especias; una ruta más corta que la de Guinea».
   C: Esto es lo que podemos ver en los mapas de Schöner de 1515 y 1520.
2. T: «Aunque podría mostrárselo en un globo que representa-

se la Tierra, he decidido hacerlo de manera más sencilla y clara, mostrando la ruta en una carta de navegación [es decir, Toscanelli, al igual que Schöner, copia un globo terrestre, trasladando la copia a un mapa]».

3. T: «Este es el motivo por el cual envío a Su Majestad una carta dibujada por mí mismo».

C: Los mapas (o cartas de navegación) de Schöner de 1515 y 1520 son copias de una esfera terrestre.

4. T: «En la que he indicado la línea costera occidental desde Irlanda en el norte hasta el final de Guinea y las islas que se hallan en este recorrido».

C: Esta parte figura en el hemisferio oriental de la esfera terrestre de 1515.

5. T: «Frente a ellas, en dirección a Occidente, he indicado el inicio de la India».

C: China aparece con el nombre de «India», «India Superior» e «India Meridionalis» en los mapas de Schöner.

6. T: «Las líneas horizontales de esta carta muestran la distancia de este a oeste, mientras que las líneas transversales indican la distancia de norte a sur».

C: Hay más líneas verticales y transversales en la esfera terrestre de Schöner de 1520, pero ambas las tienen.

7. T: «Desde la ciudad de Lisboa en dirección oeste, la carta muestra veintiséis secciones de cuatrocientos kilómetros cada una [10.400 kilómetros], cuyo conjunto representa casi una tercera parte de la circunferencia de la Tierra, hasta llegar a la magnífica ciudad de Kinsai».

C: Las islas Canarias (islas Afortunadas) aparecen a 120 grados al este de Quisaya [Kinsay]; por lo tanto, Lisboa está a 125 grados de Quisaya, aproximadamente a un tercio de la circunferencia de la Tierra (la circunferencia de la Tierra es equivalente a 360 x 96 kilómetros, es decir, 34.560 kilómetros; la tercera parte serían 11.520 kilómetros).

8. T: «Se halla [Kinsay] en la provincia de Manji».

C: En el mapa de Schöner, Quisaya figura en la provincia de Manji.

9. T: «Cerca de la provincia de Cathay».

   C: Así aparece en el globo terrestre de 1515: «Quisaya Manji, que aparece en la provincia de Manji, y encima de Manji está Chatay [Cathay]».

10. T: «Y desde la isla de Antilia, que ustedes llaman la Isla de las Siete Ciudades, hasta la muy famosa isla de Cipangu, hay diez secciones, es decir, cuatro mil kilómetros».

    C: En el mapa de 1520, Antilia aparece a 335° y Zipangu a 265°, una diferencia de 120°, que a una latitud de 15° N sería aproximadamente de cuatro mil kilómetros (una tercera parte de la circunferencia de la Tierra en aquella latitud).

En síntesis, las esferas terrestres de Schöner de 1515 y 1520 coinciden completamente con las descripciones que Toscanelli envió al rey de Portugal y a Cristóbal Colón. Toscanelli y Schöner debieron de copiar la misma esfera terrestre, que existió antes de 1474 (fecha en que Toscanelli escribió a Colón). Parece que Toscanelli decía la verdad. En los dos capítulos siguientes descubriremos de dónde sacó Schöner la esfera terrestre que copió.

10

LOS MAPAMUNDIS DE COLÓN Y DE MAGALLANES

A ntes de abordar cómo obtuvo Schöner el globo terrestre que le sirvió de modelo para los que él elaboró en 1515 y 1520, deberíamos detenernos a considerar otros destinatarios posibles del mismo: primero el rey de Portugal;[1] segundo, Colón;[2] tercero, el Papa[3] y cuarto, Regiomontano, quien parece que ayudó a Toscanelli.[4] Empecemos por el rey de Portugal.

En mi libro *1421* relaté brevemente cómo Magallanes había sofocado un motín argumentando ante la tripulación que había visto un mapa en la biblioteca del rey de Portugal. Ahora tenemos más datos de aquella historia. (No menosprecio a Magallanes, quien, en mi opinión, es el mejor de los primeros exploradores europeos. Era honrado, valiente, astuto y decidido, pero, sobre todo, se comportó con decencia y justicia, en especial frente a personas completamente indefensas.)

La expedición de Magallanes zarpó bien aprovisionada y equipada con mapas portugueses,[5] aunque viajaba con el patrocinio español cuando salió de Sanlúcar de Barrameda, en el estuario del Guadalquivir, el 20 de septiembre de 1519.[6] Cuando Magallanes y su tripulación llegaron a la costa de la Patagonia, en América del Sur, se habían agotado las provisiones de galletas y se veían obligados a comer ratas[7] (que los marineros capturaban y vendían), cuyo precio se había triplicado. Magallanes se hallaba en una situación desesperada. Se encontraba en medio del estrecho, rodeado de montañas, y sin rastro del océano Pacífico.

La tripulación se amotinó y Esteban Gómez se hizo con el control de una de las cinco naves de Magallanes, el *San Antonio*. Pigafetta, el historiador que viajaba a bordo del buque insignia de Magallanes, nos cuenta lo que sucedió después: «Todos creíamos que [el estrecho] no tenía salida; pero el capitán sabía que tenía que atravesar un estrecho muy recóndito, porque lo había visto en un mapa que se conservaba en el tesoro del rey de Portugal, realizado por Martín de Bohemia, hombre de gran sabiduría». Puesto que me han acusado de inventar esta traducción, adjunto a continuación el original: «Se non fosse stato il sapere del capitano-generale, non si sarebbe passato per quello stretto, perché tutti credevano che fosse chiuso; ma egli sapea di dover navigare per uno stretto molto nascosto, avendo ciò veduto in una carta serbata nella tesoreria del re di Portogallo, e fatta da Martino di Boemia, uomo excellentissimo».[8]

Cuando escribí *1421*, busqué el mapa de Martín de Bohemia, pero no lo encontré; parece ser que se perdió o fue destruido. Como nunca ha aparecido este mapa, algunos han supuesto que Magallanes se estaba tirando un farol, fingiendo que sabía dónde se hallaban para apaciguar los ánimos de los amotinados.

No obstante, hay cuatro pruebas convincentes que corroboran la hipótesis de que Magallanes tenía el mapa en el que figuraba no solo el estrecho, sino también la ruta que lo llevaría al Pacífico.

La primera quedó descrita en el libro *1421*. Magallanes mostró al rey de Limasawa, en Filipinas, un mapa en el que podía comprobarse como había llegado a Filipinas atravesando el océano Pacífico.[9]

La segunda es el relato del célebre historiador portugués Antonio Galvão (también citado en *1421*), quien escribió que el rey de Portugal poseía un mapa en el que figuraba el estrecho de Magallanes:

> En el año 1428 está escrito que don Pedro, el primogénito del rey de Portugal, era un gran viajero. Fue a Inglaterra, Francia, Alemania y de allí a Tierra Santa y a otros lugares; y regresó a su país por Italia, pasando por Roma y por Venecia, de donde trajo un mapamundi que tenía descritas todas las partes del mundo y de la tierra. Al estrecho de Magallanes lo llamaba la Cola del Dragón.[10]

La tercera es que se mencionó el estrecho durante el interrogatorio al que sometieron a Magallanes los ministros del rey Carlos V antes de que zarpara. Tenían una esfera terrestre en la que se destacaba el estrecho: «De industria dexò el estrecho en blanco».

Magallanes subrayó que se trataba de un estrecho secreto: «Estrecho de mar no conocido hasta entonces de ninguna persona».[11]

Por último, en la capitulación, el contrato firmado entre el rey de España y Magallanes el 22 de marzo de 1518, figura la expresión «para buscar el estrecho de aquellas mares».[12]

Así pues, antes de publicar *1421* busqué un mapa que se hubiera publicado con anterioridad al viaje de Magallanes, pero en el que figurase el estrecho. Había varios candidatos. En el palacio ducal de Venecia hay un mapa de principios del siglo XV en el que aparecen Asia y el océano Pacífico (descrito en el capítulo 7). Este mapa tiene dos inscripciones que afirman que fue elaborado con la información que Marco Polo y Niccolò da Conti habían llevado a Venecia. Marco Polo regresó en 1295 y Niccolò da Conti hacia 1434 o tal vez en fecha muy anterior, en 1424.

A pesar de que en el mapa del dux figuran el océano Pacífico y América, no aparece la parte meridional del continente americano. Existe otro, en la sala de los mapas, en el que sí aparecen América del Sur y una ruta del Atlántico al Pacífico, pero, desafortunadamente, no está fechado. En el mapamundi de Waldseemüller de 1507 (véase el anexo 2 de ilustraciones en color) aparecen América del Sur y el océano Pacífico con una precisión notable, pero está centrado a 20° N y se detiene en 45° S. El estrecho no aparece, pues se halla a 52° 40'. No obstante, Waldseemüller dijo en su *Cosmographiae introductio* que «se ha descubierto que América está rodeada de agua por todas partes».[13] Por lo que podemos deducir que Waldseemüller debía de saber que había una forma de pasar del océano Atlántico al Pacífico.

El único mapa europeo publicado antes de que Magallanes zarpase en el que figura un estrecho que lleva del Atlántico al Pacífico es la esfera terrestre de Johannes Schöner. Se publicó antes de que los ministros de Carlos V interrogaran a Magallanes y antes de que este firmase las capitulaciones con el rey de España. Así pues, es coherente con el resto de las pruebas. La autenticidad de los mapas de Schöner jamás se ha puesto en duda. En 1520, antes de que regresase la expedición de Magallanes, Schöner publicó un segundo ejemplar de su esfera terrestre, en el que figura un estrecho parecido.

Si suponemos por un momento que la esfera terrestre de Schöner de 1515 era la misma que la que Toscanelli copió para Colón, nos enfrentamos a dos preguntas: en primer lugar, ¿cuál habría sido la reacción de Colón?, y en segundo lugar, ¿existe un mapa parecido del que podamos afirmar con seguridad que llegó a manos de Colón y que este utilizó para guiarse?

Colón sabía que los portugueses avanzaban hacia el sur por la costa africana para explorar las rutas comerciales orientales hacia el océano Índico y más allá. De la carta de Toscanelli a Colón se desprende claramente que este último tenía interés en hallar una ruta a China por el oeste: «Percibo vuestro ambicioso y magnífico deseo de navegar desde puntos de Oriente a Occidente [es decir, navegar a China rumbo oeste] —escribe Toscanelli—, de la forma que expuse en la carta que os envié [una copia de la carta al canónigo Martínez], y que quedará mejor demostrado en una esfera redonda». En resumen, está claro que Toscanelli está ayudando a Colón en su objetivo de llegar a China por el oeste.

Luego Colón recibió el mapa de Toscanelli (capítulo 9, nota 1), en el que, efectivamente, aparece la ruta occidental a China tal como Toscanelli la había descrito. No obstante, también figura un continente desconocido (América) entre Portugal y China. ¿Qué habría hecho Colón con este continente nuevo? Probablemente, habría hecho todo lo posible por ponerle las manos encima. Era un hombre ambicioso, como sabemos por su pleito con el rey de España (*Pleitos de Colón*).[14]

En los «Privilegios y prerrogativas» que Colón acordó con los reyes Isabel y Fernando dieciocho años más tarde, antes de su «primer viaje» a América, Colón había abandonado cualquier intención de ir a China. Iba tras las tierras que habían sido descubiertas en el lado occidental del océano Atlántico.

PRIVILEGIOS Y PRERROGATIVAS OTORGADOS POR SUS MAJESTADES LOS REYES CATÓLICOS A CRISTÓBAL COLÓN, 1492. FERNANDO E ISABEL, POR LA GRACIA DE DIOS, REY Y REINA DE CASTILLA, DE LEÓN, DE

ARAGÓN, DE SICILIA, DE GRANADA, DE TOLEDO, DE VALENCIA, DE GA-
LICIA, DE MALLORCA, DE MENORCA, DE SEVILLA, DE CERDEÑA, DE
JAÉN, DEL ALGARVE, DE ALGECIRAS, DE LAS ISLAS CANARIAS, CONDE Y
CONDESA DE BARCELONA, SEÑOR Y SEÑORA DE VIZCAYA Y MOLINA,
DUQUE Y DUQUESA DE ATENAS Y NEOPATRIA, CONDE Y CONDESA DE
ROSELLÓN Y LA CERDAÑA, MARQUÉS Y MARQUESA DE ORISTAN Y CO-
GIANO, etc.

Puesto que vos, Cristóbal Colón, os dirigís a nuestras órdenes, con
algunos de nuestros hombres y de nuestros barcos, a descubrir y some-
ter algunas islas y un continente allende los mares, y esperamos que
con ayuda de Dios algunas de dichas islas y el continente que se halla
en medio del océano sean descubiertos y conquistados por vuestros
medios y conducta, es por lo tanto justo y razonable que, puesto que
vos os exponéis a tales peligros para servirnos, vuestro servicio sea re-
compensado. Y es nuestro deseo nombraros y concederos nuestros favores por las razones mencionadas. Nuestro deseo es que vos, Cristóbal Colón, después de descubrir y conquistar las islas y el continente
del mencionado océano, o de cualquier otro, seáis nuestro almirante
de las dichas islas y continente que descubriréis y conquistaréis; y que
seáis nuestro almirante, virrey y gobernador en ellas y en el futuro vos
podréis llamaros y haceros llamar D [don] Cristóbal Colón y que vuestros hijos y sucesores en este cargo podrán hacerse llamar don, almirantes, virreyes y gobernadores de estas tierras; y que vos podréis ejercer el cargo de almirante, junto con el de virrey y gobernador de
dichas islas y continente...

Otorgado en Granada el 30 de abril en el año 1492 de nuestro Señor, Yo la Reina, Yo el Rey, por Orden de sus Majestades, Juan Co-
loma, Secretario del Rey y de la Reina.[15]

Los diarios de Colón afirman que se hizo a la mar con mapas del
Atlántico occidental.[16] El miércoles 4 de octubre de 1492, cuando se
aproximaba al Caribe,[17] escribió: «Debería tomar la dirección oeste
sudoeste para llegar allí [es decir, para llegar a las islas que está bus-
cando] pues en las esferas terrestres que he visto y en los dibujos de
los mapamundis están en esta zona».[18]

¿Existe un mapa que podamos relacionar con Colón antes de
que zarpase?

Marcel Destombes describió dos mapas que estudió en la Biblioteca Estense Universitaria, ahora en Módena. Cito a Arthur Davies en referencia al descubrimiento de Destombes:

> Uno era un mapa del Atlántico y sus islas referenciado como CGA 5A. Originalmente, este mapa se extendía más hacia el norte, el oeste y el sur, pero lo habían recortado, de modo que ahora abarca de Normandía a Sierra Leona y hacia el este llega hasta Nápoles y Túnez. Partiendo de [lo que Destombes denomina] loxodromías,* Destombes llegó a la conclusión de que en el mapa original aparecían las legendarias islas de Antilia y Satanaxia (Puerto Rico y Guadalupe). [Destombes] lo atribuyó sin dudar a Bartolomeo Colón en razón de su excelente caligrafía y el estilo genovés de la cartografía.[19]

Con gran alborozo, Marcella y yo nos dirigimos a Módena. El doctor Aurelio Aghemo nos recibió con gran gentileza y disponibilidad y me permitió tomar una foto de las dos versiones[20] del CGA 5A, cuya copia hemos incluido en el anexo 2 de ilustraciones en color. Como puede verse, los dos mapas habían sido partidos por la mitad y la parte izquierda, en la que podía aparecer América, se había perdido. Podemos decir sin lugar a dudas que esta partición del mapa fue deliberada, puesto que la costa de África occidental aparece hasta cabo Blanco (21° N), así como el golfo de Guinea, algo más al sur. Falta un fragmento de costa entre ambos, es decir, la costa que correspondería de la «protuberancia» de África. Alguien no deseaba que la gente supiese lo que había en la parte de la izquierda de esos dos mapas. ¿Dónde podemos encontrar una pista para averiguar lo que figuraba en la parte que desapareció?

Está claro que figuraba el océano Atlántico, pero ¿qué parte de él y hasta dónde llegaba en dirección oeste? ¿Llegaba el mapa original tan lejos como el profesor Destombes pensaba? ¿Figuraba en él América y, en tal caso, qué parte o partes de ella?

El profesor Destombes utilizó lo que él denominaba «loxodromías» para avalar su hipótesis. Yo, en un principio, intenté darle otro enfo-

---

* Líneas que cortan todos los meridianos de la superficie terrestre con un mismo ángulo, utilizadas en navegación para mantener un rumbo constante. (*N. de la T.*)

que, y analicé lo que aparecía en el CGA5A, al que a partir de ahora denominaremos «mapa de Colón», por la caligrafía de Bartolomé Colón que contiene. El mapa tiene varios rasgos característicos, entre ellos la cantidad de nombres que aparecen en torno a la ensenada de Benín, al sur de la «protuberancia» de África. Lo primero que hice fue comprobar si aquellos nombres coincidían con los de otros mapas dibujados alrededor de 1480-1485, que serían las fechas más probables del mapa de Colón (el profesor Davies señala que Colón tenía aquel mapa antes de 1492).

Muy pronto comprobé que el mapa de Waldseemüller (1507) y el de Colón tenían nombres iguales en Guinea, desde Río de Lago hasta Capo di Monte, aunque el mapa de Colón contenía más nombres y era mucho más detallado. A continuación reduje el tamaño de los mapas a la misma escala, recorté la parte de África occidental del mapa de Colón y la coloqué encima del de Waldseemüller, para que los nombres iguales se hallaran en el mismo lugar. Por último, proyecté las loxodromías del mapa de Colón en el de Waldseemüller. Cinco series terminaban exacta y claramente en Cuba y América del Sur partiendo del de Waldseemüller (fijando las islas Canarias en 0° O, como hizo este). Véase el anexo 2 de ilustraciones en color.

Destombes estaba en lo cierto: las loxodromías llegaban hasta Antilia y Satanazes y más lejos aún, hasta la costa pacífica de América del Sur. No puede ser una mera coincidencia que todos los extremos de las loxodromías formen un círculo. En mi opinión, esa es la prueba de que los hermanos Colón tenían un mapa en el que aparecía América. El propio Colón reconoció en sus cuadernos de bitácora que había visto las islas del Caribe en un mapamundi. Además, lo habían contratado para ser virrey de las tierras del otro lado del mar. Esta hipótesis es avalada por el ejemplar de la esfera terrestre de Schöner, fechado en 1515, en el que aparece América y que coincide exactamente con la descripción de Toscanelli.

Es más, como veremos en el próximo capítulo, el mapa de Colón, la esfera terrestre de Schöner y la de Waldseemüller provienen de la misma fuente.

Volvamos ahora a Johannes Schöner, que debió de ser el destinatario de la esfera terrestre original, porque su trazado coincide con la descripción de Toscanelli. Sin duda Schöner no pudo haber conocido a Toscanelli o al embajador chino. Nació el 16 de enero de 1477 en Karlstadt, en la actual provincia de Turingia. Fue a la escuela cerca de allí, en Erfurt. La zona, que conozco bien, es una agradable región boscosa famosa por sus ciruelas. Está todo lo lejos del mar que se puede estar en Europa, y carece por completo de tradición marítima.

Johannes no fue un estudiante especialmente dotado; dejó la escuela para estudiar en la Universidad de Erfurt, pero parece que suspendió y no pudo licenciarse. Lo ordenaron sacerdote en 1515 y se convirtió en prebendado, aprendiz, de la iglesia de San Jacobo Bamberg. Lo castigaron por no celebrar una misa y lo relegaron al pueblo de Kirchenbach, donde lo obligaron a oficiar la primera misa de la mañana.[21] Uno se pregunta cómo pudo este sacerdote realizar no solo mapas de América del Sur y de la Antártida antes del viaje de Magallanes, sino también complejos mapas celestes del hemisferio sur.[22]

No hay premio para el que dé con la respuesta evidente: debió de copiarlos. Pero ¿a quién?

En enero de 1472 Regiomontano, el amigo de Toscanelli, tenía una imprenta en Nuremberg, como hemos dicho antes. Cuando Regiomontano murió en 1475, la imprenta pasó a manos de Bernard Walther, que le había ayudado a financiarla. En una carta a un amigo, fechada el 4 de junio de 1471, Regiomontano escribía:

> Recientemente he realizado observaciones en la ciudad de Nuremberg ... pues la he elegido como residencia permanente, no solo por la disponibilidad de instrumentos, en especial los de tipo astronómico en los que se basa toda la ciencia, sino por la facilidad para comunicarme con todo tipo de hombres instruidos que viven en todas partes, puesto que este lugar es considerado el centro de Europa, en razón de los viajes de estos comerciantes.[23]

En 1495 Johannes Schöner también se mudó a Nuremberg, donde estudió astronomía práctica con el mismo Bernard Walther que había financiado a Regiomontano y que se había quedado con su imprenta. Cuando Walther falleció, Schöner heredó la biblioteca y la imprenta de Regiomontano, así como sus instrumentos náuticos, sus esferas terrestres y sus tratados; Schöner publicó la *Tabula* de Regiomontano y su libro sobre triángulos esféricos. Todo este legado se conserva ahora en Viena, en la Biblioteca Nacional de Austria.[24]

Regiomontano quería publicar su propio mapamundi, pero murió antes de poder hacerlo.[25] Schöner heredó este mapa inédito y lo publicó firmado por él. De ahí sus ejemplares de 1515 y 1520. Cuando regresó Magallanes, Schöner publicó su esfera terrestre de 1523, afirmando que no había mejorado nada respecto de los mapas de 1515 y 1520 (anteriores al viaje de Magallanes).[26] Sin embargo, en el mapa de 1523 había corregido la anchura del océano Pacífico que Magallanes acababa de atravesar.

Por último, ¿existe alguna prueba de que el papa Eugenio IV o sus sucesores tuvieran un mapamundi en el que figurase América antes de que Colón dirigiese hacia allí sus barcos?

Tras la muerte de Colón, su familia emprendió acciones judiciales contra la monarquía española, los *Pleitos de Colón*. En el transcurso del pleito, se presentaron pruebas en nombre de Martín Alonso Pinzón, el capitán de bandera de Colón. El hijo de Pinzón afirmó que su padre había visto un mapa de América en la corte del Papa en Roma y que había basado en él su expedición a América.[27] No obstante, al final su padre decidió apuntarse a la expedición de Colón.

Ahora tenemos pruebas de Schöner, Magallanes, Colón, Regiomontano y Pinzón que confirman la existencia de un mapamundi en el que aparece América, que Toscanelli había mencionado en sus cartas. Toscanelli no mentía. Había conocido al embajador chino, que le había entregado una esfera terrestre o un mapa en el que aparecía la ruta a América y alrededor del mundo. Ahora tenemos que buscar el original que copió Toscanelli.

11

LOS MAPAMUNDIS DE JOHANNES SCHÖNER, MARTIN WALDSEEMÜLLER Y EL ALMIRANTE ZHENG HE

En 1507, Johannes Schöner encuadernó las diferentes hojas de que constaba el mapamundi de Waldseemüller y las colocó en una funda. Es el ejemplar que se conserva en la Biblioteca del Congreso de Washington D. C. En el mapamundi de Waldseemüller aparecen América del Sur y el océano Pacífico. La primera pregunta es: ¿cómo supo Waldseemüller de la existencia de América y del océano Pacífico antes de que Magallanes navegara hasta allá? La segunda: ¿cómo consiguió Schöner una copia de las hojas de Waldseemüller para encuadernarlas?

Martin Waldseemüller nació en Wolfenweiler, cerca de Friburgo en 1475, dos años antes que Schöner. Su lugar de nacimiento está a unos cuatrocientos kilómetros de donde nació Schöner. Waldseemüller trabajó como canónigo en Saint-Dié. En 1487 entró en la Universidad de Friburgo para estudiar teología. No hay constancia de que fuera un estudiante especialmente listo ni de que se licenciase siquiera. En 1514, en calidad de funcionario de la diócesis de Constance, solicitó la canonjía de Saint-Dié y obtuvo el puesto. Murió allí en 1522.

Waldseemüller hizo imprimir unas mil copias de su mapa de 1507. Además de la que está en la Biblioteca del Congreso, existe un ejemplar recortado (listo para componer una esfera terrestre) en la biblioteca James Ford Bell, de Minneápolis. Una tercera copia fue adquirida en 2003 por el conocido marchante de mapas Charles Frodsham en una subasta de Christie's.

En el verano de 2004 estudié con atención el mapa de Waldseemüller de 1507. Su importancia reside, por supuesto, en que en él figuraban el océano Pacífico, América del Sur, los Andes y las Montañas Rocosas antes de que Magallanes iniciase su viaje o de que Balboa «descubriese» el Pacífico. Así pues, parece que alguien había estado en el océano Pacífico antes que Magallanes y que había dibujado los 36.800 kilómetros de costa americana.

En este mapa, el continente americano no tiene aspecto de tal; parece más bien una serpiente alargada. Para realizar este mapa, Waldseemüller había utilizado un método extraordinario.[1] Lo proyectó de una esfera terrestre a un pedazo de papel plano utilizando una proyección en forma de corazón. Por este motivo, un grado de longitud cerca del ecuador era como unas diez veces lo que era cerca de los polos, y, a la inversa, un grado de latitud cerca de los polos era unas diez veces superior a lo que era cerca del ecuador. Aún más curioso resulta el hecho de que las escalas de longitud variaban de una parte a otra del mapa en la misma latitud y de que Sudáfrica sobresalía del extremo inferior del mapa sin razón aparente. (Véase la foto del mapa en el segundo encarte de ilustraciones en color y en la web del libro *1421*.)

Durante varios meses intenté buscarle el sentido. ¿Cómo podía yo convertir el dibujo de Waldseemüller en un mapa que nosotros entendiéramos? Entonces, al alba de un hermoso día de verano, una garza real llegó a por su desayuno y se colocó cerca del cenador en el que yo estaba trabajando. Me quedé observándola y admiré su paciencia mientras estiraba el cuello sobre las aguas del New River, que fluye por detrás de nuestro jardín. Tras abalanzarse sobre su presa, se le hinchó el pescuezo. Experimenté una especie de sacudida eléctrica en todo el cuerpo y se me ocurrió que, si invertía el proceso que había utilizado Waldseemüller —si volvía a colocar en una esfera terrestre lo que él había trasladado a una superficie plana de papel y la fotografiaba—, podría obtener un mapa inteligible para la gente de hoy.

Me precipité al sótano que hace las veces de oficina de *1421* y fotocopié en blanco y negro el mapa de Waldseemüller, utilizando líneas azules para destacar la longitud y rojas para la latitud (véase el segundo encarte de ilustraciones en color). A continuación, reseguí de arriba abajo la costa de América del Sur y marqué unos puntos (a, b, c, etc.) cada diez grados de longitud (puntos amarillos). En un papel aparte escribí las latitudes y longitudes de cada punto amarillo. Repetí el mismo proceso en la costa pacífica de América del Sur y del Norte y terminé haciendo lo propio con la costa atlántica de América del Norte. Después, trasladé esos puntos a una esfera terrestre y los conecté. Finalmente, tomé una fotografía a la esfera terrestre (véase el segundo encarte de ilustraciones en color).

En aquella esfera aparecía el mundo que Waldseemüller había copiado originalmente: un parecido extraordinario con América del Norte y del Sur tal como las reconocemos hoy, con la masa continental, la forma y la posición respecto a África correctamente dibujadas. Antes del viaje de Magallanes, Waldseemüller había realizado un mapa maravilloso del continente americano partiendo de una esfera terrestre.

Así pues, ¿cómo consiguió realizar una esfera terrestre que contenía la primera descripción exacta del continente americano un funcionario eclesiástico sin conocimientos de cartografía ni afición por el coleccionismo de mapas, que trabajaba en la remota canonjía de Saint-Dié, rodeada de tierra por todas partes?

Inicialmente, Waldseemüller dijo que había obtenido esta información de Américo Vespucci. Suponiendo que Vespucci hubiese llegado a 45° S y que Waldseemüller hubiera recibido sus informes, este último podría haber tenido los datos necesarios para dibujar el litoral atlántico de América del Sur. Vespucci era un navegante excelente y tenía las tablas de efemérides de Regiomontano, que le permitían calcular longitudes y latitudes. Pero Vespucci nunca dijo que hubiese llegado al océano Pacífico. Le dijo concretamente al embajador florentino que no había logrado encontrar el paso que llevaba del Atlántico al Pacífico, que ahora llamamos estrecho de Magallanes.

En el mapa de Waldseemüller aparecen el Pacífico, los Andes hasta Ecuador y luego la Sierra Madre de México y la Sierra Nevada de California. Por eso no tiene sentido que él atribuyese a Vespucci su dibujo de la costa pacífica de América (afirmación que luego retiró). Waldseemüller tuvo que copiar este mapa, pero ¿qué esfera terrestre utilizó de modelo y cuándo lo hizo?

Hay un sinnúmero de indicios que apuntan a que la fuente de información de Waldseemüller fue la misma que la de Schöner.

En primer lugar, la esfera de Schöner de 1515 y la que aparece en el mapa de Waldseemüller de 1507 son las mismas.

En ambas figura:

1. «Zipangi» al oeste de América del Norte, en la misma posición incorrecta.
2. América del Norte y del Sur tienen la misma forma, en un momento en que los europeos ignoraban la anchura de aquel continente.
3. Las mismas distancias erróneas de Europa a Kinsai (China).
4. El mismo error en la extensión del océano Pacífico, desconocida para los europeos de aquella época, que la calcularon inferior a la real.
5. Los mismos nombres (utilizados por Toscanelli) para China: India Meridionalis, India Superior, India.
6. Los mismos nombres para las provincias chinas (utilizados igualmente por Toscanelli): Cyamba Provinca Magna, Chatay, Chairah.
7. Los mismos nombres de ciudades (véanse las cartas de Toscanelli): Quinsay, Cyamba.
8. Islas en la misma posición con el mismo nombre: Java Major, Java Minor, Peutah, Neevra, Angama, Candin.
9. En ambas aparece Quinsay (descrita por Toscanelli); Waldseemüller da más detalles:

WALDSEEMÜLLER	SCHÖNER
QINSAY: «PER CIVITAS HABER IN TITAN AU TUO 100 MILITARI ET IN EA 12M PONTES»	«Esta ciudad tiene una circunferencia de unos 160 kilómetros y posee 10 puentes de mármol y su nombre significa en nuestro idioma "ciudad celestial".»

Traducción:
«[Quinsay] es considerada
por los ciudadanos
como el hijo de Urano
(el Cielo) y,
asombrosamente (AU),
ocupa 100 millas
militares y tiene 12m.
puentes».

10. Tanto el mapa de Waldseemüller como el de Schöner muestran la isla de Cipangu (Japón), pero en el primero figuran más nombres y datos.

WALDSEEMÜLLER	SCHÖNER
«ERIT AURUM IN COPIA MANA ... LAPIDES PAOCOS DE OMNI GENE» («Zipangu tiene oro en abundancia ... piedras preciosas y perlas»).	[Según Toscanelli:] Cipangu «es muy rica en oro, perlas y piedras preciosas».

11. Ambos contienen el mismo error de latitud en la costa septentrional de América del Sur.

En resumen, las esferas de Schöner y de Waldseemüller son tan parecidas que tienen que haber sido copiadas del mismo original, que debió de ser también el mismo de Toscanelli, puesto que los nombres y las descripciones de Toscanelli son los mismos que los de Schöner y Waldseemüller.

La manera de poner a prueba esta afirmación fue una visita a Saint-Dié para investigar la historia de Waldseemüller y su modo de

142

trabajar, especialmente si había utilizado una esfera más antigua y, en tal caso, cómo la había conseguido.[2] Yo pensaba que Regiomontano o Schöner podrían haber comprado la esfera original para Saint-Dié en Nuremberg o en Florencia. Así pues, decidimos desplazarnos desde Florencia hasta Saint-Dié, que se halla en un valle profundo de los Vosgos, tomando la carretera alpina hasta donde converge con la que viene de Nuremberg.

Antes de partir, me pasé un mes leyendo la historia de la región de Lorena en el siglo XVI, que me reveló que el gobernante de Saint-Dié, René II de Lorena, había sido una figura culta e influyente, por su importancia simbólica para sus homónimos de Francia, Florencia y España, puesto que era rey de Jerusalén —título que había heredado de sus antepasados— en virtud del reparto del botín de guerra de la Segunda Cruzada. También me enteré de que en Saint-Dié había prósperas minas de plata, que habían prosperado a principios del siglo XVI, debido a que los exploradores portugueses habían descubierto minas de oro en la costa occidental de África en su descenso por el litoral de dicho continente. Al incrementarse la oferta de oro, había caído el precio con respecto al de la plata, y las minas de Sainte-Marie-aux-Mines, cerca de Saint-Dié, trabajaron a pleno rendimiento para producir suficiente plata. Aunque en aquella época Francia se había anexionado Borgoña, Lorena seguía formando parte del Sacro Imperio Romano, como Estado relativamente independiente entre Francia, Venecia y Florencia. En aquel entonces, Venecia estaba muy mal vista en Europa.

Descubrí que había bastantes historias bien escritas sobre Lorena, las minas y el papel único que desempeñó Saint-Dié en la denominación de América. El autor más conocido parecía ser el doctor Albert Ronsin, el conservador honorario de la biblioteca y del museo de Saint-Dié, al que esperaba poder conocer con motivo de mi viaje.

Marcella y yo iniciamos nuestro recorrido el 15 de agosto de 2007, tras asistir a la misa de la Asunción. Para cuando llegamos a los Alpes, una intensa lluvia había reducido la visibilidad a unos pocos metros. Cuando llegamos a lo alto de las montañas, la lluvia se volvió torrencial. Nuestro coche, cargado de maletas llenas de ropa y de libros, se negó a seguir en aquellas condiciones tan desfavorables. Se rompió la correa del ventilador y, tras un par de sacudidas, nos quedamos parados en medio de una nube de chispas; ¡nos sentimos realmente como viajeros medievales! Fuimos entonces capaces de apreciar el empuje de todos aquellos que habían hecho el viaje a través de los Alpes y de los Vosgos hasta Saint-Dié.

Tres días después, con la correa del ventilador nueva, nos pusimos en marcha de nuevo. Cuando hubimos dejado atrás Colmar y enfilamos la carretera Nuremberg-Saint-Dié en Sélestat, la lluvia regresó con fuerzas renovadas. El túnel que atraviesa los Vosgos en Sainte-Marie-aux-Mines estaba inundado, no dejando más alternativa que ir por el puerto de montaña de Sainte-Marie. La niebla que ocultaba las montañas me recordó que Saint-Dié está rodeada de tierra por todas partes, que no tiene tradición marítima y que Waldseemüller nunca llegó a ver el mar.

Llegamos a Saint-Dié en medio de una penumbra grisácea. Las calles inundadas reflejaban nuestro estado de ánimo sombrío. La ciudad histórica había desaparecido porque la Gestapo, en un último acto de cobardía y barbarie, prendió fuego a la ciudad y bombardeó la catedral al final de la batalla de los Vosgos en 1944. No queda nada de la Saint-Dié de los tiempos de Waldseemüller. No obstante, nos animamos de golpe al embocar la calle principal de norte a sur, donde había carteles que afirmaban: «AMÉRICA 1507-2007 — SAINT-DIÉ», y debajo: «LE BAPTÊME DE L'AMÉRIQUE À SAINT-DIÉ-DES-VOSGES ET LE CONTEXTE HISTORIQUE ET CULTUREL EN LORRAINE VERS 2007 — MUSÉE PIERRE-NOËL» («El bautismo de América en Saint-Dié en el contexto histórico y cultural de Lorena en 2007»)[3].

Huelga decir que seguimos las indicaciones hasta el Museo Pierre-Noël, que se hallaba frente a la catedral, y cuando llegamos disponíamos todavía de una hora antes del cierre del museo.

Con gran excitación, saqué todas mis notas relativas al mapa de 1507 de Waldseemüller (véase el segundo encarte en color) y las dispuse por el suelo antes de empezar la búsqueda de los papeles de Waldseemüller. De pie junto a una versión a gran escala de dicho mapa estaba el señor Benoit Larger, que se acercó a ver qué estaba haciendo yo. Se ofreció a enseñarnos la exposición, ofrecimiento que aceptamos agradecidos. Y se reservó también el día siguiente para atendernos.

Todo lo que había esperado encontrar en varios días de investigación y estudio estaba recopilado en media docena de salas bien iluminadas y estupendamente organizadas. La excelente exposición ofrecía la historia detallada de Lorena a principios del siglo XVI y la personalidad y el papel desempeñado por el duque René II, que utilizó su fortuna procedente de las minas para promover su pasión por la geografía y la cartografía financiando a un grupo de eruditos en estas disciplinas.

El señor Larger no podría habernos resultado más útil. Nos permitió tomar fotografías de toda la exposición, grabar la visita guiada, fotocopiar todo el material y comprar un montón de libros escritos por todas las personas que habían hecho de Saint-Dié, y del descubrimiento y bautizo de América en 1507, la obra de toda su vida. Nos fuimos con una gran maleta llena de documentos que me habría costado años recopilar sin su valiosa ayuda.

La clave de toda la operación de elaboración del mapa de 1507 fue el equipo de personas que René II y el director de las minas reunieron en 1505. El señor Larger nos explicó qué personajes integraban el grupo. La autoridad mundial en el papel que desempeñó Waldseemüller en aquel grupo era el doctor Albert Ronsin, al que me habría gustado conocer. Desafortunadamente, había muerto poco después de que se inaugurase la exposición, pero su legado había quedado plasmado en el catálogo, que el doctor Ronsin había escrito en un estilo sencillo y hermoso. A continuación reproduzco mi traducción de su artículo, que aparece en la página 98 del catálogo:

SAINT-DIÉ BAUTIZA AL NUEVO MUNDO
Nacimiento y bautizo de un continente. Representación y denominación del continente de América en los documentos impresos en Saint-Dié en 1507

El canónigo de la iglesia de Saint-Dié Vautrin Lud, un geógrafo apasionado, se enteró de que el joven sabio Matthias Ringmann iba a publicar una obra en Estrasburgo en 1505. El documento, «De Ora Antartica», era una de las catorce ediciones en latín publicadas con el título «Mundus Novus», un relato del tercer viaje de Américo Vespucci en

1501-1502 bajo los auspicios de Manuel I, rey de Portugal. En dicha expedición, la flota de Vespucci navegó a lo largo del litoral atlántico de Brasil y llegó a Argentina, entre los 5 y los 52 grados sur. Vespucci entregó sus actas a Lorenzo Pietro Francisco de Médicis, jefe de la casa comercial al servicio de la cual estaba Vespucci. Este estaba convencido de que las tierras frente a las que había navegado formaban parte de un nuevo continente hasta la fecha desconocido por los europeos.

Vautrin, asombrado por las revelaciones de Vespucci, decidió crear una escuela en Saint-Dié en la que se reunieran un grupo de sabios. Obtuvo los servicios de Matthias Ringmann, un erudito clásico que dirigía una imprenta en Estrasburgo, y de Martin Waldseemüller, un cartógrafo que hablaba alemán, conocido por la gente culta de Alsacia.

Junto con su sobrino, Nicholas Lud, que era secretario del duque de Lorena, y su colega del monasterio de Saint-Dié, Jean-Basin de Sandaucourt, un conocido clasicista, Vautrin Lud, Ringmann y Waldseemüller formaron un reducido grupo de sabios que se autodenominó «Gymnase Vosgien».

A través de su soberano René II, duque de Lorena, Vautrin Lud consiguió dos documentos más de Lisboa. El relato que Vespucci escribió en 1504 al jefe de Florencia, el gonfalero Pier Soderini, explicándole los cuatro viajes que había realizado entre 1497 y 1504 bajo la bandera del rey de Castilla con la bendición del rey de Portugal. Dicho documento confirmaba el descubrimiento de un continente nuevo... [el segundo documento] era una carta de navegación, publicada en un taller de cartografía de Lisboa, en la que figuraba la información que aparecía en los relatos de los viajes de Vespucci. Parece que esta carta era muy parecida a la de Nicolás Caverio de 1502.

Tras recibir estos documentos, Martin Waldseemüller construyó una pequeña esfera terrestre en la que aparecían los cuatro continentes; el nuevo continente en el Atlántico occidental, al que denominó América, aparecía dos veces. Este continente estaba separado de Asia por otro océano. Esta «Esfera Verde» se halla ahora en la Biblioteca Nacional de Francia; probablemente el grupo de Saint-Dié se la regaló al duque René II de Lorena en agradecimiento por patrocinar su trabajo.

El doctor Ronsin, cuya obra *Le nom de l'Amérique: L'invention des chanoines et savants de Saint-Dié* acabo de citar, incluye una foto de una parte de esta esfera verde; ruego al lector que la compare con el diagrama que dibujé en 2004 cuando volví a trasladar la carta de navegación de Waldseemüller a una esfera. En su libro el doctor Ronsin inserta la siguiente nota al pie de la foto de la esfera de Waldseemüller: «La *Esfera Verde de Waldseemüller*, de 240 mm de diámetro. La esfera verde fue realizada en Saint-Dié por Waldseemüller en 1505 o 1506, tras recibir una carta de navegación portuguesa y el texto de las descripciones de los viajes de Vespucci. Sería un regalo al duque de Lorena, René II, protector del grupo de sabios de Saint-Dié».

Ahora ruego al lector que vuelva a la carta de Toscanelli de 1474 al canónigo Martins de Portugal, en la que envía al rey de este país una carta de navegación derivada de una esfera terrestre. Todas las descripciones de Toscanelli coinciden punto por punto con lo que figura en la Esfera Verde de Waldseemüller. Toscanelli escribió que de Lisboa a Kinsay había casi un tercio de la circunferencia de la Tierra (en la esfera de Waldseemüller son 120 grados); de Antilia a Cipangu había cuatro mil kilómetros. Es como si Toscanelli hubiese tenido delante la Esfera Verde de Waldseemüller. Dicho de otro modo, esta esfera de 1506 es una copia directa de la que tenía Toscanelli y a partir de la cual este y Regiomontano dibujaron el mapa que enviarían al rey de Portugal en 1474, tras su encuentro con el embajador chino en 1434. A continuación vuelvo a reproducir la carta, que he glosado:

A Fernan, canónigo de Lisboa (1), Paulus el médico [es decir, Toscanelli] os envía saludos. Me complació tener noticia de vuestra intimidad y amistad con vuestro rey grande y poderoso (2). Ya he hablado en muchas ocasiones de la ruta marítima desde aquí a la India (3), la tierra de las especias; una ruta más corta que la de Guinea (4). Me decís vos que Su Alteza desea que le explique este extremo con mayor detalle para que fuera más fácil comprender esta ruta y emprenderla. Aunque podría mostrárselo en una esfera que representase a la Tierra (5), he decidido hacerlo de manera más sencilla y clara, mostrando la ruta en una carta de navegación (6). Este es el motivo por el cual envío a Su Majestad una carta dibujada por mí mismo (7), en la que he indicado la línea costera occidental desde Irlanda al norte (8) hasta el final de Guinea y las islas que se hallan en este recorrido (9). Frente a ellas, en dirección a Occidente, he indicado el inicio de la India [es decir, China, en la nomenclatura del siglo xv] (10), junto con las islas (11) y lugares que iréis encontrando a vuestro paso: la distancia que deberéis mantener respecto al Polo Norte (12) y al ecuador, y cuántas leguas deberéis recorrer hasta llegar a dichos lugares, que son los más ricos en toda clase de especias (13), gemas (14) y piedras preciosas (15). Y no os sorprendáis de que afirme que crecen especias en las tierras de Occidente (16), aunque normalmente decimos de Oriente; porque el que navegue hacia el oeste siempre encontrará estas tierras (17), y el que viaje por tierra rumbo este, llegará a las mismas tierras del este (18).

Las líneas horizontales de esta carta muestran la distancia de este a oeste (19), mientras que las líneas transversales indican la distancia de norte a sur (20). La carta indica también diversos lugares de la India a los que puede llegarse en caso de tempestad, de viento de proa o cualquier otro contratiempo (21).

Conviene que tengáis toda la información posible sobre estos lugares; deberíais saber que las únicas personas que viven en estas islas son mercaderes que comercian en ellas.

Se dice que hay tantos barcos, marineros y mercancías allí como en todo el resto del mundo, especialmente en el puerto principal, denominado Zaiton (22), donde cada día cargan y descargan un centenar de naves enormes de pimienta, por no hablar de muchos otros barcos con otra clase de especias. Aquel país tiene muchos habitantes, provincias (23), reinos y un sinnúmero de ciudades (24), gobernadas todas ellas por un príncipe denominado Gran Kan, que en nuestro idioma significa «rey de reyes» (25), quien reside principalmente en la provincia de Cathay (26), cuyos antepasados desearon ardientemente entrar en contacto con el mundo cristiano (27) y hace unos doscientos años enviaron embajadores al Papa (28), con la petición de que les enviase hombres eruditos que pudiesen instruirlos en nuestra fe; pero estos embajadores [los hermanos Polo] tuvieron dificultades por el camino (29) y se vieron obligados a regresar sin haber llegado a Roma. En los tiempos del papa Eugenio (30) [1431-1447], le visitó un embajador chino (31) que le testimonió sus sentimientos de amistad por todos los cristianos (32), y yo mantuve una larga conversación con el embajador acerca de muchas cuestiones (33): sobre el inmenso tamaño de los edificios reales (34), sobre la impresionante longitud y anchura de sus ríos (35), y sobre el gran número de ciudades que se levantan en sus orillas (36), tantas que a ambos lados de un solo río había doscientas ciudades con puentes de mármol muy largos y anchos, y adornados con muchos pilares (37). Este país es más rico que cualquiera de los que se han descubierto hasta la fecha, y no solo podría aportar grandes ventajas y muchas cosas valiosas, sino que además posee oro y plata, piedras preciosas (38) y toda suerte de especias en grandes cantidades (39), cosas que de momento no llegan a nuestros países. Y existen asimismo muchos eruditos, filósofos y astrónomos (40), y otros hombres expertos en las ciencias naturales (41) que gobiernan ese gran reino y dirigen sus guerras.

Desde la ciudad de Lisboa en dirección oeste, la carta muestra veintiséis secciones de cuatrocientos kilómetros cada una, cuyo conjunto representa casi una tercera parte de la circunferencia de la Tierra (42), hasta llegar a la extensa y magnífica ciudad de Kinsai (43). Esta ciudad ocupa una circunferencia de unos ciento sesenta kilómetros y posee diez puentes de mármol (44), y su nombre significa «ciudad celestial» en nuestro idioma. Se han contado cosas increíbles acerca de sus gigantescos edificios (45), sus tesoros artísticos (46) y sus rentas. Se halla en la provincia de Manji (47), cerca de la provincia de Cathay (48), donde reside el rey mayormente. Y desde la isla de Antilia, que ustedes llaman la Isla de las Siete Ciudades (49), hasta la muy famosa isla de Cipangu, hay diez secciones, es decir, cuatro mil kilómetros (50). La isla es muy rica en oro, perlas y piedras preciosas, y sus templos y palacios están revestidos de oro (51). Pero, como todavía no se conoce la ruta hasta allí (52), todas estas cosas permanecen ocultas y secretas; y, no obstante, se puede viajar hasta allí sin ningún peligro.

Podría contaros aún muchas otras cosas, pero como ya os las he dicho personalmente (53) y vos sois hombre de juicio, no me dilataré más en este tema. He intentado responder a vuestras preguntas todo lo bien que me han permitido mi falta de tiempo y mi trabajo, pero siempre estoy dispuesto a servir a Su Alteza y a dar respuesta a sus preguntas más extensamente si así lo desease.

Escrito en Florencia el 25 de junio de 1474

1. «A Fernan, canónigo de Lisboa...»: El canónigo Fernan Martins era en aquel momento el confesor del rey Alfonso V de Portugal. Él y Toscanelli se habían conocido anteriormente en el lecho de muerte de Nicolás de Cusa (se describe más adelante).

2. «...vuestro rey grande y poderoso»: El rey Alfonso, bajo cuyo mando los portugueses continuaron descendiendo por la costa oriental de África y cruzaron el Atlántico hasta llegar a América Central y Brasil.

3. «...la ruta marítima desde aquí a la India...»: Como puede verse en la esfera terrestre y en el mapa de Waldseemüller, se utilizaba el término «India» para referirse a China y el sudeste asiático, lo que constituye otra prueba de que Waldseemüller y Toscanelli copiaron la misma esfera.

4. «...una ruta más corta que la de Guinea»: Esto es lo que muestra la esfera terrestre de Waldseemüller y concuerda con la descripción de Toscanelli.

5. «...podría mostrárselo en una esfera que representase la Tierra...»: La Esfera Verde fue el modelo original de Waldseemüller para el mapa de 1507. Toscanelli y Waldseemüller copiaron el mismo original.

6. «...he decidido hacerlo de manera más sencilla y clara, mostrando la ruta en una carta de navegación»: Toscanelli trabajó igual que Waldseemüller. Ambos copiaron la misma esfera terrestre.

7. «Este es el motivo por el cual envío a Su Majestad una carta dibujada por mí mismo...»: Según Uzielli, Regiomontano ayudó a Toscanelli.

8. «...en la que he indicado la línea costera occidental desde Irlanda al norte...»: Esto es lo que aparece en la Esfera Verde.

9. «...hasta el final de Guinea y las islas que se hallan en este recorrido»: Esto es lo que aparece en la Esfera Verde.

10. «Frente a ellas, en dirección a Occidente, he indicado el inicio de la India...»: En la Esfera Verde y en el mapa aparece China con el nombre de India: India «Meridionalis» e «India Superior». Tanto Waldseemüller como Schöner utilizan estos nombres.

11. «...junto con las islas...»: Aparecen en el mapa muchas islas en el océano Pacífico que todavía no habían sido descubiertas por los europeos.

12. «...la distancia que deberíais mantener respecto del Polo Norte...»: Está mostrando a Colón y al rey Alfonso una ruta que lleva al océano Pacífico a unos 10° N (canal Raspadura) y otra a través del «estrecho de Magallanes».

13. «... dichos lugares, que son los más ricos en toda clase de especias...»: Marco Polo: «La pimienta que se consume diariamente en la ciudad de Kinsai equivale a la carga de 43 carros».

14. «gemas»: Marco Polo: «Todos los tesoros que vienen de la India —piedras preciosas, perlas y otras rarezas— llegan hasta aquí [a Khan-Balik]».

15. «...y piedras preciosas»: Marco Polo.

16. «...afirme que crecen especias en las tierras de Occidente...»: Navegando hacia el oeste se llega hasta la tierra de las especias, como puede comprobarse en la Esfera Verde y en la descripción que hace Toscanelli de su carta de navegación.

17. «...pues el que navegue hacia el oeste siempre encontrará estas tierras...»: Como puede comprobarse en la Esfera Verde y en la descripción que hace Toscanelli de su carta de navegación.

18. «...y el que viaje por tierra rumbo este, llegará a las mismas tierras del este»: Esto es lo que muestran la Esfera Verde y la carta de navegación de Toscanelli.

19. «Las líneas horizontales de esta carta muestran la distancia de este a oeste...»: En la Esfera Verde aparecen dibujadas las líneas de longitud, así como en la descripción que Toscanelli hace de su carta.

20. «...mientras que las líneas transversales indican la distancia de norte a sur»: En la Esfera Verde aparecen dibujadas las líneas de latitud y son descritas por Toscanelli.

21. «La carta indica también diversos lugares de la India a los que puede llegarse en caso de tempestad, de viento de proa o cualquier otro contratiempo»: En la Esfera Verde figuran varios puertos a los que se refiere también Toscanelli.

22. «...hay tantos barcos, marineros y mercancías allí como en todo el resto del mundo, especialmente en el puerto principal, denominado Zaiton...»: Marco Polo describe Zaiton: «Por cada barco de especias que va a Alejandría o a cualquier otro lugar a cargar pimienta para exportarla al mundo cristiano, llegan un centenar a Zai-

ton ... es uno de los dos puertos del mundo que cuenta con el mayor tráfico de mercancías».

23. «Aquel país tiene muchos habitantes, provincias...»: Marco Polo: «El viajero atraviesa un magnífico país lleno de ciudades y pueblos prósperos, que viven del comercio y la industria». En la carta de navegación aparecen los nombres de muchas provincias, así como la descripción de sus habitantes.

24. «...y un sinnúmero de ciudades...»: Marco Polo: «Esta ciudad (Soo Chow) ejerce autoridad sobre otras dieciséis, todas ellas activos centros comerciales e industriales». En la carta aparecen numerosas ciudades.

25. «...gobernadas todas ellas por un príncipe denominado Gran Kan...»: Marco Polo: «El pueblo es idólatra, utiliza papel moneda y está sometido al Gran Kan y cuenta con muchos medios de vida».

26. «...quien reside principalmente en la provincia de Cathay...»: Marco Polo: «La carretera que lleva al oeste atraviesa Cathay en diez días de viaje ... y recorre un país de ciudades espléndidas y pueblos magníficos con comercio e industria florecientes, pasando por campos y viñas rebosantes de fruto».

27. «...cuyos antepasados desearon ardientemente entrar en contacto con el mundo cristiano...»: Marco Polo cuenta que Kubilai Kan envió a Niccolò y Maffeo Polo encomendándoles la misión de invitar al Papa a enviar a China a «un centenar de hombres versados en la religión cristiana».

28. «...hace unos doscientos años [alrededor de 1274] enviaron embajadores al Papa...»: Los hermanos Polo llegaron en 1269 a Acre, una avanzadilla del mundo cristiano, procedentes de China, pero se encontraron con que el papa Clemente IV había fallecido. Su sucesor, Gregorio X, pudo reunir solo a dos hombres sabios. Los Polo regresaron a China en 1273-1274 e informaron de las nuevas al Kubilai Kan en Kemenfu.

29. «...pero estos embajadores tuvieron dificultades por el camino...»: Las dificultades fueron la invasión de Armenia por parte del sultán de Egipto «y produjo gran devastación en el país y los emisarios [los Polo] vieron sus vidas amenazadas». Relato de Marco Polo.

30. «En los tiempos del papa Eugenio...»: Eugenio fue designado Papa el 3 de marzo de 1431.

31. «...le visitó un embajador chino...»: Zheng He fue nombrado embajador para informar al pontífice de que se había inaugurado el reinado del emperador Xuan De. Zarpó de China en 1432. Eugenio trasladó la corte papal a Florencia en 1434.

32. «...que le testimonió sus sentimientos de amistad por todos los cristianos...»: Zheng He era un hombre tolerante con todas las religiones. Era musulmán, pero practicaba también el budismo. Buscó deliberadamente marineros cristianos en Quanzhou para incorporarlos a su flota.

33. «...y yo mantuve una larga conversación con el embajador acerca de muchas cuestiones»: Zheng He había fundado una escuela de idiomas en Nanjing, en la que podían estudiarse catorce lenguas, incluido el latín. Toscanelli, el Papa y Alberti hablaban y escribían latín con fluidez.

34. «...sobre el inmenso tamaño de los edificios reales...»: Marco Polo: «Debéis saber que tres meses al año ... el Gran Kan vive en la capital de Cathay, cuyo nombre es Khan-Balik». Zhu Di había reconstruido Khan-Balik y le había dado el nombre de Beijing; en *1421* se describe el tamaño de los palacios imperiales de la Ciudad Prohibida.

35. «...sobre la impresionante longitud y anchura de sus ríos...»: Waldseemüller dibujó varios de estos ríos; algunos ocupan sesenta grados de longitud, lo que equivale a una sexta parte de la longitud total del mundo. Marco Polo: «Este río recorre una distancia tan larga y atraviesa tantas regiones y tiene tal cantidad de ciudades en sus orillas ... que supera a todos los ríos de los cristianos juntos además de los mares».

36. «...sobre el gran número de ciudades que se levantan en sus orillas...»: Waldseemüller dibuja muchas de estas ciudades: Quinsay, Syrngia, Cianfu, Aio, Tangui, Civi, Cyamba, Cyamba Portus. Marco Polo: «Hay muchísimas ciudades en sus orillas ... más de doscientas, y todas tienen más barcos».

37. «...con puentes de mármol muy largos y anchos, y adornados con muchos pilares»: Marco Polo: «A cada lado del puente hay un muro de losas y columnas de mármol ... al pie de la columna, un

león de mármol y encima de ella otro de gran belleza y tamaño finamente trabajado».

38. «...posee oro y plata, piedras preciosas...»: Marco Polo: «Tienen oro en gran abundancia, porque se encuentra allí en cantidades incalculables; hay un lugar denominado Ydifu en el que se encuentra una mina de plata muy rica que aporta grandes cantidades de plata».

39. «...toda suerte de especias en grandes cantidades...»: Marco Polo: «Según las cifras que Maese Marco verificó con un oficial de aduanas del Gran Kan, la cantidad de pimienta que se consume a diario en la ciudad de Kinsai equivale a la carga de 43 carros, y cada carga pesa 101 kilos».

40. «Y existen asimismo muchos eruditos, filósofos...»: Guo Shoujing en matemáticas y astronomía, Confucio en filosofía, Lao-tzu en artes bélicas, Zhu Siben en cartografía, Ch'iao Wei Yo en ingeniería civil y Bi Sheng en artes gráficas, no son más que una muestra de aquellos hombres cultivados.

41. «...otros hombres expertos en las ciencias naturales...»: Marco Polo: «Los hombres de la provincia de Manzi ... entre ellos se cuentan sabios filósofos y médicos naturales que poseen un gran conocimiento de la naturaleza».

42. «Desde la ciudad de Lisboa en dirección oeste, la carta muestra veintiséis secciones de cuatrocientos kilómetros cada una, cuyo conjunto representa casi una tercera parte de la circunferencia de la Tierra...»: Esto es lo que se ve en la Esfera Verde y Toscanelli describe.

43. «...hasta llegar a la extensa y magnífica ciudad de Kinsai»: Waldseemüller dibuja Kinsai y la describe (Qinsay) en estos términos: «Considerada por los ciudadanos como el hijo de Urano (el cielo)».

44. «Esta ciudad ocupa una circunferencia de unos ciento sesenta kilómetros...»: Waldseemüller: «Ocupa cien millas militares y posee doce puentes».

45. «...sus gigantescos edificios...»: Marco Polo: «A la orilla del río han construido enormes edificios de piedra en los que todos los mercaderes ... almacenan sus artículos ... en cada una de estas plazas tres días por semana se congregan entre cuarenta y cincuenta mil personas».

46. «...sus tesoros artísticos...»: Marco Polo: «Estas diez plazas están rodeadas de edificios elevados, y debajo de estos hay tiendas en

las que se practica toda suerte de artesanía y donde se venden todo tipo de artículos de lujo, especias, gemas y perlas».

47. «Se halla en la provincia de Manji...»: Esto puede verse en la Esfera y es descrito por Toscanelli.

48. «...cerca de la provincia de Cathay...»: Esto también puede verse en la Esfera y es descrito por Toscanelli.

49. «Y desde la isla de Antilia, que ustedes llaman la Isla de las Siete Ciudades...»: Existen varios relatos portugueses que utilizan la denominación de «Isla de las Siete Ciudades» para referirse a Antilia (Puerto Rico).

50. «...cuatro mil kilómetros...»: Esto es lo que se ve en la Esfera Verde y Toscanelli describe.

51. «La isla es muy rica en oro, perlas y piedras preciosas, y sus templos y palacios están revestidos de oro»: Waldseemüller habla del oro en su mapa de Cipangu. Hacia 1434, Kyoto tenía muchos templos revestidos de oro.

52. «...todavía no se conoce la ruta hasta allí...»: La carta de Toscanelli fue enviada dieciocho años antes de que Colón «descubriera» América y cuarenta y cinco años antes de que Magallanes «descubriera» el estrecho que lleva su nombre.

53. «...ya os las he dicho personalmente...»: La primera vez que Toscanelli tuvo relación con el canónigo Martins fue a raíz de la muerte de Nicolás de Cusa.

He incluido las descripciones de Marco Polo porque avalan la credibilidad de Toscanelli. Evidentemente, si Toscanelli hubiese dicho que le habían contado algo que no era cierto, no le hubieran creído, pero todo lo que dice Toscanelli puede ser cotejado con Waldseemüller o con Marco Polo. Su relato suena a cierto una y otra vez.

Podemos ir aún más lejos. El mapa de Waldseemüller de 1507 termina en el sur a unos 50° S, antes del estrecho de Magallanes. En su Esfera Verde de 1506 figura este estrecho que Magallanes decía haber visto antes de zarpar en una carta de navegación guardada en la biblioteca del rey de Portugal. El estrecho aparecía también en el mapamundi que Don Pedro llevó de Venecia a Portugal en 1428. «Al estrecho de Magallanes se lo denominaba la Cola del Dragón»

(Galvão), lo cual en mi opinión es lo que aparece como Tierra de Fuego en la Esfera Verde de 1506.

Antes de ir a Saint-Dié nunca había oído hablar de la Esfera Verde de Waldseemüller de 1506. Yo estaba convencido de que tenía que ser auténtica, porque coincidía con mi reconstrucción del mapa de Waldseemüller sobre un globo terrestre (véase el segundo encarte de ilustraciones en color), entre otras cosas en los errores de latitud de la costa septentrional de América del Sur y los de longitud por debajo de los 40° S. Sin embargo, quería asegurarme de que existiera una certificación independiente de que la autoría de la Esfera Verde correspondía a Waldseemüller y de que la fecha auténtica era 1505-1506. El señor Larger me dijo que una autoridad tan reconocida como la doctora Monique Pelletier había certificado la autenticidad de la Esfera Verde. La doctora Pelletier, ahora jubilada, es una de las principales cartógrafas del mundo. Había sido Directora del Departamento de Mapas y Cartas de Navegación de la Biblioteca Nacional de Francia y presidenta de la Comisión Permanente de la Asociación Cartográfica Internacional en Historia de la Cartografía de 1988 a 1995. (La Esfera Verde es propiedad de la Biblioteca Nacional.)

De regreso a Londres, tomé el tren a París y llegué a la Biblioteca Nacional en menos de tres horas. Allí, la doctora Hélène Richard, conservadora de la sección de mapas, tuvo la amabilidad de mostrarme algunas fotos impresionantes de la Esfera Verde de Waldseemüller y una copia del dictamen de la doctora Pelletier en el que expone por qué certificó su autenticidad. Básicamente comprobó que más de un centenar de nombres eran los mismos en la esfera de Waldseemüller de 1506 y en el mapa de 1507 (ruego al lector que consulte en nuestra web la copia del escrito de la doctora Pelletier y el segundo encarte de ilustraciones en color).

Me parece que la investigación del doctor Ronsin y la certificación de la doctora Pelletier son de enorme importancia —ya no soy solo yo quien defiende que Waldseemüller tuvo que haber tomado como modelo una esfera para hacer su mapa de 1507, ni tampoco soy el único que cree que la esfera que le sirvió de modelo fue la misma que copió Toscanelli—, pues basta leer la descripción de Toscanelli mirando con atención la Esfera Verde para formarse una opinión.

Ahora se ha desvelado todo el guión. Como dice el doctor Ronsin, Waldseemüller recibió de Portugal una copia de la esfera original. Se trataba de una copia de la que había mandado Toscanelli a Portugal, a quien se la habían regalado los chinos en 1434. Waldseemüller —así lo afirma el doctor Ronsin— añadió los nuevos datos derivados de los viajes de Vespucci por la costa atlántica de América del Sur. Incorporó también el mapa de Martellus de 1489 del océano Índico, África meridional y el sudeste asiático, y publicó los resultados en su mapa de 1507.

La primera representación gráfica de América no fue la que muestra el mapa de 1507 adquirido por la Biblioteca del Congreso de Estados Unidos, sino la que aparece en la Esfera Verde de 1506. El primer mapa de América no fue ninguno de esos dos; fue una esfera terrestre aún más antigua realizada por los chinos, que describiré a continuación.

CONOCIMIENTO DEL MUNDO EN LA CHINA DE 1434

En la Esfera Verde de Waldseemüller de 1506 aparecen América del Norte y del Sur, el océano Pacífico y todos los continentes del mundo en sus posiciones relativas correctamente plasmadas. No obstante, Waldseemüller (sin duda de buena fe) incorporó la falsedad de Martellus en virtud de la cual África llegaba hasta 55° S en una época en que los europeos sabían que Dias había doblado el cabo de Buena Esperanza a 34° 22' S, concretamente en 1488. En las páginas 139-143 de *1421* se describe en detalle la falsificación de Martellus, detectada por el profesor Arthur Davies.

La representación gráfica de América del Norte y del Sur es exacta. Como he afirmado anteriormente, Waldseemüller obtuvo del rey de Portugal la información para dibujar el continente americano, quien, a su vez la había recibido de Toscanelli, después de su encuentro con el embajador chino en 1434.

Así pues, si examinamos el continente americano tal como aparece en la Esfera Verde de 1506, deberíamos tener una instantánea del conocimiento que tenían los chinos de dicho continente en 1434, época en que el almirante Zheng He realizó su último viaje. Es más, si comparamos la Esfera Verde con el mapa de Zheng He de 1418 y con el anterior *Shanhai Yudi Quantu* (alrededor de 1405), podremos ver la evolución del conocimiento que tenían los chinos del continente americano de resultas de los viajes de Zheng He. Podemos remontarnos aún más, a los mapas chinos anteriores a Cristo (los mapas de Harris), los mapas de América del Norte de Marco Polo hallados por el doctor Gunnar Thompson, los de Zhu Siben de 1320 (investigación de Liu Gang) y el mapa del palacio Ducal (anterior a 1428).

Empecemos comparando los últimos mapas del continente americano: el de Marco Polo, el último *Shanhai Yudi Quantu* (1418) y la Esfera Verde.

Se piensa que el mapa de Marco Polo (mapa con barco) (investigación del doctor Gunnar Thompson) es, o bien un mapa de Marco Polo realizado alrededor de 1297, o bien una copia realizada por su hija Bellela unos años después. Es un «borrador de mapa», que se confeccionó no sin pretensiones de exactitud científica, sino como parte de una ilustración que mostraba un barco veneciano y el anagrama personal de Marco Polo. En el mapa figuran China, Siberia, Alaska y la costa pacífica noroccidental y llega hasta la región de Oregón, que ocupa la parte más meridional. El mapa de América del Norte que se halla en el palacio Ducal, en el que se afirma expresamente que fue confeccionado con los datos que llevaron a Venecia Marco Polo y Niccolò da Conti, es una prueba confirmatoria. Actualmente los visitantes pueden ver el mapa (y leer las inscripciones que acreditan a Marco Polo) en la sala de mapas del palacio Ducal y en el segundo encarte de ilustraciones en color.

El primer *Shanhai Yudi Quantu* (investigación de Gunnar Thompson; fechado alrededor de 1405 y reproducido por Wang Qi alrededor de 1601) parece señalar la transición entre los mapas de la dinastía Yuan (Marco Polo), algo primitivos, y los mapas chinos confeccionados a raíz de los viajes de Zheng He. Tanto el mapa de Zheng He de 1418 como la Esfera Verde muestran la influencia del *Shanhai Yudi Quantu* en las longitudes del continente americano. A continuación llegamos al mapa hemisferio de 1418 (investigación de Liu Gang) y, por último, a la Esfera Verde.

Si comparásemos el *Shanhai Yudi Quantu* con los mapas de 1418 deberíamos deducir los conocimientos que los chinos adquirieron a raíz de los viajes de Zheng He en el período 1400-1418; la comparación entre el mapa de 1418 y la Esfera Verde (sin tener en cuenta los conocimientos que Waldseemüller adquirió de Colón y Vespucci) debería reflejar las novedades que se incorporaron gracias a los viajes de Zheng He entre 1418 y 1434.

Entre el *Shanhai Yudi Quantu* y los mapas de 1418 se produce un aumento espectacular de datos relativos al verdadero tamaño del continente americano.

El estrecho de Magallanes figura en la Esfera Verde, pero no en el mapa de 1418. Vespucci le dijo al embajador florentino que no había hallado el estrecho; la Esfera Verde fue publicada antes de que Magallanes iniciase su viaje. Todo apunta a que el estrecho fue descubierto por las flotas de Zheng He entre 1418 y 1434, al igual que la Antártida, que aparece mucho mejor dibujada en la Esfera Verde que en el mapa de 1418. Los europeos no cartografiaron la Antártida hasta tres siglos después de la aparición de la Esfera Verde.

En la Esfera Verde aparece un paso marítimo que atraviesa Centroamérica a unos 10° N y que conecta el Caribe con el Pacífico, el cual no figura en el mapa de 1418. Este paso existe todavía en la actualidad cuando llueve mucho: se llama canal de Raspadura. He hablado con un distinguido explorador, Tony Morrison, que lo ha visto (véase nuestra web). Conecta los ríos San Juan y Atrato. Tanto Colón, en su cuarto viaje, como Vespucci en el primero que realizó, lo buscaron. Si Vespucci hubiese continuado unos trescientos veinte kilómetros más, lo habría encontrado. Yo creo que las flotas de Zheng He descubrieron este canal o lo excavaron entre 1418 y 1434.

El error que se repite en todos los mapamundis realizados por los chinos o derivados de ellos —el de Marco Polo, el del palacio Ducal, el *Shanhai Yudi Quantu*, el de 1418, las esferas de Schöner y la Esfera Verde— es el cálculo de la anchura del océano Pacífico, muy inferior a la real. Sabemos que Zheng He podía calcular con exactitud la longitud, de modo que los errores con posterioridad a 1418 son inexplicables.

A pesar de este grave defecto, no podemos subestimar la importancia de la esfera terrestre que el embajador chino entregó a Toscanelli, quien la copió y envió la copia al rey de Portugal. Colón sabía dónde estaba América y que, saliendo de España y navegando rumbo oeste a lo largo de 70° de longitud, encontraría el continente y se convertiría en su virrey.

Del mismo modo, Magallanes sabía que navegando frente a las costas de América del Sur hasta 52° 40' S encontraría el estrecho que lo llevaría al Pacífico, que podría atravesar para regresar a casa a través de las Islas de las Especias.

El «estrecho de Magallanes» y la Antártida

Antes de ver la Esfera Verde había estudiado el mapa de Piri Reis, publicado en 1513, es decir, con anterioridad al viaje de Magallanes. Tras analizarlo (pp.151 y 159 de *1421*) llegué a la conclusión clara de que el cartógrafo del mapa original que copió el de Piri Reis había dibujado la costa oriental de la Patagonia con bastante precisión. Los rasgos más sobresalientes de la costa (cabos, bahías, ríos, estuarios y puertos) coincidían desde cabo Blanco en el norte hasta la entrada del estrecho de Magallanes en el sur. Es más, en el mapa de Piri Reis sí aparece el «estrecho de Magallanes». Después de analizar dicho mapa, en el año 2001 estaba convencido de que la flota china había pasado por el paso Ancho hasta el paso del Hombre y luego, rumbo sur, hasta el canal de la Magdalena. Después, habían modificado el rumbo hacia el oeste y habían llegado al Pacífico por el canal Cockburn.

Un examen de la Esfera Verde de 1506 me lleva a pensar que también ella muestra la ruta desde Bahía Grande en el océano Atlántico hasta el Pacífico pasando por el estrecho. En la Esfera Verde, al igual que en el mapa de Piri Reis, figuran rasgos de la Patagonia, concretamente los ríos Santa Cruz y Deseado, el golfo de Penas y Tierra de Fuego.

Estoy seguro de que un día se encontrarán los cuadernos de bitácora y las cartas de navegación de la escuadra de Hong Bao y que en ellos se describirá el paso por el estrecho de Magallanes entre 1418 y 1428.

En la Esfera Verde figuran las montañas antárticas del macizo de

Vinson, de 5.140 metros de altura, a 70º O, y los montes Ellsworth, a 85º O. En la esfera de Schöner de 1515 (y en la Esfera Verde) figura el mar de Ross sin hielo hasta trescientas millas náuticas del Polo Sur. En mi opinión, las flotas de Zheng He exploraron la Antártida. En aquella época, los chinos llevaban a bordo ponies de la estepa, a los que podían colocar unas herraduras especiales para la nieve que les habrían permitido llegar hasta el Polo Sur. (El capitán Scott las copió, pero desafortunadamente las colocaron al revés.)

El descubrimiento europeo de América y la primera circunnavegación del mundo fueron una consecuencia directa de la generosidad del emisario de Zheng He que regaló el globo terrestre al Papa en 1434.

12

LA NUEVA ASTRONOMÍA
DE TOSCANELLI

Las relaciones entre China y Occidente se iniciaron mucho antes de 1434. La *Enciclopedia católica* ofrece un breve resumen del tema:

> Algunos comentaristas han identificado a China en este pasaje de Isaías (XLIX, 12): «Los de la tierra de Sinim». Ptolomeo divide Asia oriental en el país de Sinae y Serice ... cuya ciudad principal es Sera. Estrabón, Virgilio, Horacio, Pomponio Mela, Plinio y Amiano se refieren a los seres, y Florencia los menciona entre los países que enviaron embajadas especiales a Roma en tiempos de Augusto. Los chinos denominaban Ta Ts'in a la parte oriental del Imperio romano (Siria, Egipto y Asia Menor), Fu-lin durante la Edad Media. El monje Cosmos tenía una idea correcta de la posición de China (siglo VI). El escritor bizantino Theophylactis Simocatta (siglo VII) habla de China bajo el nombre de Taugas. Existe una crónica china de la llegada de una embajada romana en el año 166 d. C.[1]

Tai Peng Wang tuvo la amabilidad de facilitarnos información sobre los enviados papales.[2] El embajador que llegó a Florencia en 1434 no fue el primero que visitaba la ciudad, ni mucho menos. Según Yu Lizi, durante la dinastía Yuan China denominaba a los Estados Papales «el país de Farang» y al conjunto de los Estados Papales «Fulin» o «Farang».[3] La historia oficial de la dinastía Ming afirma que se produjeron intercambios diplomáticos entre los Estados Papales y la China Ming ya en 1371, cuando Hong Wu, el padre de Zhu Di, nombró a un extranjero de Fulin o Farang, llamado Nei Kulan (¿Nicolás?), embajador chino ante los Estados Papales para informar al pontífice del cambio de dinastía en China. Posteriormente, Hong Wu nombró a una delegación al mando de Pula (¿Pablo?), que llevó regalos y presentó sus respetos a Farang.

Con posterioridad a 1371, las relaciones diplomáticas entre China y Europa fueron recíprocas, y los Estados Papales y China intercambiaron embajadores con normalidad. Yan Congjian, en el volumen 11 de la *Shuyu Zhouzi Lu*, explicaba la visita del embajador chino a los Estados Papales durante el reinado de Zhu Di.

Yan Congjian empieza comentando que el clima de Italia es bastante frío, y luego prosigue:

> A diferencia de China, aquí las casas son de cemento, pero sin tejas. Hacen vino con la uva. Tienen instrumentos musicales como el clarinete, el violín, el tambor, etc. El rey [el Papa] lleva camisas de color rojo y amarillo. Se envuelve la cabeza en seda tejida con hilo de oro. En marzo de todos los años, el Papa va a la iglesia para oficiar los servicios de Pascua. Normalmente llega a la iglesia sentado en un palanquín rojo transportado por hombres. Todos sus ministros más destacados [los cardenales] van vestidos como el rey [el Papa], ya sea de verde, beis, rosa o morado, y también llevan la cabeza tapada. Cuando salen van a caballo ... Por lo general, los delitos menores se castigan hasta doscientas veces. No obstante, los delitos graves se castigan con la pena de muerte, por lo general ahogando al reo en el mar. Estos estados [papales] son pacíficos. Cuando surge alguna disputa o rivalidad, cosa que sucede con frecuencia, los estados litigantes solo entablan un enfrentamiento verbal, intercambiando despachos diplomáticos. Pero si se produce un conflicto grave, están preparados para librar la guerra. Su sistema monetario está compuesto por monedas de oro y de plata. Pero a diferencia de las monedas chinas, que pueden ensartarse en una unidad para su recuento, estas no tienen orificios a este fin. En el reverso de la moneda está el busto del rey [el Papa], donde constan su nombre y su título. La ley prohíbe acuñar moneda en privado. La tierra de Fulin produce oro, plata, perlas, tela occidental, caballos, camellos, aceitunas, dátiles y uva.[4]

Las descripciones de Yan Congjian quedaron plasmadas en un fresco de Pinturicchio de Aeneas Sylvius Piccolomini, el futuro papa

163

Pío II.[5] Nacido en 1405, en el seno de una distinguida familia de Siena, Aeneas recibió educación en las universidades de Siena y Florencia. Entre 1431 y 1445 se opuso a Eugenio IV. En 1445 cambió inesperadamente de bando. Tomó los hábitos en 1456 y fue nombrado obispo en 1450, cardenal en 1456 y Papa a la muerte de Calixto III, en 1458.

Pinturicchio representó a Pío II transportado en una silla gestatoria a la basílica de San Juan de Letrán, en Roma (donde Pisanello también dibujaba). El Papa lleva una capa con forro y orla rojos, y va tocado con una tiara bordada en hilo de oro. Frente a él aparecen sus cardenales con ropajes de color verde, beis, rosa y azul, y tocados con la mitra de color blanco. (Véase el tercer encarte de ilustraciones en color.)

En un libro de la dinastía Ming, *Perfiles de los países extranjeros*, se atestigua la existencia de continuos intercambios diplomáticos entre la China Ming y la Iglesia católica italiana.[6] Esta fuente primordial de la historia china se refiere a «Lumi» cuando habla de los países extranjeros que realizaron una visita oficial a China y presentaron sus respetos a Zhu Di durante su reinado (1403-1424). Lumi es Roma. El nombre deriva de Lumei, que es como se refería a Roma el autor Zhao Ruqua (1170-1228) durante la dinastía Song. En su obra *Zhufan Zhi* («Descripción de diversos pueblos bárbaros»), escrita en 1225, Zhao escribió: «Todos los hombres llevaban turbantes en la cabeza. En invierno, llevaban abrigos de piel de colores para no pasar frío. Una de sus comidas básicas es un plato de pasta con salsa de carne. También tienen monedas de oro y de plata que utilizan como dinero. Hay cuarenta mil familias de tejedores en el país, que se ganan la vida tejiendo brocados».[7] Está claro que los chinos no desconocían los Estados Papales.

Ahora pasemos a una labor más detectivesca para averiguar qué aprendieron de la delegación de Zheng He el papa Eugenio IV, Toscanelli y sus amigos Regiomontano, Alberti y Nicolás de Cusa, además de conseguir los mapamundis.

Una vez que el embajador chino acreditó debidamente sus poderes ante Eugenio IV (mediante el medallón de bronce descrito en el capítulo 2), debió de presentar formalmente el calendario astronómico de Xuan De, que fijaba la fecha exacta de inicio del reinado del emperador, «cuando todo empezaría de nuevo».

Zheng He y la flota habían invertido dos años en preparar el viaje desde China y casi tres más en llegar a Florencia. Cuando llegaron a la corte de Eugenio IV en 1434, habían pasado nueve años desde la inauguración del reinado de su emperador. Los dirigentes extranjeros también debían saber la fecha de nacimiento del emperador, que se calculaba desde su concepción. En el caso de Zhu Zhanji, habría sido en 1398. Es decir, el calendario tenía que remontarse a treinta y seis años atrás. Para certificar que el emperador había seguido ostentando el mandato bendecido por los cielos durante aquel período, el calendario tenía que mostrar también que la predicción de eclipses solares y lunares, de cometas, la posición de los planetas y estrellas y las conjunciones lunares adversas (la Luna en Mercurio), habían sido exactas durante aquellos treinta y seis años, es decir, debía contener miles de datos astronómicos que debían encajar.

Además, el calendario tenía que predecir también el futuro. Ello exigía que figurasen en él cálculos astronómicos de la posición exac-

Uno de los dibujos de Pisanello del rostro de un mongol.

ta del Sol y de la Luna, tablas de los cinco planetas, la posición de estrellas y cometas, fechas de los solsticios y de los equinoccios, y un método para adaptar aquellas fechas y horas a la latitud de Florencia. Gracias al *Shi-lu Yuan*, la historia oficial de la dinastía Yuan, sabemos que sus datos astronómicos fueron incluidos en el calendario *Shoushi*, del que se conserva una copia de 1408 en el Museo Pepys de Cambridge (Inglaterra). En nuestra web de *1434* aparecen dos de sus páginas.

Cuando los chinos visitaron Florencia en 1434, Toscanelli, de treinta y siete años, estaba en su mejor momento. Desde que se había licenciado de la universidad veinte años antes, había trabajado con Brunelleschi, un genio de las matemáticas, y con otros intelectuales de primera línea de aquella época. Concretamente, Toscanelli y Brunelleschi habían estado colaborando durante los trece años anteriores en la compleja trigonometría esférica necesaria para construir la gran cúpula del Santa Maria del Fiore de Florencia. Así pues, Toscanelli había tenido más de una oportunidad de observar y cartografiar en detalle el mapa del firmamento antes de la visita china, pero ni él ni ninguno de los de su círculo lo hicieron. Toscanelli fue un soltero reservado que vivió con sus padres hasta que murieron, tras lo cual pasó a vivir con la familia de su hermano. Aunque nunca especificó la fuente de las prodigiosas destrezas matemáticas y astronómicas de que hizo gala a partir de 1434, o de alguna influencia que las explicase, sí sabemos que legó una importante colección de libros, trabajos de investigación, instrumentos astronómicos y mapamundis a su monasterio. Han desaparecido todos menos uno. Aparte de este documento superviviente —un manuscrito guardado en la Biblioteca Nacional Central de Florencia—, lo que nos quedan son admiradas referencias a él en las cartas de sus amigos. Pero sí sabemos algo de sus actos. ¿Se comportó de manera diferente después de 1434? Y en tal caso, ¿en qué sentido?

Jane Jervis, en «Observaciones de los cometas por parte de Toscanelli: Nuevas pruebas»,[8] estudia el citado manuscrito, un conjunto de folios. Compara la caligrafía de dichos folios con la de las cartas que escribió Toscanelli a Colón y al canónigo Martins, y concluye que solo tres de los folios fueron escritos por él. Jervis compara luego el estudio que el astrónomo y matemático realizó de dos cometas diferentes: uno en 1433, antes de la visita china, y otro en 1456, con posterioridad a dicha visita. Los folios 246 a 248 describen el cometa de 1433, y los folios 246, 252 y 257 describen el de 1456.

El paso del primer cometa se produjo el domingo 4 de octubre de 1433, a primera hora de la noche. La observación de Toscanelli consiste en un dibujo a mano alzada. No alineó las posiciones del cometa con ninguna estrella o planeta. No anotó horas, ni ascensiones rectas, ni declinaciones de estrellas o de cometas.

Ello contrasta enormemente con el trato que deparó al cometa de 1456, veintitrés años después. Los folios 246r y 246v, 252 y 257 contienen gran cantidad de datos. En 1456 utilizó una vara de Jacob para averiguar la altitud (declinación) y la longitud (ascensión recta) del cometa con un margen de error de diez minutos de arco.[9] Anotó las horas, la declinación y las ascensiones rectas de las estrellas (métodos chinos). Para lograr esta mejora tan radical en las técnicas que empleaba, Toscanelli tuvo que haber tenido un reloj, un instrumento de medición preciso, tablas astronómicas y un instrumento que mostrara la posición del cometa en relación con las estrellas y los planetas.

Si fuera cierta, la deducción de James Beck (véase la página 119) de que Alberti recibió ayuda de Toscanelli para dibujar la posición exacta de las estrellas, de la Luna y del Sol el 6 de julio de 1439 al mediodía en la cúpula de la sacristía de San Lorenzo, denota también un gran salto en sus capacidades científicas. Antes de 1434, había tenido la oportunidad de utilizar la cúpula de Santa Maria del Fiore para realizar observaciones astronómicas. Y, sin embargo, nunca llegó a hacerlo.

Hacia 1475 Toscanelli utilizó un tipo de cámara oscura china, una hendidura de luz y un armazón de bronce, que colocaba en la linterna de la cúpula de la catedral de Florencia. La cámara con orificio de aguja posee varias ventajas a la hora de medir objetos iluminados por el sol. Los bordes del círculo reciben menos exposición que el centro. Puesto que la longitud focal de los bordes de un objeto es mayor que la de su centro, el centro queda «enfocado». Las sombras que proyecta el sol, o la visión del mismo sol, aparecen más definidas, más finas y más claras.

167

En los primeros tiempos de la dinastía Ming, los astrónomos habían perfeccionado esta cámara oscura y la habían utilizado junto con un gnomon mejorado para poder medir el centro de la sombra del sol en una centésima de pulgada. Toscanelli utilizó el método chino de la manera más ingeniosa, adaptando la cúpula de Santa Maria del Fiore como si fuera un observatorio solar.

Entre el 20 de mayo y el 20 de julio el sol brilla al mediodía a través de las ventanas de la linterna situada en lo alto de la cúpula. Toscanelli había cubierto las ventanas con tela en la que había hecho un pequeño corte para que pasara la luz solar al mediodía. Tras atravesar la hendidura, la luz solar se convertía en un rayo. El armazón de bronce estaba colocado de manera que el rayo aterrizase sobre él, en cuyo centro había un agujero. Cuando el rayo llegaba al agujero este lo canalizaba hasta el suelo de mármol, noventa metros más abajo. En el suelo, Toscanelli dibujó una línea meridiana norte-sur, con incisiones para anotar la posición del sol en el solsticio de verano. Regiomontano dijo que, utilizando la línea meridiana, Toscanelli podía medir la altitud del sol (y, por lo tanto, la declinación) con un margen de error de dos segundos de arco.

En 1754, un sacerdote siciliano de la orden de los jesuitas, Leonardo Ximénez, hizo experimentos con el instrumento de Toscanelli. Comparó los datos de los solsticios en la época de Toscanelli con sus mediciones de 1756. Descubrió que Toscanelli había sido capaz no solo de determinar la altura del sol en el solsticio de verano, sino también el cambio de altura a lo largo de los años, derivado del cambio en la forma de la trayectoria elíptica de la Tierra alrededor del Sol.

La diferencia de minutos en la altura del sol de un año a otro también preocupaba a Regiomontano, que lo expresa así:

> Casi todos los astrónomos han considerado que la declinación máxima del sol en nuestros días es de 24 grados y 2 minutos, pero mi maestro Peurbach y yo hemos comprobado con instrumentos que es de 23 grados y 28 minutos, como he oído decir en innumerables ocasiones a maese Paolo el Florentino [Toscanelli] y a Battista Alberti, quienes mediante diligente observación midieron 23 grados y 30 minutos, cifra que he decidido registrar en nuestra tabla.[10]

¿Por qué es tan importante para Toscanelli y para Regiomontano la declinación exacta del sol? Cuando me alisté en la armada británica en 1953, los marineros eran trasladados al Lejano Oriente en transatlántico de pasajeros, no en avión. Todos los días a las doce de la mañana, el oficial de navegación, el capitán y el oficial de guardia, vestidos con sus uniformes blancos, marchaban solemnemente al puente de mando y se colocaban uno al lado del otro de cara al sol. Poco antes de las doce empezaban a medir la altura del sol con los sextantes. Justo antes de que este alcanzase su posición más alta, gritaban: «¡Ahora, ahora, ahora!». En el último «¡ahora!», leían en voz alta la altura máxima que habían medido sus sextantes. Entonces anunciaban la distancia recorrida desde las doce del día anterior. El afortunado ganador de la lotería era anunciado por el sistema de megafonía del barco y tenía que pagar una ronda a todo el mundo.

La distancia recorrida de un día al siguiente se calculaba mediante la diferencia en la latitud del barco. Hay una fórmula sencilla: la latitud es igual a 90, la altitud máxima del sol ± declinación. Las tablas indican la declinación del sol de cada día del año, así que sabiendo la altitud del sol, el navegante puede determinar la latitud. Es así de sencillo.

No obstante, no era esto lo que buscaban Regiomontano, Toscanelli y Alberti. Unos kilómetros de diferencia (entre 23° 28' y 23° 30') no tenían en sí ninguna importancia para Toscanelli. Por el contrario, a él, a Alberti y a Regiomontano les interesaba el cambio en la declinación del sol. Podemos ver una copia de dicho cambio en el gráfico de Needham, con la debida licencia de Oxford University Press. Muestra el cambio de la declinación del sol desde 2000 a. C. hasta la actualidad, determinado por los astrónomos griegos y chinos en las mediciones más antiguas y por los astrónomos europeos en lo que respecta a las más recientes, que finalizan con Cassini.

En dicho gráfico podemos ver que la cifra de Toscanelli (23° 30') fue registrada por el gran astrónomo Ulugh Beg, quien también la utilizó en su extenso estudio llevado a cabo en Samarcanda en 1421, unos cincuenta años antes de que Toscanelli hiciera sus mediciones. (La medición de Regiomontano —23° 28'— coincide con la de

Cassini doscientos años después de Toscanelli, así que no habría sido exacta si Regiomontano la hubiese empleado.)

No estamos hablando de una nimiedad matemática. Si el Sol girase en círculo alrededor de la Tierra, no se producirían cambios en la declinación. Reconocer los cambios —cuanto más plana es la trayectoria de la Tierra, menor es la declinación— equivale a reconocer que la Tierra gira alrededor del Sol recorriendo una trayectoria elíptica.

Su obsesión por medir el cambio de declinación es una prueba de que Toscanelli, Alberti y Regiomontano comprendieron que Aristóteles y Ptolomeo, quienes creían que el Sol giraba alrededor de la Tierra en un círculo, estaban equivocados. En consecuencia, los europeos que siguieron a Toscanelli y a Regiomontano fundamentaron su astronomía en cimientos chinos, más que griegos. Estos cimientos permitieron también a Regiomontano elaborar tablas que determinaran la latitud en diferentes partes del mundo, tablas que publicó en 1474. Colón y Vespucci las emplearon, como expondremos en el capítulo 21.

Los ejercicios realizados en Santa Maria del Fiore podrían duplicarse para observar el movimiento de la luna y producir ecuaciones de tiempo de la luna. A su vez, estas podrían utilizarse combinadas con las posiciones de las estrellas para determinar la longitud (véase el capítulo 4). Regiomontano elaboró este tipo de tablas, y Colón y Vespucci las emplearon para calcular la longitud en el Nuevo Mundo. Dias las utilizó para determinar la latitud del cabo de Buena Esperanza.

Cada uno de los instrumentos que Toscanelli utilizó en las observaciones que realizó en Santa Maria del Fiore (cámara oscura, gnomon y reloj) ya eran utilizados por los navegantes de Zheng He, y lo mismo es aplicable a los que empleó para determinar el paso del cometa en 1456: la vara de Jacob, el reloj y el torquetum. Todos los descubrimientos de Toscanelli (declinación del sol, oblicuidad de la trayectoria elíptica, paso de cometas, tablas de efemérides de las estrellas y de los planetas) figuraban en el calendario astronómico *Shoushi* de 1408 que recibió el Papa como regalo. En 1745 fueron copiados y publicados en Europa por Regiomontano.

En su carta a Colón, Toscanelli decía que había recibido «la información más abundante y valiosa y verdadera de boca de hombres distinguidos y muy ilustrados que han venido aquí, a la corte de Roma [Florencia], desde aquellas tierras [China]». En su carta al canónigo Martins, hablaba de su larga conversación con el embajador de China que había visitado al Papa, y citaba los «muchos eruditos, filósofos y astrónomos, y otros hombres versados en las ciencias naturales» que en aquel momento gobernaban en China.

Yo creo que Toscanelli debió de extraer sus abundantes y nuevos conocimientos de astronomía de los «hombres distinguidos y muy ilustrados» que habían llegado a Florencia procedentes de China.

Res ipsa loquitur! («Los hechos hablan por sí solos»).

13

LOS MATEMÁTICOS FLORENTINOS: TOSCANELLI, ALBERTI, NICOLÁS DE CUSA Y REGIOMONTANO

ntes de que Toscanelli conociese al embajador chino, el conocimiento que existía en Europa acerca del universo se basaba en las teorías de Ptolomeo.[1] Ptolomeo sostenía que los planetas eran sostenidos por esferas cristalinas giratorias que rotaban en círculos perfectos alrededor de la Tierra, que se hallaba en el centro del universo. Pero muchos astrónomos europeos se dieron cuenta de que esto no cuadraba con sus observaciones, en las que constataban que los planetas tienen trayectorias irregulares. Para solucionar este conflicto, los astrónomos medievales europeos introdujeron los conceptos de «ecuantes», «deferentes» y «epiciclos». La aplicación de estos peculiares argumentos al movimiento planetario permitió a los astrónomos ofrecer una explicación del movimiento irregular de los planetas sin apartarse de la creencia de que todo el firmamento giraba alrededor de la Tierra.

Por otro lado, para creer que la Tierra no era más que un planeta más entre otros tantos que giraban alrededor del Sol, era preciso que se produjese un cambio de pensamiento radical. Al frente de esta revolución intelectual estuvo Nicolás de Cusa.[2] Nicolás nació a orillas del río Mosela en 1401 y murió en Umbria en 1464. Su padre, Johann Cryfts, era naviero. En 1416 Nicolás se matriculó en la Universidad de Heidelberg y un año después se trasladó a Padua, donde se doctoró en 1424 en derecho canónico. Estudió también latín, griego, hebreo y, en sus últimos años, árabe.

Durante su estancia en Padua se hizo amigo íntimo de Toscanelli, que también estudiaba allí. A lo largo de toda su vida fue su devoto seguidor y colaboró con frecuencia en sus innovadoras ideas. En el momento en que su fama era mayor, Nicolás dedicó a Toscanelli su tratado *De geometricis transmutationibus* y escribió en la guarda «Ad paulum magistri dominici physicum Florentinum» («Al Maestro en Ciencias, el doctor Paolo de Florencia»).[3]

Nicolás tenía una mente prodigiosa e independiente. Publicó una docena de tratados matemáticos y científicos; su obra completa se recopiló en el *Incunabula*, obra publicada antes de 1476, que desafortunadamente se perdió. En los últimos años de su vida llegó al convencimiento de que la Tierra no era el centro del universo y de que no estaba quieta. Que los cuerpos celestes no eran estrictamente esféricos ni sus órbitas, circulares. Para Nicolás, la explicación de la diferencia entre la teoría y la apariencia era el movimiento relativo. Nicolás ostentó el cargo de camarlengo en Roma y fue una persona muy influyente.

Hacia 1444, Nicolás poseía uno de los dos torquetums conocidos basados en el sistema ecuatorial chino.[4] De hecho, era un ordenador analógico. Midiendo la distancia angular entre la Luna y una estrella determinada que atravesara el meridiano local, y conociendo la ecuación del tiempo de la Luna y la declinación y la ascensión recta de la estrella elegida, se podía calcular la longitud (véase la página 57).

En la época de Nicolás, las tablas alfonsinas basadas en Ptolomeo eran la obra básica sobre la posición del Sol, la Luna y los planetas. Nicolás se dio cuenta de la escasa precisión de estas tablas, descubrimiento que publicó en 1436 en su obra *Reparatio calendarii*.[5] Este dato le llevó a su revolucionaria teoría de que la Tierra no es el centro del universo, no está quieta y no tiene polos fijos. Su obra ejerció una influencia enorme en Regiomontano, especialmente cuando dijo: «La Tierra, que no puede estar en el centro, no puede estar totalmente desprovista de movimiento».

REGIOMONTANO

Johann Müller nació en 1436 en Königsberg, que significa «montaña del rey», y adoptó la versión en latín de su apellido, Regiomontano.[6] Hijo de un molinero, desde muy pequeño se le reconoció que era un genio de las matemáticas y la astronomía. Entró en la Universidad de Leipzig a los once años y estudió allí desde 1447 hasta 1450. En abril de 1450 ingresó en la Universidad de Viena, donde fue alumno del prestigioso astrónomo y matemático Peurbach.[7] Consiguió su maestría en 1457. Peurbach y Regiomontano colaboraron para realizar observaciones minuciosas de Marte, lo que demostró que las tablas alfonsinas (basadas en la creencia de que la Tierra era el centro del universo) contenían graves errores. La confirmación llegó cuando ambos observaron un eclipse de luna que se produjo más tarde de lo que las tablas pronosticaban. A partir de aquel momento, Regiomontano se dio cuenta, como había hecho Nicolás de Cusa, de que los viejos sistemas ptolemaicos de predicción de la trayectoria de la Luna y de los planetas no resistían una investigación seria. Desde los primeros años de su vida —en esto también coincidió con Nicolás de Cusa— empezó a coleccionar instrumentos, como el torquetum, para realizar sus observaciones. Aunque Regiomontano era unos cuarenta años más joven que Toscanelli, Nicolás de Cusa y Alberti, formó parte de su grupo a finales de la década de 1450 y principios de la de 1460, época en la que se reunían en la casa que Nicolás tenía en Roma. En los escritos de Regiomontano aparecen muchas referencias a la influencia que tuvieron Toscanelli y Nicolás de Cusa en su obra.[8] Citaremos algunas de ellas a medida que avancemos.

En 1457, a la edad de veintiún años, Regiomontano entró a trabajar en el departamento de arte de la Universidad de Viena. Al año siguiente dio una charla sobre perspectiva. En aquel momento trabajaba en matemáticas y astrología y construía instrumentos. Entre 1461 y 1465 vivió casi todo el tiempo en Roma; los dos años siguientes fue como si hubiese desaparecido, nadie sabe adónde fue. En 1467 publicó parte de su obra sobre las tablas de senos y la trigonometría esférica, y en 1471 había construido diversos instrumentos y escrito diversos tratados. En 1472 publicó *Nueva teoría de los planetas* (de

Peurbach) y en 1474 sus tablas *Calendarum* y *Ephemerides ab anno*.[9] Ambas constituyen un legado de enorme importancia, puesto que permitieron a los marinos europeos determinar la latitud y la longitud de su posición en el mar. Murió en Roma el 6 de julio de 1476, y varias de sus obras fueron publicadas póstumamente.

La producción intelectual de Regiomontano tras la muerte de su maestro Peurbach en 1461 (Regiomontano tenía entonces veinticinco años) y hasta su propia muerte en 1476, a los cuarenta años, fue prodigiosa e increíble. Era un gigante intelectual, el equivalente a Newton o a Guo Shoujing. Si hubiese vivido treinta años más, creo que habría estado a la altura de Newton o lo habría eclipsado. Me interesa mucho hacerle justicia, y he pasado muchas noches de insomnio intentando escribir este capítulo, entre otras cosas porque no soy especialista en matemáticas.

Sería razonable empezar por sus logros, continuar buscando las posibles fuentes que utilizó y, por último, intentar resumir su legado. Sin duda me criticarán que es arrogante por mi parte intentar siquiera evaluar los logros de un personaje tan brillante, y que esta tarea corresponde únicamente a los matemáticos profesionales. Es un argumento justo. En mi defensa esgrimo que me he pasado muchos años practicando la astronavegación, utilizando la luna, los planetas y las estrellas para averiguar la posición de un navío en el mar, y debería estar cualificado para reconocer los pasos de gigante que dio Regiomontano en esta disciplina.

Así que vamos allá. A lo largo de los quince años que siguieron a la muerte de Peurbach, lo primero y más importante que hizo Regiomontano fueron las tablas de efemérides, es decir, las tablas con la posición de la Luna, el Sol, los planetas y las estrellas, cuya precisión era suficiente como para permitir a los capitanes y navegantes pronosticar los eclipses, la hora de la salida y de la puesta del sol, la hora de salida y puesta de la luna y la posición de cada planeta respecto de los demás y respecto de la luna. Hasta tal punto eran precisas aquellas tablas que, durante treinta años contados partir de 1475, los navegantes pudieron calcular su latitud y longitud sin utilizar relojes. Esto significa que, por primera vez, podían encontrar la ruta hacia el Nuevo Mundo, cartografiar con precisión lo que habían descubierto y volver a casa sin temor a perderse. Con esto y con los mapamundis de los chinos, los exploradores europeos podían empezar su trabajo en serio. Y así lo hicieron. Dias, por ejemplo, calculó la verdadera latitud del cabo de Buena Esperanza utilizando las tablas de Regiomontano.[10] Así se lo comunicó al rey de Portugal, que por primera vez supo la distancia rumbo sur que tenían que recorrer sus capitanes para llegar al océano Índico. Las tablas de efemérides de Regiomontano tenían ochocientas páginas con trescientos mil cálculos. Solo por esto, podría decirse que Regiomontano fue un ordenador ambulante.

Tuvo la energía y la habilidad necesarias para confeccionar toda una serie de instrumentos náuticos y matemáticos, entre los cuales los más importantes fueron el reloj (que resultó aplastado cuando murió) y el torquetum ecuatorial.[11] El torquetum de Regiomontano (descrito en el capítulo 4) le permitió convertir las coordenadas de las estrellas que habían sido fijadas por el método eclíptico de los árabes o por el método horizontal de los bizantinos y los griegos, en coordenadas chinas de declinación y de ascensión recta, sistema que sigue utilizándose en nuestros días.

De los diseños de Regiomontano destacan su observatorio[12] y su imprenta[13] por la utilización práctica de ambos. Las tablas de efemérides no habrían dado resultados prácticos si no hubiesen sido impresas. Del mismo modo, Regiomontano necesitaba su observatorio para comprobar la exactitud de las predicciones de sus tablas. Construyó telescopios para ver las estrellas; astrolabios para medir los ángulos entre las estrellas, los planetas y la luna; relojes de sol portátiles para recoger información sobre la altura del sol a diferentes horas del día y en diferentes épocas del año, etc. Incluso elaboró tablas para que los campaneros previeran la hora de la puesta de sol y anunciaran entonces las vísperas.

El descubrimiento más asombroso fue la idea revolucionaria de Regiomontano (ampliando la de Nicolás de Cusa) de que era el Sol y no la Tierra lo que estaba en el centro del universo. Y, aún más, que la Tierra y los planetas daban vueltas alrededor del Sol. Tal vez esta afirmación suscite alguna protesta, así que presento a continuación las pruebas que la avalan.

En primer lugar, Regiomontano sabía que el sistema planeta-

Venecia, corazón del imperio marítimo europeo del Renacimiento.

Este mapa, que se halla en el palacio del Dux, ilustra claramente la costa noroccidental de América del Norte dibujada «boca arriba», es decir, con el norte en la parte inferior, como era habitual entre los cartógrafos chinos. Las inscripciones describen las fuentes de información utilizadas para dibujarlo: Marco Polo y Niccolò da Conti.

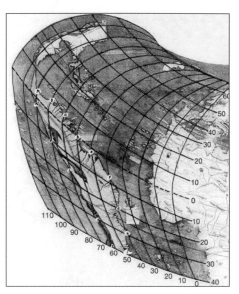 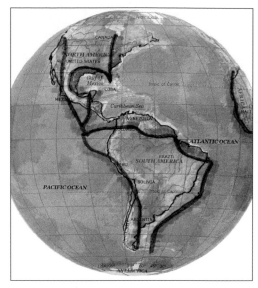

Un trabajo detallado muestra la conversión del mapa de Waldseemüller en una esfera con resultados increíbles.

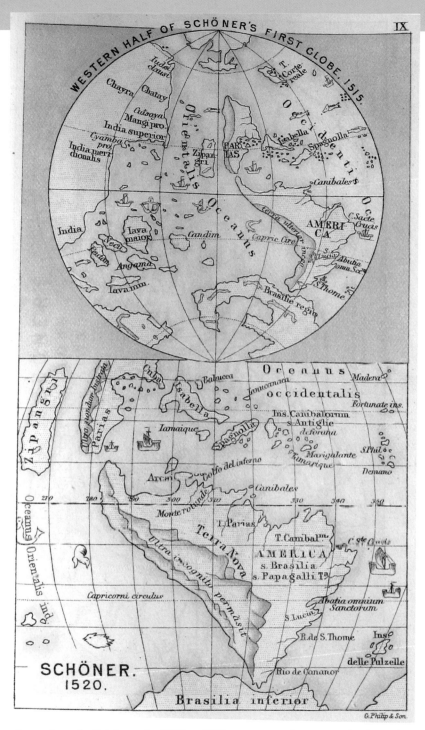

Las esferas de Schöner de 1515 y 1520 muestran claramente América del Norte y del Sur y el recóndito estrecho de Magallanes *(página anterior, abajo)*, «descubierto» supuestamente después de que se hubieran dibujado los mapas.

Universalis Cosmographiae, el mapa de Waldseemüller de 1507, y su «Esfera Verde» de 1505-1506 describen claramente el continente americano, con una precisión extraordinaria para la época, y ratifican la historia de Toscanelli relativa a un encuentro con la delegación china en Florencia.

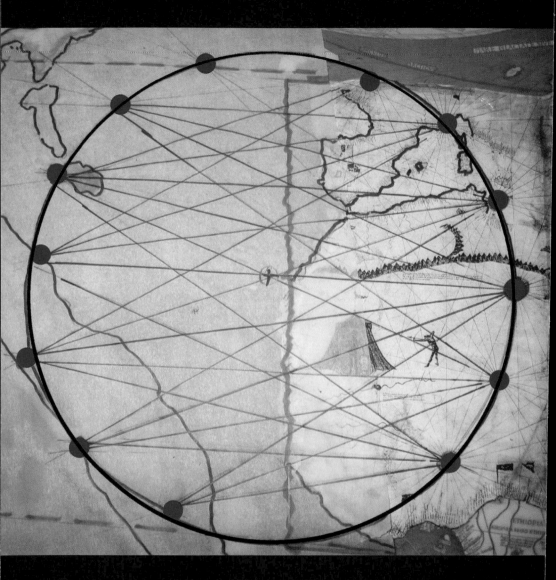

El mapa de Colón, CGA5A, coincide con el de Waldseemüller y muestra cómo todos los extremos de las líneas denominadas «loxodromía», que van de un lado al otro del océano Atlántico, forman un círculo.

rio vigente en Europa desde tiempos de Ptolomeo, en virtud del cual la Tierra estaba en el centro y el Sol y los planetas giraban a su alrededor, no funcionaba. Los resultados del sistema de Ptolomeo figuraban en las tablas alfonsinas, que él y Peurbach habían estudiado durante años. Las predicciones que contenían las tablas eran inexactas. Los ecuantes, deferentes y otros elementos extraños añadidos a modo de corrección no habían subsanado los errores.

En segundo lugar, no cabe duda de que Regiomontano conocía la obra de Nicolás de Cusa. Nicolás sugirió que el Sol estaba en el centro del universo y que la Tierra y los planetas giraban alrededor de él. Regiomontano describió las órbitas planetarias: «¿Qué dirías acerca del movimiento longitudinal de Venus? Está encadenado al Sol, a diferencia de lo que ocurre con los tres planetas superiores (Marte, Júpiter y Saturno). Por lo tanto, tiene un movimiento longitudinal diferente al de dichos planetas. Es más, los planetas superiores están vinculados al Sol a través de movimientos epicíclicos, lo cual no sucede con Venus».[14]

La opinión de Regiomontano de que el Sol se halla en el centro del universo queda claramente expresada en el folio 47v: «Puesto que el Sol es la fuente de calor y de luz, tiene que estar en el centro de los planetas, como el rey en su reino, como el corazón en el cuerpo».[15]

Regiomontano tenía además sus propias ideas sobre la velocidad orbital de los planetas alrededor del Sol: «Es más, la suposición de que Venus y Mercurio avanzarían a mayor velocidad si estuvieran debajo del Sol es insostenible. Por el contrario, unas veces aceleran y otras desaceleran en la trayectoria de sus órbitas». Esto anunciaba a Kepler.

Regiomontano se dio cuenta de que las estrellas se hallaban a una distancia casi infinita del sistema solar: «La naturaleza puede muy bien haber asignado un movimiento desconocido a las estrellas; debido a su reducido tamaño, es muy difícil ahora, y lo será más adelante, calibrar este movimiento». Posteriormente perfeccionó este punto: «Es necesario alterar un poco el movimiento de las estrellas debido al movimiento de la Tierra» (Zinner, p. 182).

El único movimiento posible de la Tierra en relación con las estrellas es el que realiza alrededor del Sol; por definición no puede referirse al movimiento giratorio de la Tierra en torno a su propio eje.

En mi opinión, Regiomontano confirma este extremo en su nota al margen del relato de Arquímedes sobre la suposición de Aristarco de que la Tierra gira alrededor de un sol inmóvil, que se halla en el centro de una esfera estelar fija. Regiomontano escribió: «Aristarchus Samius» («Heroico Aristarco»).[16]

Lamentablemente se han perdido los trabajos de Regiomontano posteriores a la fecha de este comentario.

Opino que la insistencia casi obsesiva de Regiomontano en medir el cambio en la declinación del sol se entiende únicamente en función de su percepción de que la Tierra se desplaza en una trayectoria elíptica alrededor del Sol y de que la forma de esta elipse cambia con el tiempo. Escribió: «Sería precioso conservar las variaciones de los movimientos planetarios mediante círculos concéntricos. Ya hemos abierto el camino en relación con el Sol y la Luna; para todo lo demás hemos colocado la piedra angular, a partir de la cual podremos obtener las ecuaciones de estos planetas mediante esta tabla».[17]

Antes de entrar en el tema de la obra maestra de Regiomontano, sus tablas de efemérides, deberíamos intentar responder a la pregunta del millón: ¿de dónde sacó sus conocimientos? Sin duda Regiomontano realizó un estudio exhaustivo de las obras griegas y romanas: analizó las de Ptolomeo durante años y años y copió las de Arquímedes y de Eutocio sobre los cilindros, las mediciones del círculo, las esferas y los esferoides. Regiomontano leía con fluidez el latín y el griego. También el árabe. Había llegado a dominar una amplia gama de estudios realizados por los árabes, entre ellos la teoría planetaria de Al-Bitruji. No obstante, Regiomontano adoptó el sistema de coordenadas ecuatoriales de los planetas y las estrellas; rechazó el sistema de coordenadas árabe, griego y bizantino. Tomó prestado gran cantidad de material de Toscanelli, incluidos los cálculos de la trayectoria elíptica cambiante de la Tierra alrededor del Sol, y adoptó la medida de la declinación del sol determinada por Toscanelli y por los chinos. Sus trabajos sobre los triángulos esféricos habían sido precedidos por los de Guo Shoujing. Si Uzielli está en lo cierto, Regiomontano colaboró con Toscanelli en el dibujo del mapamundi que se envió al rey de Portugal, un mapa copiado de los mapas chinos, detalle que Regiomontano debía de conocer.

Regiomontano se refirió una y otra vez a la obra de Toscanelli sobre trigonometría esférica, tablas de declinación, instrumentos y cometas. Si lo hizo, se supone que estaba enterado del contacto mantenido por Toscanelli con los chinos y de la enorme transferencia de conocimientos que tuvo lugar en dicha ocasión. Regiomontano poseía además un conocimiento profundo de la obra matemática de los chinos, que adquirió directamente o a través de Toscanelli. Parte de este conocimiento consistía en el teorema chino de los restos.

CONOCIMIENTO DE LAS MATEMÁTICAS CHINAS POR PARTE DE REGIOMONTANO

Regiomontano mantenía correspondencia regular con el astrónomo italiano Francesco Bianchini.[18] En 1463, le planteó el siguiente problema: «Busco un número que dividido por 17 da un resto de 15; el mismo número dividido por 13 da un resto de 11, y el mismo número dividido por 10 da un resto de 3. Le pregunto cuál es ese número» (traducción del latín de GM). Bianchini respondió: «Este problema puede tener muchas soluciones con diferentes números, como el 1.103, el 3.313 y otros. No obstante, no quiero molestarme en buscar los demás».

Regiomontano le contestó a su vez: «Habéis hallado el menor número correcto que yo buscaba, el 1.103, y el segundo, el 3.313. Esto me basta porque todos los números de entre los cuales el menor es 1.103 son infinitos. Si tuviésemos que sumar un número que fuera el resultado de multiplicar las tres divisiones, a saber, 17, 13 y 10, llegaríamos al segundo número, 3.313, y sumando ese número otra vez [2.210], obtendríamos el tercero [que sería 5.523]». Regiomontano, entonces, anotó al margen:

17	170
13	13
	———
10	510
	17
	———
	2.210

Por la respuesta de Bianchini, es evidente que no comprendía el teorema chino del resto (en tal caso, se habría dado cuenta de lo fácil que era la solución y no habría dicho «no quiero molestarme en buscar los demás números»).

Por otro lado, está claro que Regiomontano sabía toda la solución del problema, tal como resume el matemático Curtze: «[Regiomontano] conocía perfectamente el problema del resto, la regla china del ta-yen».[19]

La regla ta-yen figura en el *Shu-shu Chiu-chang* de Ch'in Chiu-shao, publicado en 1247.[20] De lo que se deduce que Regiomontano debía conocer este libro chino, a menos que hubiese formulado por su cuenta la regla ta-yen, cosa que nunca se atribuyó.

Si confirmásemos que Regiomontano conocía el *Shu-shu Chiu-chang*, eso explicaría muchas cosas. Needham nos dice que la primera parte de este libro trata de análisis indeterminados, como la regla ta-yen.[21] En capítulos posteriores aparece una explicación de cómo calcular áreas y volúmenes complejos, como el diámetro y la circunferencia de una ciudad circular amurallada, problemas de distribución del agua de riego y la velocidad de flujo del agua en las acequias. El libro contiene también métodos para calcular la profundidad de la lluvia en diversos tipos y formas de pluviómetro, problemas todos ellos relacionados con la topografía cartográfica, que sabemos que interesaba enormemente a Regiomontano.

Las implicaciones que resultarían del conocimiento de este libro inmenso —fruto del trabajo de treinta escuelas chinas de matemáticas— por parte de Regiomontano podrían ser muy importantes. Es un tema que se halla fuera del alcance de una persona de mi edad. Espero que algún joven matemático responda al reto. Podría llevar a una revisión importante del espléndido trabajo de Ernst Zinner sobre Regiomontano.

Comparando las tablas de efemérides de Zheng He[22] con las de Regiomontano,[23] me parece que podríamos obtener una instantánea de parte de lo que este último heredó de los astrónomos chinos (más que de los griegos y árabes) a través de Toscanelli.

Las tablas de efemérides de Regiomontano consisten en páginas dobles para cada mes en las que cada día está representado por una línea horizontal. A la izquierda de cada página figuran la posición verdadera del Sol, de la Luna y de los planetas Saturno, Júpiter, Marte, Venus y Mercurio, y los nodos lunares en los que la Luna atraviesa la eclíptica. A la derecha están las posiciones relativas del Sol respecto de la Luna, las horas de luna llena y de luna nueva, las posiciones de la Luna en relación con los planetas y las posiciones de cada planeta respecto de los demás. Figuran los días festivos y otros días importantes del calendario europeo medieval.

Las tablas de Zheng He de 1408 tienen una media de veintiocho columnas de información para cada día (a diferencia de las de Regiomontano, que tienen ocho). Contienen la misma información planetaria —de Saturno, Júpiter, Marte, Venus y Mercurio— que las de Regiomontano, y también las posiciones del Sol y de la Luna. La diferencia entre ambos es que las tablas de Zheng He señalaban los días propicios para sembrar, visitar a la abuela y cosas así, y no las festividades religiosas. Las de Zheng He ofrecían el doble de información. El asombroso parecido entre ambas podría ser fruto de una coincidencia, pero las tablas de 1408 fueron las primeras, impresas antes de Gutenberg.

Zinner y otros defienden que, para elaborar sus tablas con trescientas mil cifras correspondientes a un período de treinta y un años, Regiomontano tomó como base las tablas alfonsinas (griegas/árabes) y las corrigió mediante la observación. Si las tablas de Regiomontano se hubiesen basado en las alfonsinas, no habrían servido para calcular la posición del Sol, la Luna y los planetas con suficiente exactitud como para predecir los eclipses y por lo tanto la longitud, porque las tablas alfonsinas se basaban en una estructura completamente errónea del universo, en que la Tierra ocupaba el centro y los planetas giraban a su alrededor.

Es más, Regiomontano sabía perfectamente que era inútil emplear las viejas tablas alfonsinas. En su calendario para los años 1475-1531 señaló que la fecha del día de Pascua (el día más importante para la Iglesia católica) estaba equivocada en las tablas alfonsinas en treinta de los cincuenta y seis años que transcurren entre esas dos fechas. (Debido a lo delicado de esta información, se omitió de la edición alemana del calendario de Regiomontano.) Basar sus efemérides en unas tablas cuya inexactitud conocía habría sido algo completamente ilógico. Regiomontano tenía que emplear una fuente nueva.

Las tablas de efemérides de Zheng He, por otro lado, se basaban en Guo Shoujing, que se apoyaba en una idea correcta de la rotación de la Tierra y de los planetas alrededor del Sol, centro del sistema solar. En mi opinión, no se sostiene el argumento de Zinner de que las tablas de Regiomontano se basaban en sus observaciones personales, porque no tuvo tiempo de efectuar dichas observaciones. Regiomontano falleció en 1475. Sus tablas continuaron vigentes cincuenta y seis años más, y sus correcciones en rojo sobre las tablas pueden verse solo en cinco de ellos.

Espero que se verifique la exactitud de las tablas de efemérides de Zheng He y de Regiomontano mediante el programa informático Starry Night y que se compare con el calculador de efemérides Almagest (basado en las tablas alfonsinas), pero puede que esto no ocurra hasta que se traduzcan las tablas y este manuscrito vaya a la imprenta. Mientras tanto, necesitamos verificar la exactitud de las tablas de Regiomontano para calcular eclipses, posiciones planetarias y longitudes. Si están basadas en las de Zheng He, funcionarán; si se basan en las tablas alfonsinas, no funcionarán.

Afortunadamente, Colón, Vespucci y otros utilizaron durante muchos años las tablas de efemérides de Regiomontano después de su muerte, para predecir eclipses y calcular latitudes y longitudes.

Dias las utilizó correctamente para calcular minuciosamente la latitud del cabo de Buena Esperanza a 34° 22' en su viaje de 1487.[24] Cristóbal Colón y su hermano Bartolomé se hallaban presentes cuando Dias regresó y presentó sus cálculos al rey de Portugal.[25]

Colón utilizó las tablas de efemérides de Regiomontano, como sabemos gracias a las que se conservan actualmente en la catedral de Sevilla, en las que figura la caligrafía de Colón.[26] Colón se refirió a la anotación de la tabla de efemérides correspondiente al día 17 de enero de 1493, en la que Júpiter estaría en oposición al Sol y a la Luna; conocía la explicación de Regiomontano para calcular la longitud a partir de un eclipse lunar. Su hermano Bartolomé escribió: «Almanach pasadoen ephemeredes. Jo de monte Regio [Regiomontano] ab anno 1482 usque ad 1506».[27]

El primer cálculo de la longitud que se le conoce a Colón mediante el método de observación de los eclipses lunares de Regiomontano (cuyas horas sabía Colón gracias a sus tablas de efemérides) es del 14 de septiembre de 1494, veinte años después de que Regiomontano hubiese introducido las cifras en las tablas.[28] Colón estaba en la isla de Saya, al oeste de Puerto Rico («Saya» en la carta de Pizzigano de 1424). Regiomontano explica cómo calcular la longitud mediante los eclipses lunares en la parte delantera de las tablas.

Utilizando esta explicación, y sin cometer errores por su parte, Colón utilizó para sus cálculos un meridiano inicial equivocado (Cádiz en lugar de Nuremberg), que fue el que Regiomontano había utilizado como meridiano 0. En su introducción a las tablas de efemérides Regiomontano no menciona este punto; hay que pasar ochocientas páginas más para encontrarlo. Colón hizo otro intento el 29 de febrero de 1504, utilizando las tablas para predecir un eclipse solar en Jamaica y para calcular la longitud.[29] Cometió de nuevo el mismo error, por lo demás comprensible. Las tablas de Schroeter nos permiten comprobar la precisión de las de Regiomontano al predecir los eclipses del 14 de septiembre de 1494 y del 29 de febrero de 1504 (retrasos de treinta y once minutos respectivamente, y eso veinte y treinta años después de que Regiomontano hubiese anotado las cifras), una precisión fantástica que, a mi entender, echa por tierra la idea de que las efemérides de Regiomontano pudieran estar basadas en las tablas alfonsinas, que se equivocaron treinta veces en la fecha del domingo de Pascua entre 1475 y 1531. Regiomontano debió de recibir la información de Toscanelli.

Vespucci utilizó las tablas de efemérides de Regiomontano para calcular la longitud el 23 de agosto de 1499, día en que las tablas afirmaban que la Luna se cruzaría con Marte entre la medianoche y la una de la madrugada. Vespucci observó que «una hora y media después de anochecer la Luna se hallaba ligeramente por encima de un grado al este de Marte y a medianoche se había distanciado de dicho planeta cinco grados y medio, en lugar de estar alineada con Marte a medianoche en Nuremberg».[30] Calculó incorrectamente el movimiento lunar en relación con Marte y también empleó un meridiano equivocado (de nuevo Regiomontano no lo había explicado bien).

Así pues, calculó mal la longitud a la que se hallaba (el río Amazonas). Si utilizamos los números correctamente, creo que invalidamos la tesis de que las tablas de Regiomontano estaban basadas en las alfonsinas. Del mismo modo, los errores de longitud de Colón habrían sido prácticamente nulos si hubiese utilizado el punto cero correcto.

A partir del momento en que se publicaron las tablas de efemérides de Regiomontano en 1474, los europeos pudieron por vez primera calcular la latitud y la longitud, conocer su posición en el mar, llegar hasta el Nuevo Mundo, cartografiarlo con precisión y volver a casa sin temor a perderse; una revolución en los viajes de descubrimiento.

Nevil Maskelyne mejoró las tablas de Regiomontano. Se publicaron en 1767 y fueron empleadas por los capitanes y marinos de la armada británica hasta mucho después de que se introdujese el cronómetro de Harrison.[31]

El gran capitán Cook observó y calculó más de seiscientas distancias lunares para averiguar la longitud de Strip Cove, en Nueva Zelanda, y en 1777 realizó mil observaciones lunares para determinar la longitud de Tonga.[32] Las tablas de Maskelyne fueron incorporadas al *Nautical Almanac*, en el que figuraron las tablas de distancias lunares hasta que quedaron desfasadas en 1907. (Estaban todavía en la biblioteca de Dartmouth en 1954 cuando yo estudiaba navegación.) Con instrumentos precisos, las tablas producían unos resultados asombrosamente certeros. William Lambert comprobó (observaciones realizadas el 21 de enero de 1793) que sin utilizar relojes la longitud del Capitolio de Washington D. C. era 76° 46', empleando para ello la Luna y Aldebarán; 76° 54' el 20 de octubre de 1804 empleando las Pléyades y la Luna; y 76° 57' el 12 de enero de 1813, empleando Tauro y la Luna.[33] La cifra correcta es 77° 00' O.[34] Por lo tanto, cinco métodos diferentes, que podrían haber sido empleados por diferentes personas utilizando las tablas de efemérides de Regiomontano, dieron un error máximo de 14', unas ocho millas náuticas sin utilizar relojes ni cronómetros. El cronómetro de Harrison fue útil, pero no imprescindible, para cartografiar el mundo.

MAPAS

Una vez que Regiomontano fue capaz de calcular longitudes y latitudes, pudo confeccionar mapas. Elaboró el primer mapa europeo con latitudes y longitudes exactas en 1450. Su precisión rivalizaba con la del mapa chino de 1137, en el que figuraba China perfectamente cartografiada en latitud y longitud, y que se conserva en el Museo Británico (Needham).

Regiomontano sabía perfectamente que estaba rehaciendo la astronomía europea. Zinner cita su entusiasmo por acabar con los errores de Ptolomeo y con siglos de confusión:

> Tenía la idea —y era el objetivo de su vida— de mejorar la teoría planetaria y las tablas planetarias; conocía perfectamente sus defectos. Deseaba tener las mejores ediciones sin errores de los manuscritos antiguos que estaban a disposición de sus coetáneos, así que se propuso elaborar almanaques que representasen eventos celestes de manera que no pudieran cometerse errores y fueran herramientas importantes para hacer predicciones y determinar las posiciones planetarias ... hablaba del Sol como el «rey de los planetas». Conectó los tres planetas más lejanos con el Sol mediante el movimiento epicíclico, mientras que Venus se vinculaba al Sol de otras maneras. De ahí que tuviese muy clara la posición especial del Sol en aquellos días.
>
> Además, se dio cuenta de que las tablas planetarias no eran satisfactorias. Más adelante, en sus cartas a Bianchini en 1463-1464, explicó claramente que muchas de las suposiciones de Ptolomeo no podían ser correctas, no solo en lo referente a la oblicuidad de la eclíptica, sino también en cuanto a la trayectoria de los propios planetas. Si verdaderamente los planetas se movieran en epiciclos, sus diámetros aparentes deberían cambiar de una manera absolutamente contraria a lo que dicen las observaciones.[35]

Del mismo modo que el paradigma aristotélico/ptolomeico del universo fue archivado a partir de 1434, también se desecharon los métodos árabes de astronomía y astronavegación. El sistema árabe de coordenadas estelares de acimut, basado en las coordenadas eclípticas, había sido llevado a Beijing por Jamal ad-Din en 1269. Solo duró nueve años. Cuando encargaron a Guo Shoujing que elaborase el calendario *Shoushi* en 1276, echó por la borda las coordenadas eclípticas árabes y construyó el torquetum ecuatorial simplificado, que posteriormente utilizarían Nicolás de Cusa y Regiomontano.[36]

Una vez introducido el torquetum en Europa, los astrolabios, en los que los astrónomos árabes y europeos habían vertido todo su arte matemático, cayeron en desgracia. El torquetum de Guo Shoujing, antecedente de los instrumentos europeos modernos como el astrocompás, sobrevivió.

A partir de aquel momento, los astrónomos europeos siguieron los métodos chinos.

14

LEON BATTISTA ALBERTI Y LEONARDO DA VINCI

Leon Battista Alberti (14 de febrero de 1404-25 de abril de 1472) ha sido proclamado «hombre universal» de principios del Renacimiento y ha sido descrito como «el profeta del nuevo estilo excelso en el campo del arte» inaugurado por Leonardo da Vinci.[1] La gama de destrezas que poseía era asombrosa.

Alberti nació en Génova, hijo de un acaudalado banquero florentino, Lorenzo Alberti. Su madre, Bianca Fieschl, era una viuda de Bolonia. Siendo él todavía un niño, la familia se trasladó a Venecia, donde su padre dirigió el banco familiar. La prohibición vigente sobre la familia (un suceso político corriente en aquella época) fue levantada en 1428, con lo que el joven Alberti pudo regresar a Florencia.

Gozó de la educación más exquisita que hubiese podido recibir. De 1414 a 1418 estudió los clásicos en la famosa escuela de Gasparino Barzizza en Padua, y posteriormente obtuvo su maestría en derecho en la Universidad de Bolonia. En 1430 se trasladó a Roma, donde preparó informes jurídicos para el papa Eugenio IV y conoció a Nicolás de Cusa, que era el camarlengo. En junio de 1434, Eugenio IV se vio obligado a abandonar Roma e instalarse en Florencia por un desacuerdo con el Consejo Eclesiástico. Alberti fue con él y fue nombrado canónigo de Santa Maria del Fiore cuando estaban a punto de finalizar las obras de la catedral. En Florencia, le presentaron a Filippo Brunelleschi (1377-1446) y a Paolo Toscanelli, que había ayudado a Brunelleschi en los cálculos matemáticos para la construcción de la cúpula de la catedral. Alberti trabó amistad con ambos para el resto de su vida, y también con algunos amigos y admiradores de Toscanelli.[2]

Antes de trasladarse a Florencia, Alberti había escrito tratados sobre la utilidad y las desventajas del estudio de las letras; dos diálogos, *Deiphira* y *Ecatonfilea* (escenas de amor); una tesis, *Intercenale*; un libro sobre la familia, *Della famiglia*, y la vida de san Potitus, *Vitas Potiti*.

No obstante, a partir de 1434 empezó a realizar una serie de obras de matemáticas, astronomía, arquitectura y criptografía.[3] Su biógrafa, Joan Gadol, explica la influencia de Alberti:

> «Casi todos los astrónomos pensaban que] la máxima declinación del sol en nuestros días es de 24 grados y 2 minutos, pero mis maestros [Peurbach] y yo hemos comprobado con instrumentos que es de 23 grados y 28 minutos, y yo he oído decir a menudo a maese Paolo el Florentino y a Battista Alberti que habían descubierto, mediante una observación diligente, que no superaba los 23 grados y 30 minutos, que es la cifra que he decidido anotar en nuestra tabla.»[4]

Este texto es significativo por varios motivos. En primer lugar, Regiomontano, discípulo de Toscanelli y astrónomo muy competente, acredita a Alberti como tal. En segundo lugar, explica que los astrónomos discutían una diferencia de declinación de dos minutos, lo que significa que debían de tener instrumentos muy precisos para determinar la altitud del sol en su meridiano de paso al mediodía. En tercer lugar, sugiere que habían resuelto el problema de la declinación con todo lo que ello conlleva. Por último, y más importante, nos dice que estaban trabajando en la oblicuidad de la eclíptica.

Gadol consideraba que este conocimiento completamente nuevo del universo por parte de Alberti, que había adquirido gracias a Toscanelli, le permitió desarrollar muchas de sus ideas empleando un astrolabio, tanto en arquitectura y perspectiva como en criptografía.

Al menos diez años antes de que Alberti publicase sus grandes obras sobre pintura y escultura, *De pictura* (1435), que tradujo al italiano (*Della pittura*) al año siguiente, y *De statua* (alrededor de 1446), los artistas florentinos ya habían tratado la perspectiva. No obstante, parece que hay acuerdo en considerar que Brunelleschi, Masaccio y

Donatello eran genios intuitivos que desarrollaron la *costruzione legitima*, un método para determinar la perspectiva con el uso de cámaras oscuras de orificio de aguja y espejos, pero que no tenían los conocimientos matemáticos necesarios para la *costruzione abbreviata*, que desarrolló Alberti posteriormente.

Antes de entrar a examinar las grandes obras de Alberti, tal vez tendríamos que plantearnos por qué apareció tanta gente brillante en la escena europea al mismo tiempo. Toscanelli, Regiomontano, Alberti, Francesco di Giorgio y Leonardo da Vinci revolucionaron el pensamiento europeo en cuanto al conocimiento del universo y del sistema solar, en astronomía, matemáticas, física, arquitectura, cartografía, topografía, planificación urbanística, escultura, pintura e incluso cartografía. ¿Cómo es que aparecieron todos ellos en la misma zona reducida del norte de Italia? ¿Acaso agitó Dios su varita mágica encima de la Toscana?

Sin lugar a dudas, una de las razones es el dinero. Entre 1430 y 1440 Venecia fue la ciudad más rica de Europa, seguida de París y Nuremberg. La riqueza veneciana salpicó a Florencia. Los Médicis eran la familia más rica de Europa. Amasaron su fortuna gracias al negocio bancario, parte del cual consistía en prestar dinero y cargar un interés, lo que la Iglesia consideraba usura. Para expiar sus pecados, los Médicis patrocinaron toda una serie de obras de carácter religioso; construyeron y decoraron primero capillas y luego hospitales y bibliotecas. Contrataron a los mejores artistas para pintar frescos de las estrellas y planetas del universo, encargaron la búsqueda de libros y de mapas, y confiaron a especialistas la traducción de las obras de la Antigüedad.

Había numerosos eruditos disponibles. Italia alardeaba de poseer algunas de las universidades más antiguas de Europa —la de Bolonia era casi tan antigua como la de París— y contaba con un gran número de ellas. Probablemente la Toscana contaba con la proporción más elevada de posgraduados (por utilizar la expresión moderna) de todo el mundo. Para los que no podían permitirse el lujo de ir a la universidad, la Iglesia ofrecía una alternativa gratuita. Las órdenes religiosas, primero los benedictinos y luego los cistercienses, franciscanos, dominicos y jesuitas, ofrecían no solo una formación religiosa de primera, sino también excelente formación práctica para la vida cotidiana. Los benedictinos, además de rezar, gestionaban rentables explotaciones agrícolas y ganaderas que fueron pioneras en la cría de animales, en la introducción de mejoras en las cosechas, en la producción de miel, en la piscicultura y la cría de aves de corral, e incluso en la ingeniería genética. Con el tiempo, los benedictinos se convirtieron en banqueros de las explotaciones pequeñas, y mejoraron así la agricultura. Puesto que una orden religiosa seguía a la otra, la calidad de la enseñanza mejoraba continuamente, y culminó con la magnífica educación que los jesuitas impartieron en los pueblos del Nuevo Mundo. Los benedictinos, cistercienses, franciscanos y dominicos tenían sus bases principales en Borgoña y en el norte de Italia.

Esta fue la tierra abonada en la que se propagaron las semillas de las ideas e inventos procedentes de China. No debemos infravalorar la polinización de ideas derivada del intercambio intelectual permanente entre estos genios. Toscanelli y Regiomontano trabajaron juntos en infinidad de campos: los mapamundis, la determinación de la declinación del sol, los cambios en la oblicuidad de la eclíptica, los cometas, la trigonometría esférica, los torquetums y los instrumentos astronómicos. Alberti intercambió ideas sobre astronomía, matemáticas y trigonometría con Regiomontano y Toscanelli, sobre canales y compuertas con Francesco di Giorgio, y sobre la recuperación de buques hundidos con Francesco y con Taccola. Nicolás de Cusa discutía de astronomía con Toscanelli, Alberti y Regiomontano. Los miembros de este grupo se dedicaban mutuamente sus libros.

Rezaban en la misma catedral, Santa Maria del Fiore, comían en la *mensa* del Pallazzo Vecchio de Florencia y cenaban con los Médicis. La casa de Nicolás de Cusa en Roma era el lugar de encuentro de hombres de influencia y de ciencia, entre ellos Bruni, Alberti, Regiomontano y Toscanelli. Alberti y Nicolás de Cusa se vieron en diversas ocasiones a lo largo de aquellos años. Durante el Concilio de Florencia, Alberti estuvo en Ferrara con Eugenio IV, al igual que Nicolás de Cusa. El historiador Giovanni Santinello ha encontrado una serie de paralelismos entre los escritos de Alberti sobre belleza, arte y perspectiva y los de Nicolás de Cusa.[5]

«DE PICTURA»

La obra maestra de Alberti, *De pictura*, es considerada por los historiadores del arte del Renacimiento como el libro más importante que se haya escrito sobre pintura. Leonardo da Vinci se refiere a él con frecuencia, y a veces lo cita textualmente. Parece apropiado analizar cómo llegó Alberti a escribir el libro, entre otras cosas por su impacto en el desarrollo del genio de Leonardo y por la influencia del libro en el rumbo que tomó el Renacimiento. En mi opinión, Alberti, tras estudiar junto con Toscanelli el calendario astronómico *Shoushi*, se dio cuenta de que la Tierra se desplazaba formando una trayectoria elíptica alrededor del Sol y girando sobre su eje y que los planetas también giraban alrededor del Sol en elipses, y aquello debió de suponer para él una conmoción descomunal. Que Alberti conocía el funcionamiento del sistema solar queda demostrado en su pintura del firmamento con el Sol, la Luna y las estrellas en la posición que ocupaban el 6 de julio de 1439 al mediodía en el baptisterio de San Lorenzo (véase la página 118). Estos nuevos conocimientos no solo echaron por tierra la autoridad de Ptolomeo y de Aristóteles, sino que derrumbaron todo el orden jerárquico del universo y lo reemplazaron por la concepción de un orden mundial armonioso y, sobre todo, matemático. Las matemáticas aportaron un orden sistemático al plan del firmamento y revelaron una relación entre los datos astronómicos y la investigación física, haciendo pedazos, literalmente, la revelación. Si el funcionamiento y los movimientos de los cielos podían explicarse en un contexto matemático y no religioso, entonces con toda seguridad también la arquitectura, la ingeniería, la pintura e incluso la criptografía podrían explicarse partiendo de las matemáticas. Por lo tanto, *De pictura* presenta la primera explicación racional y sistemática de las reglas de la perspectiva. Citando de nuevo a Joan Gadol:

> El principal logro [de Alberti] en este período florentino (1434-1436) fue de tipo teórico. Aplicando sus conocimientos humanísticos y matemáticos a la práctica de la pintura y la escultura, Alberti se convirtió en el padre de las nuevas técnicas de estas artes inspiradas mate-

máticamente y desarrolló las implicaciones estéticas de esta renaciente
dependencia artística de la geometría.

La contraparte escultural de la teoría de la perspectiva apareció
algo más tarde en *Della statua*. Al tratar la estatua como otro tipo de
imitación geométrica de la naturaleza, ideó un método igualmente ingenioso de mediciones para el escultor y el primer canon de proporciones del Renacimiento.[6]

Alberti, como bien resume Joan Gadol, fue más allá de los límites de la astronomía para determinar su relación con las matemáticas
y más allá de las matemáticas para desarrollar la pintura y la arquitectura, la cartografía y la topografía, incluso el diseño de ingeniería.

Leonardo hizo uso frecuente de *Della pittura* (la traducción italiana
de *De pictura*) en su tratado sobre la pintura, utilizando las mismas palabras e ideas, e incluso algunas expresiones de Alberti. Por ejemplo,
Leonardo dice que la pintura de perspectiva es mirar como si estuviera
dibujada «en un cristal a través del cual se ven los objetos» (Gadol, p. 9),
que era una expresión utilizada por Alberti; y de nuevo, cuando de-
fine la perspectiva del pintor como «una suerte de geometría visual».
Leonardo sigue rigurosamente las teorías y los principios de Alberti:
«Las ciencias carecen de certeza hasta que se les aplica una de las ciencias matemáticas». Y para citar de nuevo a Leonardo: «La pintura debe
fundamentarse en una teoría sólida, y para ello la perspectiva es la guía
y la puerta». Jacob Burckhardt retrató a Alberti en *La cultura del Renacimiento en Italia* como un genio verdaderamente universal y consideró
que Leonardo da Vinci remató lo que Alberti había empezado.

El uso que hizo Leonardo de la perspectiva para crear cuadros y
estructuras arquitectónicas sublimes y para ilustrar sus diseños mecánicos es su legado a la humanidad.

Los logros intelectuales de Alberti fueron verdaderamente increíbles. Como explica con suma claridad Grayson, historiador del arte
medieval italiano, introdujo el concepto del plano pictórico como
ventana desde la cual el observador puede ver la escena que está más
allá y, por ende, puso los cimientos de la perspectiva lineal. Posteriormente, Alberti codificó la geometría básica para que la perspectiva lineal fuera coherente desde el punto de vista matemático.

Escribió un tratado de arquitectura de diez volúmenes que abarcaba todos los aspectos de la arquitectura renacentista: planificación urbanística, diseño de edificios, tratamiento del agua potable y de las aguas residuales, espacios públicos y métodos de construcción. *De re aedificatoria* («Sobre el arte de construir») se convirtió en un libro de referencia obligada que divulgó por toda Italia las técnicas de construcción del Renacimiento.

Asimismo, dibujó las estrellas del techo del baptisterio de San Lorenzo en la posición que ocupaban el 6 de julio de 1439, probablemente ayudado por su amigo Toscanelli. Colaboró con él y con Regiomontano para ayudar a este último a determinar la declinación del sol, la oblicuidad de la elíptica y el cambio en la oblicuidad. Elaboró el primer tratado europeo de criptografía, *De componendis cifris*.

¿Podía verdaderamente un hombre abarcar un abanico tan amplio de materias, desde el invento de sustitutos polialfabéticos y de un código de criptografía hasta nuevos modelos matemáticos para tratar la perspectiva?

Alberti fue notablemente reacio a reconocer en otros la fuente de su inspiración, al igual que Regiomontano, Toscanelli, Di Giorgio y Taccola. En este sentido, me resultaba particularmente interesante llegar a descubrir un vínculo entre Alberti y la visita de la delegación de Zheng He a Florencia en el año 1434, pues es de suponer que Alberti asistió a aquellos encuentros en calidad de notario del papa Eugenio IV. Es más, los escritos de Alberti anteriores a 1434 versaban sobre temas internos, y la proliferación de obras astronómicas, matemáticas y cartográficas vino con posterioridad a 1434.

Empecé a investigar estudiando la obra de Alberti sobre criptografía, concretamente sobre criptografía china de principios del siglo XV. Probablemente Zheng He enviaría informes cifrados al emperador y a sus almirantes y capitanes, pero no encontré obras traducidas que arrojasen luz sobre este aspecto.

Entonces, mientras estudiaba la vida y obra de Regiomontano, que acabo de exponer en el capítulo anterior, descubrí el hecho curioso de que este dominaba el teorema chino del resto, que solo conocían los chinos en aquella época. La fuente de este conocimiento (que yo sepa, la única fuente) era el *Shu-shu Chiu-chang* de Ch'in

Chiu-shao, publicada en 1247, que contiene una explicación pormenorizada de la regla ta-yen.

El *Shu-shu Chiu-chang* es un libro extensísimo, el equivalente chino a la obra de Alberti *De re aedificatoria*, pero publicado dos siglos antes. Preso de una excitación febril, me precipité a la Biblioteca Británica y leí la descripción que hace Needham de esta obra... una bomba; entendí que la génesis de la obra de Alberti en torno a la perspectiva contenida en *Ludi matematici* se hallaba en el libro chino. Para mí está claro que tanto Alberti como Regiomontano pudieron tener acceso a este libro, que no solo contenía normas de la perspectiva y el teorema chino del resto (para el análisis criptográfico), sino todos los aspectos de la planificación urbanística. En nuestra web de *1434* figuran fotografías del *Ludi matematici* de Alberti colocadas junto a las del libro de Ch'in Chiu-shao, en las que se describen maneras de medir la altura, la profundidad, la distancia y el peso, con medios matemáticos y geométricos.

Empecemos con las etapas básicas del trabajo de Alberti sobre el tema de la perspectiva, materia prima de sus obras *De statua* y *De pictura*.

En una primera etapa, Alberti dibuja un gran rectángulo como un marco de ventana, a través del cual puede ver el tema que desea pintar o crear. En un segundo momento, elige el cuerpo humano más grande que desea pintar visto a través del marco del cuadro. Divide la altura de esta persona en tres partes iguales, que constituyen la unidad básica de medida, denominada *braccia*. En un tercer momento, fija el punto central del marco del cuadro, que no debe estar por encima de tres *braccia* sobre el suelo. En una cuarta fase, divide la línea de base en *braccia*. En quinto lugar, dibuja líneas rectas desde este punto central a cada uno de los *braccia* de la línea de base. Le ruego que visite nuestra web para ver las ilustraciones de todos los pasos.

Ahora, comparemos hasta dónde llegó Alberti con el método chino ilustrado en el *Shu-shu Chiu-chang*.

La primera comparación queda plasmada en el método para calcular la altura de una torre (como explica Alberti en *Ludi matematici*, alrededor de 1450):

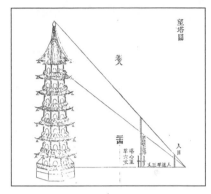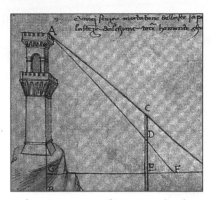

Los ingenieros chinos, y posteriormente los sieneses, utilizaron métodos muy parecidos para construir torres y medir su altura.

Clave una flecha o una vara en el suelo (c–d) de modo que forme una perpendicular recta a lo largo de la cual se puedan tomar observaciones de la torre (a–b). Marque la vara con cera en los lugares donde la línea de visión hasta lo alto de la torre se cruce con ella (f). El triángulo formado por la flecha, el suelo y el ojo es la contraparte geométrica del que forman la torre, el suelo y el ojo (abc), por lo que puede utilizarse para averiguar la altura de la torre (ab). Ab dividido por bc es igual a fc dividido por ce.

Así es como Alberti «descubrió» las reglas de la proyección, que desde entonces han constituido la base de la perspectiva para los escultores y los pintores.

No obstante, Alberti no había hecho un descubrimiento original. La misma explicación ofreció Liu Hui en el siglo III, y quedó plasmada en el *Shu-shu Chiu-chang*. En dicho libro, a los cálculos se les llama «el método de las diferencias dobles», es decir, las propiedades de los triángulos rectángulos. Aparecen dibujos que ilustran los métodos para calcular la altura de las islas vistas desde el mar, la altura de un árbol en lo alto de una colina, el tamaño de una ciudad fortificada lejana, la profundidad de un barranco, la altura de una torre, la anchura de la desembocadura de un río o la profundidad de un estanque transparente. Esta trigonometría fue inventada por Euclides, y tanto podría ser que Alberti hubiese sacado sus ideas de él como de los chinos; nunca dio razón de sus fuentes.

No obstante, los vínculos entre las fuentes chinas y Alberti van mucho más allá de la trigonometría. Alberti utilizó los mismos instrumentos que Toscanelli y empleó matemáticas parecidas. El método de la perspectiva de Alberti era brillante. Se dio cuenta de que la perspectiva estaba determinada no solo por el tamaño del objeto observado y la distancia desde el observador, sino también por la altura del observador en relación con el objeto observado y el ángulo desde el cual el observador miraba el objeto. En resumen, cada persona de una multitud, si la multitud es observada en profundidad, necesitaría una regla distinta de perspectiva.

A estas alturas empezaba a sentirme incómodo por la cantidad de conocimientos que al parecer los matemáticos florentinos habían copiado a los chinos: Taccola, Francesco di Giorgio y Alberti habían extraído información del *Shu-shu Chiu-chang* en materia de matemáticas, topografía, perspectiva cartográfica y criptografía; Regiomontano, de la obra de Guo Shoujing sobre trigonometría esférica, y Toscanelli y Nicolás de Cusa, de la obra de astronomía de Guo Shoujing. Podía explicarme que uno o dos de estos manuales chinos hubiesen ido a parar a manos de venecianos y florentinos; pero ¿tal cantidad y en campos tan diferentes? Parecía una coincidencia demasiado grande, ¡demasiado bonita para ser cierta! Por otro lado, estaba la prueba de Toscanelli sobre la transferencia de conocimientos que era incuestionable, como plasman los mapas, que no mienten.

A esas alturas de la investigación, me pareció que merecía la pena ir a ver los libros originales a China, no limitarme a los escritos de Needham. ¿Podrían estos haber sido extraídos de contexto de algún modo? Tal vez hubiese también muchos inventos chinos que nunca habían sido copiados por los europeos. Tal vez solo se tratara de una enorme coincidencia. Ian Hudson, que ha estado al frente de nuestro equipo de investigación y de la web durante cinco años, se ofreció para ir a las bibliotecas de la China continental y de Hong Kong y estudiar los libros originales que yo creía que los europeos habían copiado.

Comprobó que no había, en la medida en que lo pudimos comprobar, ninguna anomalía. En primer lugar, parecía claro que todo lo que Taccola, Di Giorgio, Regiomontano, Alberti y Leonardo da Vinci habían «inventado» ya figuraba en los libros chinos, concretamente las tablas de efemérides, los mapas, los tratados matemáticos y la producción de máquinas civiles y militares. ¿Cómo se llevó a cabo la transferencia? Pasé muchas noches de insomnio y preocupación hasta que se me encendió la luz: todos aquellos libros habían sido reproducidos en parte en la *Yongle Dadian*, que Zheng He debió de llevar en sus barcos. Sin duda, los representantes de Zheng He habrían hablado de la *Yongle Dadian* al Papa y a Toscanelli, como prueba el comentario de Toscanelli de que China estaba gobernada por «astrónomos y matemáticos de gran sabiduría».

Alberti aplicó sus habilidades matemáticas también a la topografía, y muchos lo mencionan como el padre de la topografía moderna. Una vez más, rompe por completo con el pasado. Su mapa de Roma no guarda apenas relación con el sistema de cartografiado de Ptolomeo. Rechaza las coordenadas rectangulares de Ptolomeo y utiliza el astrolabio para calcular las posiciones relativas de puntos en el suelo, del mismo modo que lo haría un navegante (hace observaciones desde más de un punto panorámico). En palabras de Joan Gadol, «primero expuso estas ideas en *Descriptio urbis Romae*, el breve tratado en latín escrito en la década de 1440». Gadol opina que las obras *Descriptio urbis Romae* y *Ludi matematici* fueron de las primeras en topografiar áreas de terreno mediante observaciones y en cartografiarlas mediante pinturas a escala. Y cree que Regiomontano, Schöner y Waldseemüller siguieron los pasos de Alberti.

El mapa de Pisa y de la desembocadura del Arno realizado por Leonardo se considera el primer mapa moderno que muestra las cotas del terreno mediante diferentes tonalidades de color. Leonardo siguió los pasos de Alberti en los principios que utilizó en topografía, así como en las reglas de perspectiva.

15

LEONARDO DA VINCI Y LOS INVENTOS CHINOS

Cuando yo era joven, Leonardo da Vinci nos parecía el genio más grande de todos los tiempos. Un inventor extraordinario de toda suerte de máquinas, un escultor magnífico, uno de los mejores pintores del mundo y el ilustrador y dibujante más exquisito que jamás hubiera existido. Cuando nuestras hijas eran pequeñas, Marcella y yo nos propusimos llevarlas a todas las exposiciones suyas que pudiésemos: en Londres, París, Roma, Milán, Le Clos Lucé y Amboise.

Luego, a medida que se fue ampliando lentamente mi conocimiento de los inventos chinos, en especial gracias a la información que nos proporcionaban los amigos de nuestra web, empecé a cuestionar algunas cosas. Los artilugios de Leonardo parecían haber sido inventados antes por los chinos. Empecé a preguntarme si tal vez había una conexión entre ellos; ¿aprendió Leonardo algo de los chinos? El equipo de *1421* y yo estudiamos el tema durante años, pero no llegamos a ninguna conclusión.

Leonardo dibujó todos los componentes esenciales de las máquinas con una claridad extraordinaria que mostraba cómo se empleaban las ruedas dentadas, las acanaladas y los piñones en los molinos, en las grúas y en toda clase de máquinas. Describió cómo y por qué los dientes podían transferir la energía, la eficacia de los dientes de antifricción, la transmisión de energía de un plano a otro y el movimiento giratorio continuo. Dibujó y describió trinquetes, pernos, ejes, levas y árboles de levas. Para las poleas, que eran una parte integrante de sus mecanismos, ideó diferentes sistemas y aplicaciones.

 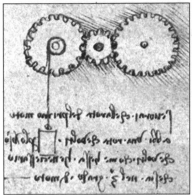

Izquierda: Ejemplos de los primeros engranajes de ruedas en China, que han sido fechados alrededor del año 50 a. C. *Derecha*: Engranaje de rueda dentada dibujado por Leonardo en los Códices de Madrid.

Todos estos artilugios llevaban muchos años utilizándose en China. En el *Tso Chuan* figuran ilustraciones de trinquetes de bronce y de engranajes de ruedas que se remontan a épocas muy remotas (200 a. C.) y que han sido descubiertos en China.

En las tumbas reales de Hui Hsien se han encontrado ejes de los siglos III y IV a. C. Hacia el siglo II a. C., durante la dinastía Han, se utilizaban formas complejas de palancas en forma de levas para el disparador de las ballestas. En el *Hsun I Hsiang Fa Yao*, escrito alrededor del año 1090 d. C., aparece una cadena de transmisión. Hacia el siglo XI se utilizaban en China volantes para afilar. La prueba arqueológica más antigua de una polea se ha hallado en un pozo con un sistema de poleas de la dinastía Han.

Uno de los inventos más conocidos de Leonardo fue el barco de rueda de palas. El mecanismo de la rueda de palas fue decisivo para la supremacía naval de China en los primeros tiempos. La visión de un barco avanzando a gran velocidad, aparentemente sin remos ni velas, era aterradora para aquellos que encontraba a su paso. El primer testimonio de la existencia de barcos de este tipo aparece en el relato chino de una acción naval al mando de Wang Chen-o, un almirante de la dinastía Liu Song en el año 418 d. C.[1] «Más adelante, estos barcos alcanzaron proporciones enormes; se decía que uno de es-

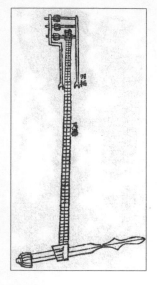

Izquierda: El dibujo más antiguo que se conoce de una cadena de transmisión infinita figura en el *Hsun I Hsiang Fa Yao,* de Su Sung, dibujado en 1090.

Debajo: Dibujo de Leonardo de una cadena de transmisión (Códices de Madrid).

tos monstruos de la dinastía Song del Sur había alcanzado los noventa metros de eslora. Su tripulación constaba de mil hombres y estaba propulsado por treinta y dos ruedas de palas.»[2]

Leonardo es muy conocido por sus dibujos de diferentes formas de aparatos voladores tripulados por seres humanos, en particular su helicóptero y sus paracaídas, y por sus intentos de diseñar alas. En los tiempos de Leonardo, ya hacía cientos de años que se empleaban las cometas.

China es la cuna de las cometas ... el aparato más antiguo más pesado que el aire que gana altura gracias al viento. Se cree que la cometa fue inventada hace unos tres mil años por Lu Ban (alrededor de 507-444 a. C.), un maestro carpintero chino del estado de Lu en el período Primaveras y Otoños. Se contaba que Lu Ban fabricó una urraca de piezas de bambú que podía volar. El maestro carpintero fue también el primero en utilizar la cometa para reconocimientos militares.[3]

Izquierda: Dibujo de un barco de guerra propulsado por ruedas de palas de la dinastía Sung. *Derecha*: Leonardo plasmó su propia versión del barco de palas, al igual que otros ingenieros del Renacimiento.

Quinientos años antes de la existencia de Leonardo, en China se utilizaban paracaídas.

De acuerdo con las crónicas históricas de Sima Qian, de la dinastía Han Occidental, Shun, un monarca legendario de la antigua China, era muy odiado por su padre, un anciano ciego. Un día que Shun trabajaba en el tejado de un elevado granero, su padre le prendió fuego desde abajo, con la intención de acabar con su vida. Con la ayuda de dos sombreros cónicos de bambú que asió con cada mano, Shun descendió por los aires y aterrizó sano y salvo. Este libro describe también cómo, en época más reciente (en 1214), un ladrón logró robar la pierna de una estatua situada en lo alto de una mezquita. Cuando lo capturaron, reconoció que había utilizado dos paraguas a modo de paracaídas para no lastimarse en el descenso.[4]

Los globos de aire caliente se conocían en China desde el siglo II. Se vaciaba el contenido de un huevo y luego se prendía fuego a un

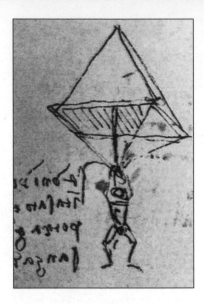

El paracaídas es un pequeño detalle de un folio de la colección más extensa de los cuadernos de Leonardo da Vinci, el Codex Atlanticus.

poco de yesca de artemisa dentro del agujero para que provocase una fuerte corriente de aire. El huevo se elevaba y salía volando.[5]

Los chinos habían estado aplicando el principio fundamental del rotor del helicóptero desde el siglo IV d. C., detalle que señala el filósofo y alquimista Ko Hung. En aquella época, los juguetes de hélices, como los molinetes o tiovivos, eran muy populares en China, y se los conocía vulgarmente con el nombre de «libélulas de bambú». El juguete consistía en una caña de bambú con una cuerda enrollada alrededor y con unas paletas acopladas a la caña formando un ángulo. Cuando se tiraba de la cuerda, la caña de bambú y las paletas giraban y el juguete ascendía al empujar el aire hacia abajo. Needham describe varios ejemplos de palas giratorias que se utilizaban para volar, a menudo en forma de coches voladores.[6]

Leonardo dedicó mucho tiempo a las posibilidades de volar del ser humano. La descripción china más antigua de esta ocurrencia aparece en los relatos de la breve y sombría dinastía Qi del Sur (siglo IX a. C.), cuando el emperador Kao Yang «mandó atar a los brazos de muchos prisioneros condenados a muerte unas es-

Versión pictórica del coche propulsado por aire, del *Shan Hai Ching Kuang Chu*. «La destreza del pueblo Chi-Kung es verdaderamente maravillosa; tras estudiar los vientos han diseñado y construido ruedas voladoras, con las que pueden recorrer las trayectorias de los torbellinos.» «Aquí el artista ha dibujado el coche aéreo con dos ruedas, pero parece que quiera representar rotores de hélice.» (Texto del siglo II a. C., o anterior, y comentario del siglo XVII.)

terillas de bambú a modo de alas y les ordenó que volaran desde lo alto de una torre ... Todos los prisioneros hallaron así la muerte, pero el emperador contempló el espectáculo riendo y con gran regocijo».[7] De Marco Polo tenemos una descripción posterior, en el manuscrito Z.

Y así os explicaremos cómo verifican si las cosas le irán bien o mal a un barco que esté a punto de zarpar. La tripulación tendrá un haz o una parrilla de ramas de sauce y en cada esquina y lateral de este armazón se anudará una cuerda y todos se atarán al extremo de una soga larga. A continuación buscarán un tonto o un borracho y lo atarán al armazón, pues nadie en su sano juicio o en sus cabales se arriesgaría a correr este peligro. Y esto se hace en un día de viento intenso. Entonces colocan el armazón de cara al viento, que lo levanta y lo hace ascender en el aire, mientras los hombres tensan la soga larga. Y si, mientras está suspendido en el aire, el armazón se

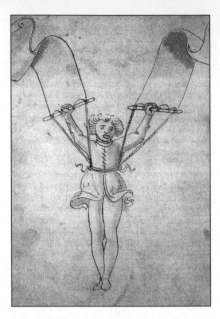

La idea del hombre que vuela utilizando alas estaba presente
en las leyendas chinas cientos de años antes de que se realizase
este dibujo de un sienés volando, del siglo xv.

inclina en la dirección del viento, tiran de la soga un poco, para volver a enderezarlo, tras lo cual sueltan otro poco y así se eleva un poco
más. Y si de nuevo se inclina, vuelven a recoger la soga hasta que el armazón se endereza y sigue ascendiendo, y entonces sueltan cuerda,
para que de este modo se eleve tanto que, si la cuerda fuera lo suficientemente larga, el armazón se perdería de vista. Y el augurio se inter-
preta de la siguiente manera: si el armazón que se eleva consigue llegar
hasta el cielo, dicen que el barco sometido a prueba tendrá un viaje rá-
pido y próspero ... Pero si la parrilla no ha logrado ascender, no habrá
mercader que desee embarcarse en dicha nave.[8]

Leonardo dibujó una serie de armas de pólvora, entre ellas tres
tipos de ametralladora, que pueden verse en las lanzas de fuego que
se utilizaban en China desde el año 950.

En *El genio de China* se afirma:

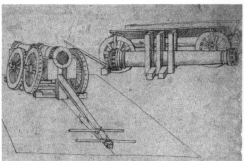

Izquierda: Una de las muchas armas que los chinos dominaron antes que los europeos fue el cañón.

Derecha: El cañón desmontable aparece en el cuaderno de Da Vinci y en los de muchos otros ingenieros del Renacimiento.

En muchas ocasiones se utilizaban lanzas de fuego con varios cañones. Estaban construidas de tal forma que, cuando un tubo se agotaba, el siguiente se encendía gracias a una mecha, y así sucesivamente. Existía un tipo de lanza de fuego de tres cañones llamada «defensora triple» y otra denominada «lanza de los tres ojos del comienzo de la dinastía» ... Otra arma curiosa era el «látigo de fuego de trueno», una lanza de fuego en forma de espada de 95 centímetros de longitud que se estrechaba en el extremo formando una boca. Disparaba tres bolas de plomo del tamaño de una moneda ... También había enormes baterías de lanzas de fuego que podían ser disparadas simultáneamente desde soportes móviles ... En un gran armazón, dotado de varias ruedas, se colocaban varios depósitos de dieciséis lanzas de fuego que se disparaban una tras otra ... Cuando el enemigo se aproxima a la puerta, todas las armas se disparan a la vez, produciendo un ruido como el del trueno, y sus hombres y caballos estallan en pedazos. A continuación se puede abrir la puerta de la ciudad y ponerse a hablar y reír como si nada hubiese ocurrido; es el mejor artefacto para la defensa de las ciudades.[9]

205

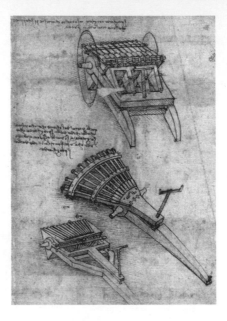

La ametralladora de varios cañones de Leonardo era en esencia
la reformulación de un concepto utilizado por los chinos siglos antes.

Leonardo dibujó también distintos tipos de cañones, morteros y
bombardas. El uso de bombardas por parte de los chinos está documentado a lo largo de las épocas.[10]

Leonardo diseñó muchos tipos de puentes, incluidos los colgantes.
La primera mención de un puente colgante con cables y tablas aparece
en el año 25 a. C. «Aquí los caminantes tienen que avanzar paso a paso
y se agarran fuertemente unos a otros por seguridad, y de un lado al
otro del abismo se extienden los puentes colgantes de cuerda.»[11]

Hacia el siglo VII, China tenía arcos de dovelas. El Ponte Vecchio de Florencia es una copia de un puente de Quanzhou de este
tipo.

Leonardo sentía mucha curiosidad por el arte de la impresión.
Le interesaba mucho reproducir fielmente sus dibujos, así como
ahorrar tiempo y mano de obra aumentando la automatización. En su
época la imprenta se utilizaba en todo el territorio chino. Los tipos
móviles, sin embargo, eran una novedad relativamente reciente; volveremos a este tema más adelante.

La comparación de las máquinas de Leonardo con máquinas chinas de épocas anteriores revela enormes parecidos en los engranajes y las ruedas dentadas, los trinquetes, pernos y ejes, las levas y las palancas oscilantes en forma de leva, los volantes, los sistemas de cigüeñales, los grilletes con bolas, las ruedas de radios, las poleas de los pozos, las cadenas de eslabones, los puentes colgantes, los arcos de dovelas, los planos acotados, los paracaídas, los globos de aire caliente, los «helicópteros», las ametralladoras con varios cañones, los cañones desmontables, los tanques, las catapultas, los cañones de cortina y las bombardas, los barcos de ruedas de palas, los puentes giratorios, las imprentas, los cuentakilómetros, las brújulas y compases, los canales y las esclusas.

Hasta el admirador más incondicional de Leonardo (¡como mi familia y yo!) debería preguntarse si el asombroso parecido de sus obras con la ingeniería china era fruto de la coincidencia.

¿Existió alguna relación entre la visita china de 1434 y los diseños de Leonardo realizados sesenta años después? Durante muchos años he buscado pistas de la respuesta a esta pregunta en la vida de Leonardo, pero no he encontrado ninguna. Era un hombre extraor-

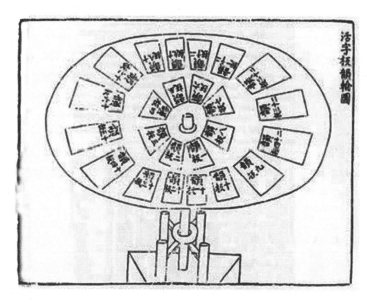

Imprenta sobre una mesa giratoria que aparece en el *Nung Shu*, 1313.
El *Nung Shu* fue impreso utilizando un aparato similar.

dinariamente observador e inquisitivo, y sin duda estaba fascinado por el arte, la arquitectura, la literatura y la ciencia de los griegos y los romanos, incluidas las obras de Aristóteles y de Ptolomeo. Se cuenta que dormía con copias de las obras de Vitruvio debajo de la almohada. Pero los ejemplos de ilustraciones de griegos y romanos no explican ni una cuarta parte de los artilugios de ingeniería que aparecen en la web de *1434*.

Es más, fuera Leonardo consciente o no de ello, estaba rodeado de pruebas de la repercusión de la civilización china en el Renacimiento, plasmada en los libros de Alberti sobre la perspectiva en la pintura y en la arquitectura. La base de la obra de Alberti fueron las matemáticas que había aprendido gracias a la explicación que habían descubierto los chinos del sistema solar. La sustitución del sistema de coordenadas eclípticas utilizado por los árabes, los griegos y los romanos por el sistema de coordenadas ecuatoriales empleado por los chinos fue una ruptura fundamental con el viejo mundo, que echó por tierra la autoridad de Aristóteles y Ptolomeo en esta materia.

No obstante, estamos muy lejos de afirmar que Leonardo copió los inventos chinos. De una cosa podemos estar seguros: Leonardo no tuvo contacto con ninguna persona perteneciente a las flotas de Zheng He cuando estas visitaron Florencia en 1434. Así que, al parecer, las similitudes que hemos señalado más arriba se debían a una serie de casualidades extraordinarias. Todo llevaba a pensar que los años de investigación invertidos por el equipo de *1421* habían sido en vano.

16

LEONARDO, DI GIORGIO, TACCOLA Y ALBERTI

E
ntonces tuve un golpe de suerte. Estando de vacaciones en Toledo en 2005, Marcella y yo coincidimos con una maravillosa
exposición sobre Leonardo da Vinci. Fue allí donde tuve noticia
por primera vez de la existencia de las grandes obras de Francesco di
Giorgio Martini y de la honda influencia que ejerció sobre Leonardo.

En mi ignorancia, jamás había oído hablar de Francesco di Giorgio. Y, sin embargo, era obvio que había sido importante; había enseñado a Leonardo lo que sabía sobre canales navegables. Decidí que
averiguaría más cosas cuando regresásemos a Londres.

En la magnífica Biblioteca Británica lo primero que encontré
fue que, al parecer, Francesco había inventado el paracaídas antes
que Leonardo. Agradezco a Lynn White, Jr., autor de «El invento
del paracaídas», publicado en *Technology and Culture*, el permiso para
insertar la información siguiente:

> El primer paracaídas europeo que se conoce había sido dibujado
> por Leonardo en el Codex Atlanticus, folio 381v, que Carlo Pedretti
> fecha alrededor de 1485 ... No obstante, en el Manuscrito Adicional
> 34113, folio 200v, del Museo Británico aparece un paracaídas que
> puede pertenecer a una tradición independiente, puesto que es de for-
> ma cónica.
>
> Este prolífico y grueso volumen [el de la Biblioteca Británica] pare-
> ce haber pasado desapercibido a muchos historiadores de la tecnología.
> ¿Podría ubicarse en el tiempo y en el espacio?
>
> El Manuscrito [34113], un volumen de 261 folios de papel, fue ad-

quirido por el Museo Británico en 1891 ... Los folios 21r a 250v [son] un tratado de mecánica, hidráulica, etc., y contienen innumerables dibujos ...

Los folios 22r a 53v son casi idénticos en contenido y secuencia al Manuscrito Palatino 766 de la Biblioteca Nacional de Florencia, un documento autógrafo del famoso ingeniero sienés Mariano, llamado el Taccola (fallecido en la década de 1450), quien había puesto la fecha (en el folio 45v) de 19 de enero de 1433. Casi todo el resto de la información del Manuscrito 34113 del Museo Británico hasta el folio 250v [los dibujos del paracaídas figuran en los folios 200v y 189v] es el tipo de material que hemos venido relacionando con los manuscritos atribuidos hace tiempo a Francesco di Giorgio de Siena (1439-1501). En efecto, el folio 129r [anterior a los dibujos de los paracaídas] se titula «Della providentia della chuerra sicondo Maestro Francesco da Siena», y en el folio 194v [posterior a los dibujos de los paracaídas], junto a un dibujo de una gran lima, se lee: «Lima sorda sichondo il detto Maestro Francesco di Giorgio da Siena».[1]

El doctor White analizó las marcas de agua del papel en que están dibujados los paracaídas. Tras lo cual concluyó:

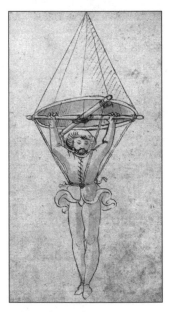

La forma de este paracaídas, dibujado probablemente por Di Giorgio, es diferente al de Leonardo.

Por lo tanto, el dibujo del folio 200v [el paracaídas] puede situarse razonablemente entre 1470 y 1480 o no mucho más tarde, si nos fiamos de las marcas de agua ...

Este nuevo paracaídas es en consecuencia, como mucho, coetáneo al de Leonardo o ligeramente anterior a él ... es una señal de la receptividad de Leonardo, que tomó al vuelo esta idea y empezó rápidamente a sofisticarla.

Así pues, parece que Leonardo aprendió de Francesco di Giorgio no solo lo que sabía sobre canales y acueductos, sino también en materia de paracaídas. ¿Qué más? ¡Volvamos a la Biblioteca Británica!

El doctor Ladislao Reti, experto en Leonardo, dice lo siguiente acerca de la obra de Francesco di Giorgio Martini «Tratado de ingeniería y sus plagiarios»:

A Francesco di Giorgio Martini (1439-1501), el gran pintor, escultor y arquitecto sienés, le interesaba también, como les ocurría a otros tantos artistas de su época, el estudio y desarrollo de aparatos mecánicos. Ello respondía a la tradición vitruviana, todavía en boga. Su tratado de ingeniería, aún poco conocido, está dedicado principalmente a la arquitectura civil y militar, y contiene cientos de ilustraciones de reducido tamaño pero perfectamente dibujadas, de máquinas de guerra de todo tipo, así como de grúas, molinos, bombas de agua, etc. ... Si bien se han publicado una serie de estudios sobre la obra artística y arquitectónica de Francesco di Giorgio, sus trabajos de tipo tecnológico solo han sido mencionados ocasionalmente.[2]

A continuación el doctor Reti ofrece una lista de las bibliotecas y museos que tienen el *Trattato di architettura civile e militare* y prosigue:[3]

Existe también un manuscrito incompleto que perteneció a Leonardo da Vinci. Este último es especialmente interesante porque Leonardo añadió notas y dibujos al margen; el manuscrito se halla actualmente en la Biblioteca Laurenziana de Florencia (Codex Mediceo Laurenziano 361, antes Ashb.361 [293]). Además, existen varias copias antiguas del tratado o de sus dibujos en otras bibliotecas italianas, lo que refleja el interés temprano que suscitó la obra de Francesco.

Los manuscritos del *Trattato*, especialmente los que tratan de ingeniería mecánica y tecnología, nunca han sido estudiados como se merecen ni publicados en su totalidad. La primera vez que la comunidad académica tuvo una idea bastante precisa de la obra de Francesco di Giorgio fue en 1841, cuando Carlo Promis, utilizando el códice propiedad de Saluzzo, publicó por primera vez el *Trattato* (*Trattato di architettura civile e militare*, editado por Carlo Promis, 2 vols., Turín, 1841) ...

El hecho de que el Codex Saluzziano [mencionado más arriba] y el Codex Laurenziano [propiedad de Leonardo da Vinci], a pesar de estar escritos por la misma persona y contener dibujos casi idénticos, durante mucho tiempo no se atribuyeran al mismo autor [Francesco di Giorgio] añadió confusión al tema. El Codex Laurenziano suscitó el interés de los estudiosos por las notas al margen que había añadido Leonardo [p. 288].

Tras lo cual, el doctor Reti enumera el contenido del *Trattato* (p. 290):

En estos folios podemos identificar por lo menos cincuenta tipos de harina diferentes y de molinos de rodillo, entre los que se incluyen los molinos horizontales ... aserraderos, martinetes, máquinas transportadoras de grandes pesos, así como todo tipo de tornos y grúas; cojinetes de rodillo y aparatos antifricción; vehículos mecánicos ... un gran número de bombas y dispositivos para extraer agua ... y una máquina sumamente interesante para extraer agua o barro que debería definirse como el prototipo de la bomba centrífuga ... [Francesco] describió originales máquinas de guerra ofensivas y defensivas, y el sistema de retroceso hidráulico para las escopetas. Figuran también aparatos de submarinismo y de natación casi idénticos a los dibujados por Leonardo da Vinci en su Manuscrito B.

En nuestra web de *1434* figura la comparación entre las máquinas de Francesco di Giorgio y las de Leonardo.

EL HELICÓPTERO Y LOS PARACAÍDAS DE LEONARDO

Leonardo no solo copió el paracaídas de Di Giorgio, sino que su helicóptero tampoco era original. En «Helicópteros y molinetes», el doctor Reti argumenta que alrededor de 1440 apareció en Italia una maqueta de helicóptero que era en realidad un tiovivo de juguete, procedente de China, que aportó la base teórica para el famoso proyecto de helicóptero de Leonardo.[4]

El doctor Reti defiende que fue dibujado por primera vez en 1438 en el manuscrito de Munich de Mariano Taccola (véase la web de *1434*).

Está claro que Francesco di Giorgio fue un diseñador e ingeniero asombrosamente innovador. Siguen existiendo varias versiones de su *Trattato di architettura*. Marcella y yo estudiamos el ejemplar que se conserva en Florencia, anotado por Leonardo, a quien perteneció. Nos quedamos pasmados ante la enorme variedad de dibujos que realizó; nos pareció que Leonardo era un consumado dibujante de imágenes tridimensionales que había tomado los dibujos de máquinas de Francesco y los había mejorado todavía más. Cambió nuestra percepción del papel de Leonardo; fue, más que un inventor, un magnífico ilustrador. Porque, por lo que podíamos ver, casi todas sus máquinas habían sido inventadas por Francesco di Giorgio.

Aquello nos conmocionó. Decidimos ir a relajarnos a un pueblo de montaña cercano, Colle val d'Elsa,[5] localidad de nacimiento de Arnolfo di Cambio, el genio que diseñó la Florencia renacentista. Su casa había sido en otro tiempo el palacio de la familia Salvestrini, comerciantes de seda. En la actualidad se ha convertido en un hotel, en el que tuvimos la suerte de alojarnos en una habitación con paredes de casi un metro de grosor, que en su día había sido el dormitorio de Arnolfo. La vista era el paisaje típico del valle toscano: colinas que se extienden como un océano de olas verdes, las crestas de las olas y las granjas de piedra rodeadas de viñedos y olivares. El canto de los gallos, el rebuzno de un asno y las risas lejanas de niños que no veíamos flotaban en aquella tierra bañada de luz. Gozábamos de una vista panorámica hasta más allá del valle. A nuestro alrededor, se agazapaba el pueblo en el que Arnolfo se había criado; un sinfín de torres fortificadas protegidas por sólidas murallas de piedra, una auténtica fortaleza.

Cenamos al aire libre en la plaza, donde los muros y el suelo enlosado todavía desprendían el calor del día. Tras una espléndida botella de Dolcetto, un vino rojo oscuro, seco y con algo de aguja, preguntamos a la gente del lugar qué sabían de Francesco di Giorgio. Era tan conocido como Leonardo o Mariano Taccola. Aquello nos sorprendió. ¿Quién era Mariano Taccola, conocido como el Cuervo o la Grajilla? ¿Lo llamaban así por su pico o porque «robaba» el trabajo de otros?

Al amanecer nos dirigimos hacia Siena y Florencia para ver los dibujos de Taccola. El viaje hizo explotar una segunda bomba: todo indicaba que Taccola había inventado todo lo que Francesco Di Giorgio había dibujado posteriormente; era evidente que Di Giorgio había copiado a Taccola.

Mariano di Jacopo, llamado Taccola, fue bautizado en Siena, cerca de Florencia, el 4 de febrero de 1382.[6] Su padre comerciaba con vinos, y su hermana Francesca había contraído matrimonio con el hijo de una acomodada familia de comerciantes de sedas.

Siena[7] había sido construida en lo alto de una colina por razones de seguridad. Las tierras que la rodeaban eran pantanosas. La obtención de agua limpia y la desecación de las ciénagas eran una necesidad constante. De ahí que fuera natural que un joven culto como él tuviera conocimientos en materia de acueductos, fuentes, conducciones de agua y bombas, así como acerca del despliegue de armas medievales destinadas a proteger la ciudad: fundíbulos y cosas por el estilo.

Siena, una ciudad amenazada por Roma por el sur y por Florencia por el norte, era una «ciudad libre» del Sacro Imperio Romano, pero Segismundo, el emperador,[8] era demasiado débil para protegerla. (En la época de Taccola, el emperador estaba preocupado por la guerra con los husitas.)

En 1408 Taccola contrajo matrimonio con Madonna Nanna, hija de un comerciante de pieles, lo que le permitió ascender en la escala social. En 1410 fue designado para acceder al Gremio Sienés de Jueces y Notarios, donde su aprendizaje duró seis o siete años. Parece que tenía facilidad para suspender los exámenes. En 1424 fue secretario de una prestigiosa institución benéfica, la Casa di Misericordia, cargo que ocupó durante diez años. Durante este tiempo, debió de tener relación con los visitantes importantes de la ciudad,

como el papa Eugenio IV, Leon Battista Alberti (1443) y los florentinos Brunelleschi y Toscanelli.

En 1427 empezó a recopilar en cuadernos los conocimientos
técnicos que había adquirido «con gran esfuerzo». Como explican
Prager y Scaglia, las primeras anotaciones de Taccola en este cuaderno giran en torno a la defensa de Siena y al funcionamiento de los
puertos.[9]

Entre 1430 y su muerte en 1454, Taccola realizó una serie de dibujos asombrosos que se publicaron en dos volúmenes, *De ingeneis*[10]
(cuatro libros) y *De machinis*,[11] y en un anexo. El abanico de temas
que abarca es extraordinario. El Libro 1 de *De ingeneis* contiene puertos, norias de cangilones, artilleros montados, fuelles para hornos, es-
cafandras de submarinismo, máquinas de enfurtido y sifones. En el
Libro 2 aparecen cisternas, bombas de pistón, máquinas anfibias con
soldados y desmotadoras accionadas por bueyes. En el Libro 3 aparecen norias de cangilones, molinos de marea, montacargas con velocidad regulable, cabrestantes, máquinas excavadoras, máquinas de
flotación para recuperar columnas hundidas, grúas de construcción,
escaleras mecánicas, carros propulsados por velas y vehículos anfibios.
El Libro 4 trata de topografía trigonométrica, construcción de túne-
les, máquinas para extraer estacas, herramientas para la búsqueda de
tesoros y molinos de viento y de agua, y aparecen además dibujos
de monos, camellos y elefantes, fundíbulos, barcos acorazados, barcos de palas, vigas y espejos reflectantes. A *De ingeneis* lo siguió *De
machinis* (alrededor de 1438), un volumen casi en su totalidad dedicado a dibujos de máquinas militares (descrito en el capítulo 19).

Prager y Scaglia consideran a Taccola una figura imprescindible
en el desarrollo de la tecnología europea. En su opinión, Taccola se
ocupó de poner fin al prolongado estancamiento de muchas prácticas mecánicas de la Edad Media. Su obra *De ingeneis* se convirtió en
el punto de partida de una larga serie de cuadernos.

¿Cómo puede ser que un maestro de obras de una pequeña ciudad del interior publique de repente libros de dibujos en los que
plasma una gama tan enorme de inventos, incluidos el helicóptero y
las máquinas militares, todo ello completamente desconocido en la
Siena de aquella época?

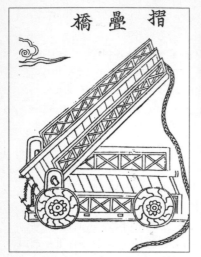 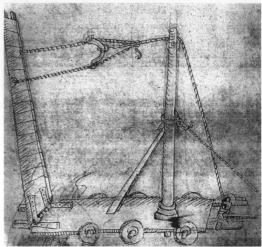

Izquierda: Una escalera de asedio articulada, que figura en la colección general de Clásicos de la Ciencia y la Tecnología Chinas.

Derecha: La escalera de asedio articulada de Taccola es uno de los muchos inventos militares que guarda un parecido asombroso con las versiones chinas.

Para empezar a indagar, podíamos aprovechar las fechas de los libros de Taccola. Prager y Scaglia, en mi opinión las voces más autorizadas sobre Taccola, fechan la publicación de los libros 1 y 2 de *De ingeneis* entre 1429 y 1433. Taccola empezó los libros 3 y 4 entre 1434 y 1438, y continuó trabajando en ellos hasta su muerte en 1454; *De machinis* fue iniciado con posterioridad a 1438 y el anexo con los dibujos, alrededor de 1435. Según Prager y Scaglia, los anexos de dibujos, que fueron incorporados a los cuatro libros con posterioridad a 1435, reflejan un cambio significativo en Taccola. La nueva técnica es muy típica para dibujar soldados y artilugios a pequeña escala, y los dibujos fueron insertados con notas al margen, con una caligrafía menuda en los dos últimos libros y en la continuación. En casi todas las páginas de los libros 1 y 2 pueden verse bocetos de artilugios, casi todos con fines militares, colocados alrededor del dibujo principal, a menudo en gran cantidad. A mi entender, esto significa que otro autor había empezado a escribir notas al margen en los libros de dibujos 1 y 2 de Taccola.

Sin duda Francesco incorporó notas a los dibujos de Taccola con posterioridad a 1435. En su maravilloso libro *El arte de inventar. Leonardo y los ingenieros del Renacimiento*, Paolo Galluzzi escribe:

> En las últimas páginas de los manuscritos autógrafos de Taccola *De ingeneis* I-II aparecen una serie de notas y de dibujos del puño y letra de Francesco di Giorgio (fig. 26). No existe documento que exprese mejor la continuidad de la tradición sienesa de los estudios de ingeniería. Nos ofrece una instantánea, por así decirlo, del momento concreto en el que la herencia pasó de Taccola a Francesco di Giorgio.[12]

En nuestra web de *1434* reproducimos esta instantánea de la historia gracias al permiso concedido por el Istituto e Museo di Storia della Scienza de Florencia. A estas alturas podemos decir, pues, que Leonardo tuvo en sus manos el libro de máquinas de Di Giorgio, que a su vez eran adaptaciones de los dibujos de Taccola.

FRANCESCO DI GIORGIO PLAGIA LA OBRA DE TACCOLA

Di Giorgio era un plagiario en toda regla. A continuación exponemos ocho ejemplos de cómo copió el trabajo de Taccola, sin llegar a reconocerlo nunca.

La ilustración de Francesco de una torre que se derrumba es casi idéntica a la de Taccola; también los submarinistas de Francesco son una copia de los de Taccola, así como los jinetes flotantes (véase la web de *1434*).

Francesco, cuyos dibujos fueron realizados después de los de Taccola, emplea el mismo fundíbulo característico de este último. Sus montacargas y molinos, que transforman la energía vertical en horizontal, y los barcos de ruedas de palas son una copia de los de Taccola, así como sus aparejos para medir distancias, sus ruedas propulsadas por pesos y sus bombas accionadas por bueyes. En nuestra web de *1434* aparecen varios ejemplos.

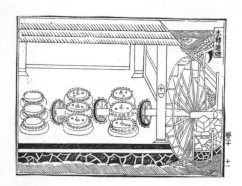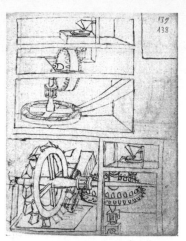

Izquierda: Molinos de arroz chinos con engranajes verticales y horizontales propulsados hidráulicamente.

Derecha: El dibujo de Di Giorgio muestra un método parecido para convertir la energía vertical en horizontal.

FRANCESCO DI GIORGIO MEJORA LA OBRA DE TACCOLA

Francesco era un dibujante excelente. Mejoró la obra de Taccola, como puede verse en casi todos los dibujos que mostramos. Es más, añade detalles para mejorar la calidad de la ilustración. Galluzzi comenta al respecto: [13]

> Muchos de los más de mil doscientos dibujos y prácticamente todas las notas [del *Codicetto* de Di Giorgio] proceden de hecho de los manuscritos de Taccola. Pero casi ninguno de los dibujos y de las notas es una mera copia ... Es evidente que los dibujos se basan en Taccola, pero a menudo Francesco añade u omite detalles, y en algunos casos introduce cambios significativos ... Hasta artistas de la talla de Francesco robaban descaradamente las ideas y procedimientos de otros ... [Él] nunca mencionó el nombre de sus fuentes en las obras que firmó posteriormente [p.36].
>
> A partir del ... manuscrito pequeño [*Codicetto*], en la serie de dibujos y notas que se basan en los manuscritos de Taccola, vamos encontran-

do la repetición de unos aparatos que este no había tratado. Los dibujos están cuidadosamente trazados, sin anotaciones, y se centran claramente en cuatro temas: máquinas para trasladar y levantar pesos, aparatos para extraer agua, molinos y carros con complejos sistemas de transmisión ... Estos cambios repentinos entre la serie de reproducciones fieles de los dibujos de Taccola y la presentación de una gran cantidad de proyectos innovadores tienen algo de ilógico e incomprensible. Porque se trata no solo de máquinas «nuevas», sino de aparatos mucho más avanzados desde el punto de vista del diseño mecánico que los de Taccola ... dichos artefactos poseen complejos mecanismos cuyos dispositivos, cuidadosamente diseñados y variados, han sido calculados para transmitir, a cualquier nivel y a la velocidad deseada, el movimiento producido por cualquier tipo de fuente de energía. Puesto que no conocemos antecedentes que pudieran haber inspirado a Francesco, ello nos lleva a suponer que se trata de contribuciones originales.[14]

Galluzzi añade a continuación esta nota: «Scaglia, que se refiere a estos proyectos como "complejos de máquinas" o como "mecanismos complejos de bombas y molinos", duda que puedan atribuirse a Francesco. En su opinión, Francesco recopiló probablemente muchos de aquellos diseños, ya desarrollados a finales de la década de 1460 "en opúsculos utilizados por los talleres, y elaborados por carpinteros y constructores de molinos"».[15]

Es evidente el desconcierto de Galluzzi ante las mejoras que incorpora Francesco al trabajo de Taccola, que atribuye al genio de aquel porque no conoce ningún precedente. Pero ¿realmente no existían precedentes? Scaglia cree que recopiló sus diseños a partir de opúsculos elaborados por distintos talleres. ¿Qué opúsculos había que pudieran haber sido elaborados por talleres?

Lo primero que me vino a la cabeza fueron los opúsculos romanos y griegos. Al fin y al cabo, se dice que el Renacimiento es un renacer de las ideas de Roma y Grecia. De Leonardo se contaba que había dormido con nueve volúmenes de *De architettura*, de Vitruvio, debajo de la almohada, y Taccola se autodenominaba el Arquímedes de Siena.

Nuestro equipo de investigación pasó semanas en la Biblioteca Británica averiguando si Taccola y Francesco podían haber copiado su retahíla de máquinas e inventos de los griegos y romanos. A Vitruvio lo descartaron enseguida, porque no tenía dibujos de máquinas. Nuestro equipo buscó en las obras de Arquímedes, Vegetius, Dinócrates, Ctesibus, Herón, Athaeneus y Apolodoro de Damasco, pero no llegó a ninguna parte. También Scaglia encontró pocas fuentes clásicas del trabajo de Taccola. «No parece que hubiese tenido acceso directo a los escritos de Arquímedes, Herón, Euclides, Vitruvio y *Los problemas mecánicos*», concluyó la experta.

Varios dibujos de Taccola y copias de Di Giorgio eran de armas de pólvora, que, naturalmente, no se conocían ni en Grecia ni en Roma. Aquello apuntaba a una fuente china. Si existía tal fuente, ¿podríamos encontrarla para compararla con Taccola y con Di Giorgio? Esta fue nuestra siguiente línea de investigación. Nos llevó meses.

Si un libro chino de estas características hubiese existido en Florencia en la época de Taccola, tendría que haber sido una copia impresa; habría sido impensable que las flotas de Zheng He hubiesen paseado el libro de dibujos original por los mares. Al igual que el calendario astronómico y las tablas de efemérides entregadas a Toscanelli y al Papa, parecía probable que los dibujos de las máquinas fueran copias impresas.

Buscamos libros impresos de máquinas que hubieran estado al alcance de las personas en China en la época en que Zheng He realizó sus viajes. La base de datos electrónica de la Biblioteca Británica incluye un conjunto de artículos sobre la impresión durante la dinastía Ming. La *Revista de Estudios Asiáticos de Harvard* ofrece un buen resumen de los mismos: [16]

Si nos remontamos unos siglos encontramos pruebas definitivas de la fabricación y aplicación de caracteres tipográficos tallados en madera a principios del siglo XIV, tal y como escribe Wang Chen, un magistrado de Ching-te, en Anhwei, entre 1285 y 1301. En aquel lugar, Wang escribió la que sería su gran obra, el *Nung-shu* o *Escritos sobre agricultura*, uno de los primeros manuales de gestión agropecuaria, muy completo. Dado el gran número de caracteres que tendría que emplear, Wang concibió la idea de utilizar tipos móviles en lugar de los bloques corrientes, reduciendo así mano de obra y gastos. Para este experimento, Wang realizó más de sesenta mil caracteres tipográficos separados, cuyo tallado exigía como mínimo dos años ...

A fin de preservar para la posteridad sus experimentos con la fabricación de caracteres móviles de madera, incluyó una explicación detallada de todos ellos en su edición xilográfica, cuyo prefacio data de 1313.

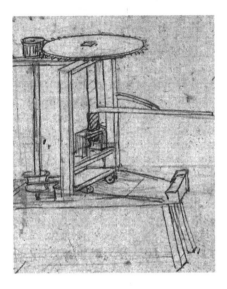

Aunque tal vez no haya sido dibujado por Da Vinci, este boceto de una imprenta aparece en sus cuadernos de notas.

La fuente de los inventos de Taccola y de Francesco: el «Nung Shu»[17]

Así pues, en 1313 el mundo vio por primera vez un libro producido en serie, el *Nung Shu*. (Needham viene a decir que se convirtió en un *best-seller*.)

Aunque la Guardia Roja de Mao redujo a cenizas los libros del *Nung Shu*, Graham Hutt, de la Biblioteca Británica, nos ayudó a buscar algún ejemplar. Con creciente emoción reservé un fin de semana para estudiar uno de esos ejemplares y los dibujos que pudiese contener.

Abrir el libro fue uno de los momentos más apasionantes de mis diecisiete años de investigación. El primer dibujo que vi fue el de dos caballos propulsando un molino para moler cereal, exactamente igual al que habían pintado Taccola[18] y Di Giorgio.[19] Con creciente entusiasmo, fui pasando las páginas; era evidente que habíamos encontrado la fuente de inspiración de las máquinas de ambos.

Needham organiza las máquinas ilustradas en el *Nung Shu* en varias rúbricas:

> El *Nung Shu*, por otro lado, nos muestra al menos 265 diagramas e ilustraciones de herramientas y máquinas agrícolas ... El *Nung Shu* de Wang es la mejor obra de agricultura e ingeniería agrícola de China, aunque no la más extensa, y ocupa un lugar único en virtud de su fecha de publicación [1313].
> De ahí que esté libre de influencias occidentales.[20]

Por lo que pude ver, todas y cada una de las variantes de pozos, ruedas y manubrios «inventadas» y dibujadas por Taccola y Francesco aparecen en el *Nung Shu*. Este extremo queda resumido en la turbina horizontal propulsada por agua utilizada en una fundición.[21] Esta máquina compleja y sofisticada tiene una rueda horizontal impulsada por agua con una correa de transmisión acoplada. La correa de transmisión activa un eje subsidiario acoplado mediante una polea a una manivela excéntrica conectada por un cigüeñal y empuja (mediante cojinetes oscilantes y una biela) un fuelle de ventilación que insufla aire al horno. Como dice Needham: «Tenemos aquí la conversión del movimiento giratorio en movimiento lineal en una máquina pesada mediante el método clásico, más adelante propio del motor de vapor; transmisión de energía que, sin embargo, tiene lugar en sentido inverso. Así pues, la gran importancia histórica de este mecanismo reside en que ostenta la paternidad morfológica de la energía de vapor».

Si no me equivoco, todos los tipos de transmisión de energía que describen Taccola y Di Giorgio aparecen en el *Nung Shu*. Hay varios ejemplos de ello en la web de *1434*.

En el montacargas de columna de Di Giorgio[22] se ha empleado

Noria de cangilones china.

Muchas de las ideas de Taccola,
como la noria de cangilones
y la rueda de palas, son
misteriosamente parecidas
a las ilustraciones del *Nung Shu*.

un engranaje de ruedas dentadas, un engranaje en ángulo recto, una rueda catalina y un rotor de aguja.

En su dibujo de los carros con mecanismo de dirección (*Codicetto*), aparece una manivela dotada de bielas y un engranaje que transforma el movimiento horizontal en vertical.

Los dibujos de Taccola de los montacargas reversibles[23] (*De ingeneis*) muestran engranajes planos que convierten la energía horizontal en lineal, junto con un cabrestante diferencial y un contrapeso. Taccola dibuja lo mismo.

La «rueda hidráulica vertical con aspas»[24] ilustra cómo se convierte la energía lineal en horizontal mediante un engranaje, manivelas y bielas, leva y excéntrica de rodillos, y engranajes en ángulo recto.

La noria de cangilones de Di Giorgio propulsada por una rueda horizontal de tracción animal[25] tiene ruedas con palas en los radios, tacos excéntricos, cangilones y cadenas de transmisión continua.

En mi opinión, el párrafo siguiente, tomado de Galluzzi, avala la hipótesis de que Di Giorgio plagió a Taccola y el *Nung Shu* (p. 42):

Noria de cangilones china
de tracción animal.

El dibujo de Taccola de una
noria de cangilones de tracción
animal guarda un parecido
extraordinario con
la versión china.

Las cuatro categorías básicas de máquinas de Francesco poseen algunas características nuevas que son interesantes. En primer lugar, la inclusión de comentarios escritos realza las representaciones gráficas de los mecanismos con información léxica de gran interés, datos sobre los materiales y las dimensiones, consejos especiales para su construcción y aplicaciones concretas [el *Nung Shu* contiene comentarios escritos] ... En algunos dibujos de molinos introduce un análisis cuantitativo de las relaciones entre los dientes, la rueda y el diámetro de los piñones.

El autor tenía la intención clara, no obstante, de definir los criterios de organización del material, una preocupación prácticamente ausente no solo de la obra de Taccola y de los primeros escritos de Francesco, sino también de todos los libros anteriores sobre máquinas [el *Nung Shu* está organizado por criterios] ...

La sección sobre molinos estaba muy desarrollada y llegó a tener 58 rúbricas separadas ... El capítulo sobre las bombas de agua se desarrollaba de modo parecido en el *Trattato* I, en el que incluía una amplia gama de este tipo de mecanismos. Por el contrario, la sección sobre carros y «mecanismos de transporte y de elevación» era reduci-

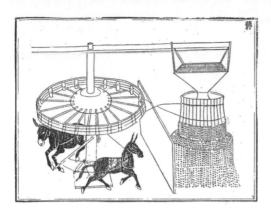

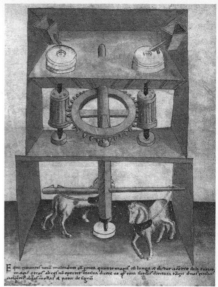

Izquierda: Los animales de carga realizan algunos trabajos mucho mejor que los seres humanos.

Derecha: De alguna manera, el dibujo de Santini imita y desarrolla el mismo proceso.

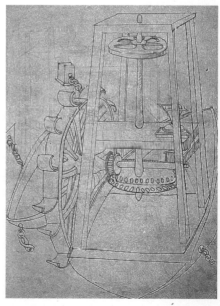

Izquierda: En el *Nung Shu* se describen muchas aplicaciones de la rueda de palas vertical.

Derecha: En el tratado de Taccola sobre las máquinas aparece una rueda de palas vertical parecida.

da ... Concretamente, el número de máquinas elevadoras y destinadas a trasladar columnas y obeliscos fue recortado drásticamente. La tendencia a reducir el texto a los ejemplos básicos de cada tipo de máquina se consolidó bastante en el denominado «segundo borrador» de la obra (*Trattato II*) ... Solo sobrevivieron diez ilustraciones de molinos, pero rigurosamente clasificados según su fuente de energía: noria de cangilones, rueda de palas horizontal (*ritrecine*), molino de viento de eje horizontal, molino de cigüeñal (*frucatoio*) con volante provisto de rodamiento de esferas metálicas, molinos de tracción humana y de tracción animal (tres modelos con distintos sistemas de transmisión) y, por último, la rueda de cabillas accionada por caballos (dos modelos, uno en el que el animal mueve la rueda desde el interior y otro en el que el animal ejerce presión en el borde exterior). [Todos estos molinos ilustrados por Francesco aparecen en el *Nung Shu*.][26]

Galluzzi prosigue (p. 44):

Los sucesivos borradores del *Trattato* plasman así la evolución del método tecnológico de Francesco partiendo de una serie de ejemplos potencialmente infinitos hasta llegar a la definición de un número de «tipos» limitado. Cada uno de ellos encarnaba los principios básicos de un sistema técnico determinado que podía ser modificado *ad infinitum* para adaptarse a las necesidades de su constructor. [Como confirma el propio Di Giorgio en el *Trattato II*:] «Y con estos concluimos la sección sobre instrumentos para trasladar pesos en las obras de construcción, pues partiendo de estos se pueden deducir otros fácilmente».[27]

En mi opinión, Di Giorgio empezó con las máquinas de tracción animal que figuran en el *Nung Shu*, que se dedicó a copiar. Luego plagió también las máquinas elementales chinas accionadas por agua mediante ruedas horizontales y verticales, y a continuación adaptó las ruedas de agua horizontales y verticales del *Nung Shu* para impulsar toda una serie de molinos y bombas, como describe Galluzzi.

Lo hizo utilizando los principios básicos que figuran en el *Nung Shu*, es decir, la conversión de la energía hidráulica de horizontal a vertical mediante engranajes. Francesco modificó los ratios de po-

Noria de cangilones china
que aparece en el *Nung Shu*.

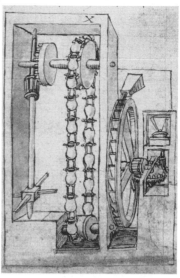

La noria de cangilones de Di Giorgio
es una copia de la de Taccola
y casi idéntica que la
de la ilustración china.

tencia a través de los diferentes tamaños de las ruedas dentadas, y
también modificó la dirección mediante árboles de levas y cojinetes
oscilantes para diseñar una serie de aserradoras de tracción animal o
hidráulica, así como todo tipo de sistemas de bombeo.[28]

Galluzzi consigue resumir las adaptaciones de Francesco; el propio Francesco dice que, «partiendo de estos se pueden deducir otros
fácilmente».

Leonardo da Vinci desarrolla las máquinas de Francesco di Giorgio

En *El arte de inventar* Galluzzi vuelve a evaluar el lugar que ocupa
Leonardo a la luz de la obra anterior de Taccola y de Di Giorgio:
«Leonardo deja de ser un profeta visionario en el desierto. Se per-
fila más bien como el hombre que expresó con mayor elocuencia

—de palabra y, sobre todo, con sus dibujos— la visión utópica del potencial práctico de la tecnología que compartían de manera entusiasta tantos "ingenieros artistas" del siglo xv».[29]

Leonardo ya no es el icono, el genio singular. «Surge —en palabras de Galluzzi— como la culminación, el producto más maduro y original, de un desarrollo colectivo de varias décadas de duración al que contribuyeron en gran medida muchas figuras de gran talento.»[30]

Creo que las máquinas de Leonardo fueron copias magníficamente ilustradas y mejoradas de las de Di Giorgio. Aportó su mente brillante e incisiva para penetrar en la quintaesencia de cada máquina, a las que consideraba no creaciones mágicas caídas del cielo, sino ensamblajes de las diferentes piezas. Según Galluzzi, fue capaz de percibir que partiendo de un número finito de mecanismos, a los que denomina «elementos de máquinas», podían construirse una infinita variedad de ellas. Como escribe Galluzzi, su visión de la anatomía de las máquinas y del hombre quedó consagrada en una serie de dibujos magistrales que señalan el nacimiento de la ilustración científica moderna.

Al comparar los dibujos de Leonardo con el *Nung Shu*, hemos verificado que cada elemento de una máquina exquisitamente ilustrada por Leonardo hubiese sido previamente dibujado por los chinos en un manual mucho más sencillo.

En resumen, el grueso del trabajo de Leonardo descansaba sobre unos cimientos levantados por otros con anterioridad. En realidad, sus dibujos mecánicos de molinos de harina y de rodillo, de molinos de agua y aserraderos, de martinetes y máquinas transportadoras de pesos, de todo tipo de bobinas y grúas, vehículos mecanizados, bombas, mecanismos de extracción de agua y dragadoras, desarrollaron y mejoraron los de Francesco di Giorgio en *Trattato di architettura civile e militare*. Las reglas de la perspectiva para la pintura y la arquitectura formuladas por Leonardo procedían de las obras de Alberti *De pictura* y *De statua*. Su paracaídas se basaba en el de Di Giorgio. Su helicóptero se inspiraba en un juguete chino importado a Italia alrededor de 1440 y dibujado por Taccola.[31] Su obra sobre canales, esclusas, acueductos y fuentes tuvo su origen en su encuentro con Di Giorgio en Pavía en 1490 (se trata con más detalle en el capítulo 18).

Su cartografía fue una evolución de la *Descriptio urbis Romae*, de Alberti. Sus máquinas militares eran copias de las de Taccola y Di Giorgio, pero dibujadas de manera extraordinaria.

Los dibujos en tres dimensiones de Leonardo de las partes de un ser humano o de las piezas de las máquinas son únicos y constituyen una brillante aportación a la civilización, como lo son sus esculturas y pinturas, ambas sublimes. A mis ojos, sigue siendo el mayor genio que jamás haya existido. No obstante, ya es hora de reconocer las aportaciones de la cultura china a su obra. Sin ellas, la historia del Renacimiento habría sido diferente, y es casi seguro que Leonardo no habría desarrollado su amplia gama de talentos.

17

SEDA Y ARROZ

En la época en que se publicó el *Nung Shu*, en 1313, los chinos llevaban mil años tejiendo todo tipo de hilos. El más fino de ellos y el más preciado era la seda; el más basto y barato eran las raspaduras de piel. Needham presenta esquemas de un conjunto de máquinas de hilar propulsadas manualmente o con agua, con telares sencillos y múltiples.[1]

En la época en que Taccola y Francesco di Giorgio hicieron acto de presencia en la historia, China llevaba un milenio exportando seda a Italia. En el año 115 a. C. Mitrídates II de Persia firmó un tratado comercial con el emperador Wu Ti de la dinastía Han. Un siglo después, Julio César tenía cortinas de seda.[2] Durante el reinado de Augusto, a la gente pudiente se la enterraba envuelta en seda china.[3]

A cambio de la exquisita seda, los mercaderes chinos buscaban oro, plata, coral y cristal. Los chinos consideraban que los artículos de cristal eran un gran lujo y estaban dispuestos a pagarlo como correspondía. Durante la dinastía Tang, unos monjes robaron gusanos de seda a los chinos y los introdujeron en Occidente. En las vidrieras de la catedral de Chartres pueden verse representadas unas máquinas que enrollan hilo de seda en bobinas. En *The Genius of China* puede contemplarse una clara ilustración del modelo chino.[4]

En la época en que los europeos recibieron la visita de la flota de Zheng He en 1434, ya tenían gusanos de seda y sabían hacer bobinas de hilo de seda y telas de seda, pero en pequeñas cantidades. Las ilustraciones y descripciones que contiene el *Nung Shu* mostraban que todo el proceso seguido por los chinos —la producción del hilo de seda, el tinte y la tejedura de la fina tela de seda, y el enrollado del hilo en bobinas— podía realizarse con ayuda del agua como fuente de energía y multiplicar enormemente la producción.

Las cifras cuentan la historia: en 1418 los mercaderes venecianos pagaron impuestos por una producción de apenas 136 kilos de seda. En 1441, el gobierno florentino aprobó una ley que exigía a los agricultores que plantasen entre 5 y 50 árboles de morera por hectárea, dependiendo del rendimiento de sus explotaciones.[5] Decenas de miles de árboles fueron plantados en el norte de Italia entre 1465 y 1474. Este período coincidió con (o fue uno de los motivos de) un cambio de rumbo de la política exterior veneciana. Tras la muerte del dux Mocénigo en 1424, Venecia decidió convertirse, al mando de Francesco Foscari, en una potencia territorial del norte de Italia. Verona, Vicenza y los humedales del Po pasaron a formar parte de la *Pax Venetica* y la zona norte del Po quedó cubierta de miles y miles de árboles de morera y de arrozales (véase el capítulo 18).

Los inventos chinos como las máquinas trilladoras y los molinos propulsados por agua facilitaron la producción intensiva de seda y de arroz.

La primera hilatura de seda hidráulica que se conoció en Italia, concretamente en Verona, fue descrita en 1456. Era una máquina china. John Hobson, en *Los orígenes orientales de la civilización occidental*, resume la propagación de los telares de seda italianos por el norte de Europa: «La invención de las hilaturas de seda (devanaderas) se había realizado en China en 1090. Las máquinas chinas estaban compuestas por un armazón para devanar la seda accionado a pedal con una plancha inclinada y un sistema de rodillo. El modelo italiano se asemejaba al chino hasta en sus más nimios detalles, como la palanca acoplada al manubrio. Y es significativo constatar que las máquinas italianas reprodujeron el modelo chino hasta el siglo XVIII».[6] Hobson señala que las grandes fábricas británicas que levantó John Lombe eran copias de las hilaturas de seda de diseño chino que se encontraban en Italia. Las máquinas de Lombe se convirtieron en el modelo que debía seguir la industria algodonera, cuyos productos inundaron el mundo posteriormente.

La combinación de abundantes hojas de morera y máquinas mecánicas para devanar y tejer llevó a un aumento exponencial de

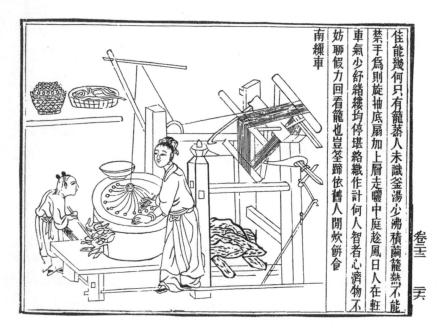

Tareas domésticas de un ama de casa china.

la producción de seda en Florencia y en Venecia. El árbol de morera italiano era mucho más prolífico que el chino. Las fábricas florentinas dejaron la lana para dedicarse a la seda. La sericultura se extendió desde la Toscana, primero hacia el valle del Po y luego a la *terra firma*, al norte de Venecia. Alberti escribió que había «tal cantidad de árboles de morera para alimentar a los gusanos de los que se obtiene la seda que es algo fantástico». Se calcula que la producción de capullos de seda en el distrito de Verona pasó de 20.000 libras ligeras en 1530 a 150.000 en 1608. Cuando la imprenta empezó a funcionar en Venecia, se publicaron opúsculos en lenguaje claro y sencillo que explicaban la mejor manera de cultivar las moreras y de alimentar y cuidar los gusanos de seda. Algunos títulos, como *Il vermicella dalla seta* («El gusanito de seda»), guardaban un parecido notable con el de los libros chinos del siglo XIV sobre sericultura.

El desarrollo de la sericultura llevó a la construcción de más y mejores máquinas de hilar. En la década de 1450, había en Vicenza ocho talleres de hilatura. El número aumentó hasta diez en 1507, treinta y tres en 1543 y más de cien en 1596. La producción de seda en Verona experimentó una expansión similar, pues pasó de ocho hilanderías en la década de 1420 a doce en 1456, momento en el que se encargó la primera hilatura hidráulica en Verona, a orillas del río Adigio (Mola, 237). Tras lo cual, la industria se disparó; en 1543 había cincuenta talleres de hilado, setenta en 1549 y ochenta y ocho en 1559.

El capullo de seda y el hilo de seda que se producían en la *terra firma* animaron a una nueva generación de empresarios a comprar seda. Muchos fueron financiados por los Médicis. El gobierno veneciano se esforzó mucho en regular la industria de la seda en su territorio mediante la concesión de patentes, que aumentaron a partir de 1450. En 1474, Venecia promulgó una ley general de patentes:

> Se ha tomado una resolución conforme a la cual, en virtud de la autoridad que ostenta este consejo, cualquier persona de esta ciudad que construya un artilugio nuevo e ingenioso que no se hubiera fabricado antes aquí, en nuestro territorio, deberá, tan pronto como este haya sido terminado y pueda utilizarse y ponerse en funcionamiento,

comunicarlo a la oficina de nuestro Provveditori di Commune, quedando prohibido durante diez años que cualquier otra persona en cualquier territorio o localidad de nuestros dominios, fabrique el artilugio sin el consentimiento y licencia del autor ... Pero nuestro gobierno podrá, a su completa discreción, hacer uso de cualquiera de estos artilugios e instrumentos para sus necesidades, con la condición, sin embargo, de que solo lo manejarán sus inventores.[7]

Así pues, primero Venecia y Florencia, y después toda Italia, acabaron dominando en Europa el mercado de la seda sin procesar, de modo muy parecido a como el este asiático domina actualmente el mercado mundial.

Arroz

La expansión económica de Florencia gracias a la seda exigió más trabajadores, y el aumento de trabajadores exigió más alimentos. Como señaló Braudel, el rendimiento de un campo de arroz es varias veces superior al de uno de trigo.[8]

El arroz se conocía en el mundo mediterráneo desde la época de los romanos, pero se utilizaba únicamente con fines medicinales. La primera referencia que se conoce de cultivos de arroz en el norte de Italia es una carta del 27 de septiembre de 1475, del gobernante de Milán, Galeazzo Sforza, al duque de Ferrara, que se refería a doce sacos de arroz asiático (*Oryza sativa*) cosechados en el valle del Po.

El arroz es el alimento básico de la China Meridional. El *Nung Shu* contenía muchos consejos de Wang Chen para el cultivo del arroz, incluida la manera de dosificar y controlar el suministro de agua de los grandes ríos alimentados por el deshielo de las nieves de la meseta de Mongolia, que discurren en dirección este hasta llegar al mar.

> Los que cultivan arroz construyen tanques y depósitos para almacenar agua, y acequias y diques para detener el flujo (en caso necesario)

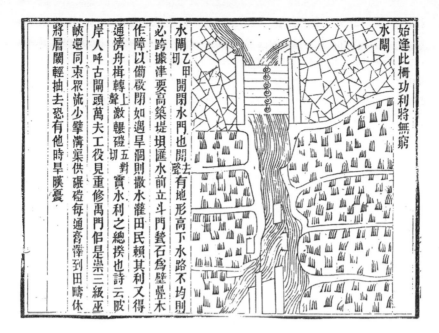

Sistema de riego chino.

La tierra se divide en pequeñas parcelas, y después de ararla y gradarla, se deja entrar el agua en los campos y se siembran las semillas. Todos los agricultores al sur del río [Yangze] emplean ahora este método. Cuando las plantas alcanzan una altura de unos dieciocho o veinte centímetros, se trabaja el terreno con la azada y se drena el agua de los campos para secarlos. Una vez que las plantas empiezan a florecer y granar, se deja entrar el agua de nuevo.

El *Nung Shu* ilustra toda clase de técnicas para la tarea vital de regular el suministro de agua a los campos de arroz: muchos tipos de norias de cangilones, diques, esclusas, presas y canalizaciones. Los cangilones, las palas y las norias de cangilones son un tema recurrente,[9] así como las «empalizadas de bambú para el agua», que funcionaban como presas.

Como hemos explicado en el capítulo anterior, Taccola y Francesco di Giorgio dibujaron toda una serie de bombas de agua, así como diques y compuertas para las acequias.[10] Las norias de cangi-

lones que aparecieron por primera vez en los dibujos de Taccola
siguen empleándose en la actualidad en el nordeste de Italia, donde los lugareños las denominan norias «tártaras». Puesto que los dibujos de las norias de cangilones figuran ya en el capítulo 16, en el
presente capítulo solo describiremos las bombas de émbolo.

En su artículo «El origen de la bomba de succión» Sheldon Shapiro señala:

> Hasta principios del siglo xv no aparecieron los primeros indicios
> del émbolo de válvulas. Aparece en un dibujo (fig. 4) del ingeniero
> sienés Mariano Jacopo Taccola [en Munich Ms. 1435], cuyos cuader-
> nos de notas todavía inéditos son de gran importancia para la historia
> de la tecnología. En ese dibujo, que se remonta aproximadamente
> a 1433, se ve claramente la válvula en el pistón. Por lo tanto, aunque
> carezca de texto y de otros detalles, dicho dibujo representa la prime-

Noria china de cangilones utilizada para regar.

ra bomba de succión de que se tiene constancia; no puede interpretarse de ninguna otra manera.

Los primeros dibujos detallados de las bombas de succión datan del período 1475-1480; Francesco di Giorgio Martini, en el último libro de su *Trattato di architettura*, escrito alrededor de 1475, muestra varias bombas de succión. Si nos detenemos en la más perfecta desde el punto de vista mecánico, la distancia entre el sumidero y la cámara parece ser de entre treinta y sesenta centímetros, cuando podría ser de hasta 975 centímetros, demostrando con ello una comprensión imperfecta de la naturaleza de este tipo de bomba.[11]

Queda claro que Francesco no sabía cómo funcionaba; debió de copiar un dibujo.

Needham señala que las bombas de succión son descritas por primera vez en China en el *Wu Ching Tsung Yao* («Colección de las técnicas militares más importantes», publicado en 1044). Así describe su funcionamiento:

> Para las jeringas (*chi thung*), se utilizan piezas largas de caña de bambú (huecas); se practica un orificio en un extremo (septum) y se enrolla hilo de seda alrededor de una biela (*shui kan*) que se coloca dentro (para formar el émbolo). Entonces se puede verter el agua por el agujero ... En el siglo XI ... la enciclopedia militar que acabamos de mencionar ofrece en otra parte una descripción muy notable de un lanzallamas de nafta que consistía en una bomba de pistón líquida de ingenioso diseño.[12]

La bomba de pistón de Di Giorgio figura en el ejemplar de su *Trattato di architettura* que estuvo en poder de Leonardo da Vinci, y que se conserva hoy en la Biblioteca Laurenziana de Florencia. Leonardo mejoró los dibujos de Di Giorgio.

En muchos aspectos, el Po parece una versión reducida del Yangze. Ambos ríos proceden del deshielo y fluyen rumbo este en dirección al mar. Ambos experimentan crecidas repentinas y están controlados por una red de canales, esclusas, diques y presas. Las aguas de ambos se utilizan para el cultivo extensivo de arroz. No se conoce la fecha exacta en que se utilizó el río Po por primera vez para el cultivo del arroz. Está claro que fue en fecha anterior a la carta de 1475, pero ¿cuánto antes? Yo diría que fue después de 1435, cuando aparecen los primeros dibujos de norias de agua de Taccola, y probablemente con posterioridad a 1438, cuando aparecen sus dibujos de compuertas y esclusas.

El incremento excepcional de la producción de seda en Florencia y Venecia, unido a la producción de comida suficiente para los trabajadores de este ramo, permitió un «crecimiento extraordinario de la industria de la seda» entre 1441 y 1461.[13] En la década de 1480 la seda se convirtió en «la principal fuente de empleo» para los trabajadores florentinos. El incremento de la producción de seda se reflejó en el aumento de la fortuna de la familia Médicis, fruto en parte de la financiación de las exportaciones de tejidos de seda fina. Florencia había adquirido el puerto de Pisa en 1405 y el de Livorno en 1421, y pudo así exportar sus tejidos al norte de Europa.

El Renacimiento florentino fue estimulado por la riqueza material, en particular la de los Médicis. La familia se hallaba exiliada cuando el papa Eugenio IV trasladó el pontificado de Roma a Florencia en 1434, intercedió ante los oponentes de los Médicis y consiguió que la familia regresase a Florencia. Los Médicis se convirtieron una vez más en los banqueros papales y pronto controlaron la ciudad. Como dijo el que luego sería papa Pío II: «Las cuestiones políticas se resuelven en su casa [la de Cósimo]. Él elige a los que ocuparán los cargos ... Él decide la paz y la guerra y controla las leyes ... es rey en todo menos de nombre».[14]

Christopher Hibbert, en *The House of Medici; Its Rise and Fall*, escribe de Cósimo de Médicis: «A los gobernantes extranjeros se les aconsejaba que despacharan con él personalmente y que no perdieran el tiempo con ninguna otra persona de Florencia si tenían que tomar alguna decisión importante. Como observó Francesco Guicciardini, historiador florentino: "Gozaba de un prestigio como ningún otro ciudadano privado ha tenido jamás desde la caída de Roma hasta nuestros días"».[15]

Cósimo estaba en el centro neurálgico de la cristiandad occidental. Cuando los papas visitaban Florencia, se alojaban en los palacios de los Médicis, disfrutaban de su hospitalidad, aceptaban sus préstamos y, a cambio, les otorgaban concesiones enormemente valiosas.

Por ejemplo, en 1460 se descubrieron grandes depósitos de alumbre, un ingrediente esencial para el enfurtido de las telas, cerca de Civitavecchia, en los Estados Papales. En 1466 los Médicis firmaron un acuerdo con el papado que les otorgaba a ellos y a sus socios el derecho exclusivo de explotación del yacimiento de alumbre y de su venta en el extranjero.

Hibbert escribió: «El historiador francés Philippe de Commines describió al banco como la casa comercial más grande en la que había estado nunca. "El apellido Médicis da a sus criados y agentes tanto crédito —escribió Commines— que lo que he visto en Flandes y en Inglaterra está más allá de lo que se puede creer"».[16]

En la década de 1450, Florencia tuvo seda y comida. Los Médicis habían acumulado un capital sin precedentes gracias al comercio de la seda y habían utilizado esa riqueza para financiar a astrónomos, matemáticos, ingenieros, escultores, artistas, exploradores, cartógrafos, historiadores, bibliotecarios, arqueólogos y geógrafos. El Renacimiento avanzaba viento en popa gracias, en parte, a las plantas y los inventos chinos: al empleo de máquinas propulsadas por la fuerza del viento y del agua, al arroz, a los árboles de morera y a los gusanos de seda chinos.

18

GRANDES CANALES: CHINA Y LOMBARDÍA

El día de Año Nuevo de 1991 hacía un frío atroz en Beijing. Marcella y yo habíamos asistido la noche anterior a una exhibición de danzas de la dinastía Tang protagonizada por sensuales bailarinas ataviadas con trajes brillantes de color azul eléctrico; un espectáculo memorable. Yo tenía un fuerte dolor de cabeza, por razones obvias, y el aire helado que me congeló la nariz me resultó agradable. En aquella época había pocos automóviles; las calles de Beijing eran una maraña gigante de bicicletas, cuyos conductores iban envueltos en holgadas chaquetas azules y bufandas alrededor de la cabeza para protegerse del frío cortante. Los árboles, la mayoría pinos achaparrados, se doblaban con el viento y el hielo de las ramas lanzaba destellos. Fuimos en coche hasta el sudoeste de Beijing para embarcar en un enorme avión militar que nos llevaría hasta Xian.

Cuando finalmente despegamos el sol estaba saliendo por el este, deslumbrándonos al reflejarse en el Gran Canal. Nos dirigimos hacia el sur sobrevolando el canal, que parecía un lápiz plateado, en dirección al río Amarillo, y luego giramos rumbo al sudoeste por encima del río, hasta llegar a Xian.

Qué prodigio de empresa había sido el Gran Canal, excavado, según cuenta la leyenda popular, «por un millón de personas con cucharitas de té». Es probable que este cálculo sea muy inferior a la cifra real; seguramente la mano de obra llegó a rozar los cinco millones de personas. Al igual que la Gran Muralla, el Gran Canal es el resultado de la obsesión de muchos emperadores a lo largo de miles de años. Fue excavado por secciones y alargado, profundizado y ensanchado progresivamente, de manera que ahora conecta los campos de arroz del sur con Beijing a través de los ríos Yangze, Huang He y Amarillo. La construcción del canal se inició hace unos dos mil quinientos años y avanzó enormemente durante la dinastía Sui (581-618),[1] cuando el emperador Yang esclavizó a su pueblo para que conectaran Luoyang, la nueva capital, con Xian (denominada Changan en aquellos días).[2] A lo largo de veinte años, alargó el canal hasta Hangzhou, lo que permitió que los juncos del Yangze navegaran por él hasta los puertos que jalonan el río Amarillo. El canal atravesaba los principales ríos, desde las zonas montañosas del Tíbet hasta el mar.

En tiempos de la dinastía Tang (618-907), cada año se transportaban hasta el norte cien mil toneladas de cereal. Con Kubilai Kan el canal llegó hasta Beijing en el norte, y se construyeron varias esclusas —en la actualidad hay más de treinta— que lo elevan cuarenta metros por encima del nivel del mar.[3] A Marco Polo le impresionaron enormemente las barcazas chatas del canal, arrastradas por caballos: «Esta obra magnífica merece toda la admiración, y no tanto por la manera en que discurre a través del país, o por su vasta extensión, sino más bien por su utilidad y los beneficios que produce en las ciudades que se hallan a sus orillas».[4]

El hecho de atravesar tantos ríos, especialmente el Amarillo, implicaba unos problemas de ingeniería de primer orden. El nivel de agua variaba mucho dependiendo de la época del año y de la cantidad de nieve que se hubiese derretido en las montañas del Tíbet, que los ríos canalizaban hasta el mar. Otras dificultades surgían con la necesidad de trasladar los barcos salvando la pendiente al aproximarse a Beijing. En *The Genius of China*, Robert Temple describe el problema y la solución que le dieron:[5]

La esclusa fue inventada en China en el año 984. Su inventor fue Ch'iao Wei-Yo, que fue nombrado subcomisario de Transportes para Huainan. El motivo de que Ch'iao Wei-Yo se decidiera a inventarla fue que en aquella época se producían numerosos robos durante el transporte de cereales por los canales. En el transcurso de la historia de China, los cereales han sido la forma más corriente de pagar los impuestos, y su transporte a los depósitos y almacenes centrales tenía una importancia vital para el imperio. Cuando este proceso se interrumpía surgía un problema social y político muy grave.

Hasta el año 984, los barcos solo podían desplazarse entre niveles de agua distintos en canales de doble grada. Las embarcaciones chinas no tenían quilla y eran de fondo casi plano. Los chinos idearon un sistema en el que las gradas, que en un principio cumplían la función de regular el flujo de agua, se alargaron por delante y por detrás formando rampas que llegaban hasta el agua. El barco podía entrar y ser atado con unas cuerdas que se enrollaban a cabrestantes tirados por bueyes. Al cabo de dos o tres minutos, el barco era elevado hasta la rampa de nivel superior y, por un momento, mantenía el equilibrio en el aire de manera precaria. Luego salía disparado como una flecha y se deslizaba rápidamente por el canal hasta un nivel varios metros superior al precedente. Los pasajeros y la tripulación tenían que sujetarse fuertemente al barco con cuerdas, para no ser lanzados por el aire y lastimarse. La gran desventaja de esta ingeniosa técnica consistía en que a menudo los barcos se partían en dos o sufrían serios daños al ser arrastrados por las rampas de piedra. Siempre que esto ocurría, las bandas organizadas —o los funcionarios corruptos— se apresuraban a sustraer el cargamento de los barcos. Al parecer, en muchas ocasiones las embarcaciones eran maniobradas descuidadamente de forma deliberada para que sufrieran accidentes de este tipo, o se optaba por otros que no se encontraban en buenas condiciones, para que pudiera producirse un «accidente».

Ch'iao Wei-Yo decidió poner fin a esta situación. Para ello inventó la esclusa, gracias a la cual pudieron suprimirse las gradas dobles. Así es como lo cuenta la historia oficial de la época: «Ch'iao Wei-Yo ordenó que se construyeran dos compuertas en el tercer dique del río occidental (cerca de Huai-Yin). La distancia entre las dos compuertas era de más de cincuenta pasos [75 metros], y el trecho que las separaba fue cubierto por un gran tejado, como si fuera un cobertizo. Las compuertas eran levadizas; cuando se cerraban, el agua subía hasta alcanzar el nivel necesario, y, cuando llegaba el momento, se la dejaba salir. También construyó un puente horizontal entre las orillas y añadió diques de tierra con revestimiento de piedra para proteger los cimientos. Una vez hecho esto en todas las gradas dobles, quedó eliminada por completo la corrupción, y los barcos circularon sin toparse con el menor obstáculo».

Las esclusas permitieron la construcción de canales en lo alto de una cuesta. El nivel de agua podía variar entre doce y quince metros en cada esclusa sin que ello planteara ningún problema. Por lo tanto, en una determinada extensión de terreno un canal podía elevarse más de treinta metros sobre el nivel del mar, como ocurre con el Gran Canal por ejemplo (se eleva a casi cuarenta metros por encima del nivel del mar). Ello permitió que la red del canal se extendiera enormemente y libró a los ingenieros hidráulicos de muchas restricciones topográficas molestas.

Las esclusas dobles conservaban además el agua, como explicó Shen Kua en *Dream Pool Essays* en 1086:[6]

> Se descubrió que podían ahorrar cada año el trabajo de quinientos obreros, y hasta un millón doscientos cincuenta mil en gastos varios. Con el método antiguo de arrastrar los barcos, no podían cargarse pesos superiores a veintiuna toneladas de arroz por embarcación, pero una vez que se construyeron las esclusas dobles empezaron a utilizarse embarcaciones capaces de cargar veintiocho toneladas, y posteriormente los cargamentos siguieron aumentando. Hoy en día [alrededor de 1086] los barcos del gobierno cargan hasta cuarenta y nueve toneladas y los privados, hasta ochocientos sacos, cuyo peso es de ciento trece toneladas.

No es de extrañar, pues, que el *Nung Shu*, el tratado agropecuario publicado en China en 1313, contuviese ilustraciones de esclusas y compuertas, puesto que eran esenciales para irrigar los campos de arroz y para controlar el nivel de agua de los canales. Needham afirma:

> Sin duda la forma más típica de esclusas y compuertas utilizada a lo largo de toda la historia de China es la denominada «puerta de ataguía ranurada» ... dos ranuras verticales de madera o de piedra se colocan frente a frente en la vía fluvial, se deslizan por ellas una serie de leños y vigas con cuerdas anudadas a cada extremo. Mediante tornos o poleas de madera, a modo de grúas en cada orilla, se colocan o se retiran las palancas que constituyen la compuerta. Este sis-

tema fue mejorado en algún caso atando todas las vigas de modo que formasen una superficie continua y luego elevándolas o bajándolas por las ranuras mediante pernos ...

La ilustración más antigua que hemos encontrado de este tipo de compuerta aparece en el *Nung Shu*, cap. 18 p. 4b, y la fecha de la ilustración (+1313) despoja a Jacopo Mariano Taccola del honor de haber sido el primero en dibujar una presa con una compuerta.[7]

Así que en la época en que las flotas de Zheng He llegaron a Venecia en 1434, los chinos llevaban cientos de años construyendo canales y esclusas y haciendo que funcionasen en todo tipo de condiciones: ríos secos en verano y torrentes en primavera.

LOMBARDÍA

La geografía y el clima de Lombardía, la región situada entre las estribaciones de los Alpes y el río Po, se parecen a los de la China Oriental. El Po recoge agua procedente de los grandes lagos que se alimentan del deshielo, especialmente del lago Mayor, el primero en dirección sur, y luego se dirige hacia el este atravesando la llanura hasta formar el delta situado al sur de Venecia. Durante siglos, el río ha ofrecido un medio de transportar mercancías, incluidos la madera y el mármol, desde las montañas a las ciudades de la llanura, y sus aguas han generado tierras fértiles.

Los canales han desempeñado un papel importante en el desarrollo del comercio, la agricultura y la industria de la región de Lombardía. El origen del primer canal importante de Lombardía parece que fue la conquista de Milán por parte del emperador Barbarroja del Sacro Imperio Romano en 1161.[8] Milán levantó importantes defensas, para lo cual desvió agua de los arroyos de la zona y construyó amplios fosos alrededor de la ciudad. Necesitaba además un suministro seguro de agua potable y el mejor procedía del río Tesino, que nacía en el lago Mayor y desembocaba en el Po a unos veinticinco kilómetros de Milán. Ello llevó a la construcción del primer canal que conectaba el Tesino con Milán, una empresa titánica para los europeos. La obra fue finalizada alrededor de 1180, mucho antes de que los chinos llegasen en 1434.

El canal más largo de este sistema se llamaba Naviglio Grande («Gran Canal»). Era pequeño, de profundidad variable en función de la cantidad de agua que bajase de las montañas. No tenía esclusas y, en consecuencia, la navegación era peligrosa y estacional. Todo ello sufrió una revolución alrededor del año 1450.

Esta vez la iniciativa provino de Francesco Sforza, un líder decidido y astuto que ocupó el trono de Filippo Visconti al morir este en 1447. Sforza cortó el Naviglio Grande, lo que al instante dejó a Milán sin agua potable. Es más, los molinos que jalonaban el canal se quedaron sin fuente de energía y no pudieron moler más cereal. Milán capituló y Francesco entró en la ciudad como conquistador en 1450. Fue proclamado duque e inició la estirpe de los Sforza.

Sforza se propuso proveer a Milán de un suministro continuo de agua potable, de energía hidráulica y de la posibilidad de transportar mercancías y alimentos durante todo el año. Sforza había heredado un canal en el oeste que conectaba Milán con el lago Mayor, pero que carecía de esclusas y dependía del volumen variable del agua procedente de las montañas. No era navegable. Decidió equiparlo con esclusas y transformarlo en un canal que pudiera emplearse en cualquier estación del año con independencia de las condiciones climáticas.

Proyectó la construcción del canal Bereguardo en el sur, para conectar Milán con Pavía, y en el norte conectó Milán con el río Adda, que nacía en el lago Como. Este ambicioso proyecto crearía una vía fluvial desde el lago Mayor en el oeste hasta el lago Como en el este, que podrían suministrar agua a Milán y configurar una infraestructura de navegación que conectara el mar Adriático con Lombardía. Naturalmente, el problema era que en 1452, fecha en que se concibió el proyecto, los italianos no tenían un método para construir esclusas, y sin esclusas los canales no podían funcionar, especialmente el Bereguardo, que tenía un desnivel de veinticinco metros y una meteorología en primavera que aportaba gran cantidad de agua de deshielo de las montañas.

No hay premio para el que adivine quién facilitó el diseño de las compuertas: nuestros viejos amigos, Taccola,[9] Francesco di Giorgio y Leon Battista Alberti. Francesco, como señalamos en el capítulo 16, copió y mejoró la obra de Taccola. Suponemos que él, al igual que Taccola, tuvo acceso al *Nung Shu* y lo copió. En dicho capítulo describimos el *Tratatto di architettura* de Di Giorgio, especialmente el ejemplar denominado Codex Laurenziano, que perteneció a Leonardo da Vinci y que se halla actualmente en la Biblioteca Laurenziana de Florencia. Junto a este documento se guarda el *Trattato dei pondi leve e tirari*,[10] de Di Giorgio. Una de las últimas descripciones del Codex Laurenziano, la número 361, hace referencia a una serie de esclusas:

> Si queremos llevar barcos por un río ... cuando debido a la escasez de agua y a la pendiente podría ser imposible la navegación, es necesario determinar dicha pendiente ... Supongamos que la primera parte del río tiene un desnivel de treinta *piede*; se construye en ese punto una puerta alta al estilo de una verja levadiza ... con tornos para elevarla, y lo mismo a lo largo de todo el río y cada vez que haya una pendiente. Una vez que entra el barco y se cierra la puerta, pronto se elevará ... y podrá entrar en la segunda cámara ... y así, paso a paso, podrás llevar ese barco a donde quieras. Si desearas regresar río abajo, abriendo cada compuerta, el barco sería transportado por el agua hasta la siguiente y así sucesivamente, hasta llegar al mar. Todos los barcos deberán ser construidos sin quilla, para que puedan flotar en aguas poco profundas.[11]

Esta descripción viene acompañada de un dibujo que muestra un sistema de esclusas con no menos de cuatro de ellas. La fecha del dibujo del Codex Laurenziano de Hans Lee[12] se remonta a 1450 aproximadamente, una fecha determinada por la descripción de la destrucción de Ragusa (Dubrovnik).

Sforza y su arquitecto, Bertola de Novale, disponían pues de ilustraciones sobre cómo construir esclusas. Al principio les parecieron desconcertantes. Así lo testimonia la descripción de William Parsons:[13] «Pero los detalles de las esclusas no se entendían y los contratistas se negaron a trabajar. Así que Lorenzo de Passaro solicitó urgentemente al duque que enviase a Bertola para que diera las explicaciones necesarias».[14]

Parsons prosigue:

En 1461 el canal había sido finalizado, como queda consignado en otra carta de Lorenzo, en la que se queja de algunos defectos en las compuertas y solicita de nuevo que envíe a Bertola para solucionar los problemas. En esta carta escribe que las compuertas tienen dos *braccia* más de profundidad que el fondo del canal [lo que debe de referirse al desnivel de la pendiente]. Decía asimismo que había defectos en las compuertas; los goznes eran frágiles y las puertas no podían resistir la presión del agua.[15]

A partir de 1461 se construyeron esclusas en el canal entre Milán y el río Adda, que posteriormente recibió el nombre de canal del Martesana. Contrataron a Bertola para construir al menos cinco canales navegables de primer orden, todos los cuales exigían la construcción de esclusas. Construyó al menos dieciocho esclusas en el canal de Bereguardo y cinco más cerca de Parma. Las técnicas de construcción de canales y esclusas habían sido importadas a Lombardía a través de Taccola, Francesco di Giorgio y el *Nung Shu*.

Si estudiamos con atención la historia de los canales en Lombardía, vemos que en ella se refleja la estrecha conexión existente entre Taccola, Francesco di Giorgio, Leon Battista Alberti y Leonardo da Vinci. Alberti, que era notario del papa Eugenio IV y seguramente asistió al encuentro entre este y el embajador chino, también dibujó esclusas. William Parsons dijo de Alberti:

En el año 1446 volvió a establecerse en Roma, puesto que era amigo de Nicolás V, y emprendió su trabajo de ingeniería: el intento de recuperar la galera hundida en el lago Nemi [Alberti utilizó un dibujo prácticamente idéntico al de Taccola y Francesco], lo que no se consiguió hasta hace poco ... A continuación vino la obra que le ha dado la fama, *De re aedificatoria* (escrita alrededor de 1452). Por varias referencias que hacen de ella otros escritores, queda claro que los eruditos de la época o inmediatamente posteriores tuvieron acceso al contenido de la misma. Este hecho es importante por cuanto fija la fecha en que se describió por vez primera la esclusa ... León Batista

247

continuaba así: «Además, si se desea pueden construirse dos compuertas que interrumpan el curso del río en dos lugares ... para que
un barco pueda permanecer entre ambas: y si dicho barco desea ascender cuando llegue a dicho lugar, se cierra la barrera inferior y se
abre la superior, y a la inversa, si lo que quiere es descender, se cierra la barrera superior y se abre la inferior. Así el barco tendrá suficiente agua para flotar fácilmente hasta el canal principal, porque al
cerrar la compuerta superior se impide que el agua lo empuje violen-
tamente, con peligro de quedar varado». ... Estamos seguros de que
la *Aedificatoria* de Batista fue escrita alrededor de 1452 y de que muchos ingenieros tuvieron acceso a su contenido.[16]

Dicho de otro modo, tanto Francesco como Alberti describie-
ron los mismos sistemas de esclusas que figuran en el *Nung Shu*.

Así pues, es incorrecto atribuir a Leonardo da Vinci el invento de las esclusas. Como sabemos, su caligrafía aparece en el Codex
Laurenziano de Francesco (lo explicamos en el capítulo 16).
También sabemos que aprendió mucho sobre vías fluviales en su
encuentro con Di Giorgio en Pavía. En aras a la justicia hay que
decir que los dibujos de canales que realizó Leonardo son con diferencia los más elegantes, pero no inventó las esclusas, a pesar de
que durante siglos se le ha atribuido este importante avance.

En todo caso, la introducción de las esclusas, que permitió la
construcción en el norte de Italia de un sistema de canales navegables en todas las estaciones y condiciones meteorológicas, tuvo una
importancia decisiva en el desarrollo económico de la Lombardía.
La introducción del arroz, los árboles de morera y la seda china fue
todavía más valiosa cuando el arroz pudo ser transportado por el
Po aguas abajo (y también el mármol, desde las montañas hasta las
ciudades del norte de Italia). Italia poseía en aquel momento un
conjunto de inventos chinos: máquinas propulsadas con energía
hidráulica, como los molinos y las bombas para moler cereal e hilar la seda. En 1434, Italia estaba a punto de convertirse en el primer país industrial de Europa.

EL PRIMER PAÍS INDUSTRIAL DE EUROPA

El maravilloso y rico legado basado en el cultivo de arroz y en la producción de seda, en la construcción de los canales y en la producción de acero, sigue siendo visible hoy. Durante casi todos los veranos de los últimos cuarenta y dos años, Marcella y yo hemos atravesado en coche la Borgoña y el Col de Larche hasta su casa en el Piamonte, para pasar un tiempo con su familia al pie de los Alpes. Solíamos conducir en dirección este hacia Venecia, atravesando el valle del Po y kilómetros y kilómetros de dorados campos de arroz irrigados por los famosos canales alimentados, a su vez, por el deshielo alpino.

Empezábamos el viaje al amanecer y encontrábamos los caminos llenos de tractores de camino a la labranza. Tras cuatro horas de carretera aparecía Mantua, una silueta fantasmagórica suspendida del cielo, con una ligera niebla sobre los lagos circundantes. Los constructores medievales de la ciudad aprovecharon los meandros del Po y de su afluente, el Mincio, para crear una serie de lagos que constituyen las defensas de Mantua. Cremona, Pavía, Verona y Milán fueron construidas también en los meandros de los afluentes del Po que serpentean por entre los campos de la Lombardía. El centro histórico de Mantua es típico de estas ciudades medievales. La Piazza Erbe constituye un conjunto de encantadores edificios de colores pastel. Lleva a las plazas igualmente hermosas de Mantegna y de Sordello, a cuál más imponente, rodeadas ambas de espléndidos edificios medievales y renacentistas. A ambos lados de la plaza Sordello se levanta el palacio ducal de los Gonzaga,[17] la familia de príncipes que gobernó la ciudad en la Edad Media. Una sala enorme da paso a la siguiente, cada una de ellas revestida de arriba abajo de frescos, fabulosas obras maestras del Renacimiento: fábulas pintadas por Pisanello y Mantegna, retratos de la familia Gonzaga y tapices con imágenes de la vida de los apóstoles. Lo que más hondamente impacta es que, si bien los estilos son muy variados, estos se entrelazan de tal manera que el conjunto final es enormemente armonioso. Sin duda los Gonzaga eran una familia de gran fortuna y muy buen gusto.

La familia que gobernaba Verona, los Scaglieri,[18] patrocinaban a artistas brillantes, al igual que los Gonzaga. Esto no deja de ser una sorpresa, porque Verona, Mantua, Milán, Urbino y Ferrara tenían un estilo de vida diferente al de las repúblicas de Florencia y Venecia. Lejos de ser una acaudalada clase mercantil dedicada al comercio internacional, los gobernantes y la aristocracia de estas ciudades septentrionales vivían de su ingenio, a menudo actuando igual que mercenarios de Venecia. No obstante, estos miniestados se hallaban ubicados en las rutas comerciales. Milán y Verona controlaban el acceso a los principales pasos de montaña de los Alpes y se hallaban en posición de recaudar impuestos y tasas sobre el tráfico terrestre entre Venecia y el norte de Europa. Cada uno tenía un pequeño ejército. El dinero que los gobernantes derrochaban en los artistas renacentistas formaba parte, sin duda, de su política exterior: parecer más ricos y más importantes de lo que eran en realidad, para impresionar a sus poderosos vecinos, Venecia y Florencia. Hoy somos beneficiarios de aquella prodigalidad. Estas ciudades italianas suntuosas están trufadas de obras maestras del Renacimiento; uno podría pasar toda una vida en cada una de ellas.[19]

La riqueza de la Italia actual sigue reflejándose en las casas de los agricultores y de la clase media; son enormes en comparación con las del norte de Europa y están magníficamente acabadas. La población lleva ropa cara y las mujeres, exquisitamente elegantes, encarnan la muy renombrada *bella figura*.

Para mí, la riqueza del norte de Italia, especialmente la del Piamonte, queda personificada en la comida. Uno entra en lo que parece una casa rural; a menudo ningún cartel anuncia el restaurante que encontramos en el interior. El local está lleno a rebosar, y no hay cartas ni listas de precios; uno se limita a elegir mesa y sentarse. Nuestro local favorito es el Nonna, en la falda de los Alpes, cerca de Pian Fei. Nos traen una botella de vino tinto, muy oscuro, seco y con un poco de aguja, hecho de uvas de Nebbiolo, además de un plato de jamón de Parma y salami. Luego vienen las crudités con *bagna cauda*, una salsa de ajo, anchoas, atún y aceite de oliva, a las que sigue el plato de pasta. A continuación se suceden varios platos: asado de cabrito, de gallina de Guinea, de jabalí, de lechón y de liebre con castañas. Muchas veces el postre consiste en frambuesas locales y las famosas castañas hervidas con vino blanco y servidas con crema de leche. Y llega la cuenta, normalmente unos veinte euros por cabeza después de doce platos.

Para mí no existe en el mundo un lugar con un nivel de vida más alto que el Piamonte, con sus casas inmensas, su comida exquisita, sus ciudades históricas, la gente cordial y encantadora... una vida basada en la riqueza natural de una región cuyos avanzados métodos de cultivo y cuya industrialización surgieron hace seiscientos años.

19

LAS ARMAS DE FUEGO Y EL ACERO

Existen pruebas bastante evidentes de que Taccola y Alberti copiaron del *Nung Shu* el dibujo de un horno de fundición que fue construido en el norte de Italia. Gracias a ello, los europeos tuvieron por vez primera capacidad de producir suficiente cantidad de hierro y de acero de calidad como para poder fabricar armas de fuego modernas y fiables.[1]

Una de las primeras descripciones de un horno italiano para producir acero pertenece a un arquitecto florentino, Antonio di Piero Averlino, al que llamaban Filarete.[2] Filarete había nacido en Florencia alrededor del año 1400. Su obra más destacada fue *Ospedale Maggiore*, un tratado sobre la reorganización de los hospitales y la ingeniería sanitaria. Temiendo que a los lectores pudiera parecerles demasiado pesado, incluyó también algunos pasatiempos para darles un descanso. Uno de ellos es su relato de una visita a un molino de martillo y a un horno de fundición en Ferriere.[3] El doctor John Spencer,[4] presidente del Allen Memorial Art Museum, afirma:

> La técnica de fundición del hierro en el siglo xv descrita por Filarete no se distingue mucho del método básico de extracción desde su época hasta el siglo xviii. Básicamente nos informa de que se mejoraba la mena poniéndola al fuego junto con piedra caliza, tal vez en un intento de reducir el elevado contenido de azufre, extremo que señala en diversos puntos del proceso. El producto derivado se molía, se colaba y se preparaba para la carga (p. 206) ... se alternaban capas de carbón en el [horno de] fundición con capas de mezcla de mena y piedra caliza. El aire necesario para que se produjese la reducción de manera eficiente se obtenía gracias a un ingenioso sistema de fuelles que soplaban alternativa-

Aprovechamiento de la energía hidráulica para levantar los martillos triangulares basculantes y soltarlos con gran fuerza.

Dibujo del fuelle de una fragua, la forja y un molino de martillo propulsados por agua en Grottaferrata, cerca de Roma.

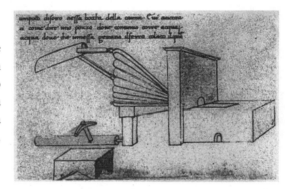

mente por una tobera común ... Cuando el arrabio fundido se enfriaba, se fundía de nuevo y se llevaba a una forja donde se le daba forma.

La descripción que hace Filarete del horno de fundición suscita varias cuestiones de peso y plantea diversos problemas. Su descripción del molino de martillo de Grotta Ferrata recoge uno de los primeros ejemplos de refinado que, al parecer, ya estaba desarrollado. Los fuelles de ventilación parecen bastante originales y constituyen otro ejemplo muy temprano de una innovación sofisticada...[5]

Este horno de fundición no fue la única aportación china a la fabricación de hierro y de acero en el norte de Italia en la década de 1450. Theodore A. Wertime, autor de *The Coming of the Age of Steel*, analizó esta «influencia oriental» en su trabajo «Influencias asiáticas en la metalurgia europea»:

El ingenioso fuelle hidráulico permitía alcanzar temperaturas más elevadas que facilitaban la fundición del acero.

Fuelles de Taccola impulsados hidráulicamente, similares a los chinos, que figuran en su Codex Latinus Monacensis (Munich).

Es incuestionable que Filarete, un observador experto, encontró aquí [en Ferriere] una fundición poco habitual. Aunque nunca sabremos con exactitud lo que vio, por el contexto tecnológico de las impresiones de Filarete uno sospecha que había allí influencia oriental ...

Needham está en lo cierto cuando habla del «clustering» o concentración de la tecnología, especialmente en aquellos momentos de inventos e intercambios técnicos que se vivieron entre los siglos X y XV. Como se señala en *The Coming of the Age of Steel* —en una interpretación muy conservadora—, la metalurgia de la Italia del siglo XV tenía muchísimos rasgos propios de las técnicas de producción de hierro colado no europeas, lo cual resulta sorprendente:

1. El empleo del baño fundido del hierro colado para carburizar el hierro forjado en acero. Needham descubrió que era un antiguo proceso en China, que en Europa vino en llamarse «proceso Bresciano» o «Bergamasco».[6]
2. La temprana fabricación de utensilios de cocina de hierro colado y de cañones de hierro.

254

3. El *cannecchio*, un cono invertido característico de los altos hornos europeos, con antecedentes más probables en China que en Persia.
4. La granulación del nuevo hierro colado para inyectar o para adaptar el hierro a la forja, de modo parecido al de los persas.
5. Las limaduras de hierro como ingrediente de los fuegos de artificio, lo que refleja la herencia del «fuego chino» ...

En Italia la evidencia de esta concentración tecnológica es impresionante y le obliga a uno a considerar en mayor profundidad el proceso gracias al cual las sociedades llegan a remodelar sus mecanismos y sus técnicas para conseguir nuevos objetivos ...

... Puede que Filarete hubiese visto, en efecto, los últimos vestigios de una amplia y variada agrupación de prácticas de corte asiático, asociadas al nuevo producto: el «hierro colado».[7]

Los Médicis financiaron las mejoras técnicas para endurecer el acero. Suzanne Butters, en «El triunfo de Vulcano: herramientas de los escultores, pórfido y el príncipe de la Florencia Ducal», habla de un cantero de los Médicis, de nombre Tadda, que experimentaba con procedimientos para templar el acero a fin de poder fabricar cinceles lo suficientemente resistentes como para modelar el pórfido, el material más duro utilizado con fines artísticos en aquella época.[8] Tras haber conseguido producir hierro colado y acero lo suficientemente duros y resistentes como para fabricar armas de fuego, los florentinos necesitaron pólvora de mejor calidad.

La pólvora, los mosquetones y los cañones eran todos ellos inventos chinos. La pólvora se fabricó por primera vez durante la dinastía Tang y se mejoró en la Song.[9] Sus principales componentes eran azufre, salitre y carbón vegetal. La palabra china *huo yao* significa «el fármaco que arde». (Los alquimistas chinos pensaron en un principio que el azufre y el salitre tenían propiedades medicinales y que la pólvora podía aplicarse a las infecciones cutáneas.) En su búsqueda de una panacea, los alquimistas descubrieron que el azufre era inflamable. Lo mezclaron con salitre para controlar su volatilidad provocando una combustión parcial, un proceso denominado «control del azufre».[10] Comprobaron que añadiendo carbón vegetal a la mezcla de azufre y salitre podían provocar una explosión. Los armeros investigaron enton-

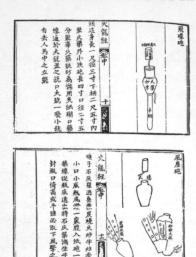

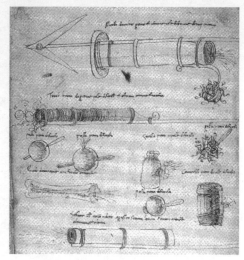

Izquierda: Cañón de Wei Yuan y un cañón móvil desmontable parecido.
Derecha: Dibujos de bolas de cañón y petardos que aparecen en los tratados
de los ingenieros sieneses sobre la guerra.

ces las proporciones necesarias para obtener la mezcla más explosiva. El
desarrollo de la pólvora en China fue paralelo al de las armas de fuego. Durante la dinastía Song del Norte (960-1127), el emperador
Zhanzon (denominado también Chao Heng) inauguró la primera
fábrica de armas de China, en la que trabajaban unos cuarenta mil
obreros. Elaboraban tres tipos de pólvora distintos: una para cañones, otra para bolas de fuego y otra para bombas de humo envene-
nadas.[11] La proporción de salitre respecto a la de azufre y de carbón
vegetal variaba en cada tipo. Tal vez el arma más famosa que se desarrolló durante la dinastía Song del Norte fue la escopeta, precursora de las armas de fuego modernas. Los emperadores Yuan utilizaron
este tipo de armas en Asia central en el siglo XIII.

China había inventado el lanzallamas hacia el año 975. A continuación se describe una batalla a orillas del Yangze relatada por Shih
Hsu Pai en su libro *Conversaciones en la roca del pescador*:

Siendo almirante Chu Lung-Pin, fue atacado con dureza por las
tropas del emperador Sung. Chu iba al mando de un gran buque de
guerra de más de diez pisos, en el que ondeaban las banderas y retum-

baban los tambores. Los barcos imperiales eran más pequeños, pero descendieron por el río atacando con ferocidad y las flechas volaban con tal rapidez que los barcos del almirante Chu parecían puercoespines. Chu no sabía qué hacer, hasta que finalmente se decidió a arrojar nafta con los lanzallamas para destruir al enemigo. Las tropas de Sung no habrían podido resistir aquel ataque, pero de repente se levantó un viento del norte y barrió el humo y las llamas empujándolos hacia los barcos y los hombres de Chu. Al menos 150.000 soldados quedaron atrapados en aquel infierno, ante lo cual Chu, abrumado por el dolor, se lanzó a las llamas y murió.[12]

Las excavaciones de los restos de la flota de Kubilai Kan, que naufragó en 1281 a causa de un viento kamikaze ante las costas de Takashima (Japón), han desvelado que la flota iba equipada con bombas explosivas de mortero. Los chinos utilizaron esta arma contra los mongoles en 1232 en el asedio de la capital septentrional, Kaifeng. La historia china nos lo cuenta así:

> Entre las armas de los defensores estaba la bomba de explosión, que conmocionaba a los mismísimos cielos. Consistía en un recipiente de acero lleno de pólvora; cuando se encendía la mecha y el proyectil salía disparado, se producía una gran explosión cuyo ruido era como un trueno que podía oírse a más de cien *li* [unos sesenta kilómetros] de distancia, y la vegetación quedaba carbonizada por el calor en un radio de más de medio *mou* [muchas hectáreas]. La metralla podía traspasar incluso una armadura de hierro.[13]

Los cohetes y los misiles de pólvora se conocían desde 1264. En su libro *Costumbres e instituciones de la vieja capital*, Chou describe las armas de pólvora del siglo XIII: «Algunas eran como ruedas y artilugios giratorios, otras como cometas y otras salían disparadas sobre la superficie del agua».[14]

La pólvora se utilizaba también en los festejos, aunque no siempre con los resultados esperados. Así describe Robert Temple las celebraciones a que dio lugar en el palacio Imperial, en 1264, el retiro de la emperatriz de la vida pública: «En el patio se ofreció una exhibición de fuegos de artificio. Uno de estos, la "rata de tierra", fue directo a los escalones del trono de la emperatriz madre y le dio un buen susto. Se levantó furiosa, se agarró la túnica y dio por finalizada la fiesta».[15]

En la época de Zheng He, China llevaba ya años de experiencia en la producción de todo tipo de armas de pólvora. Las flotas de Zheng He iban equipadas con cohetes que lanzaban papel ardiendo y pólvora para incendiar las velas de los barcos enemigos, granadas impregnadas de veneno, morteros llenos de productos químicos y excrementos humanos, proyectiles rellenos de tornillos de acero capaces de despedazar un cuerpo humano, arqueros con flechas de fuego, minas sumergidas para proteger sus barcos, lanzallamas para carbonizar al rival, y baterías de cohetes para aterrorizarlo. ¡Que el cielo se apiade de sus enemigos![16]

Los europeos tuvieron que fijarse necesariamente en aquel arsenal cuando vieron las flotas de Zheng He, ya fuera en Calicut o en El Cairo, Alejandría, Venecia o La Haya. Los primeros libros europeos sobre armas de pólvora se publicaron alrededor de 1440. El autor de uno de ellos fue un ingeniero husita, cuyo nombre se desconoce, y el segundo fue el veneciano Giovanni Fontana; el tercero fue nuestro viejo amigo Mariano di Jacopo, *ditto* Taccola.

Fontana describió y dibujó muchas máquinas a las que calificó de «innovaciones tan despiadadas como geniales». Se maravillaba de que un polvo tan frágil pudiera generar una fuerza tan explosiva:[17] «Ex quibus est orrida machina quam bombardam appellamus ad dirvendam omnes fortem dvrittiem etiam marmoream turrem non minus impietatis quam ingenii fuisse existimo qui primo adinvenerit tantam vim habeat a pusillo pulvere».[18]

En la época en que se publicó el libro de Fontana, ya se utilizaban algunas armas de pólvora en Italia, como los cohetes en la batalla de Chioggia, que tuvo lugar en 1380. Podría haber sido pura coincidencia que el libro apareciese poco después de la visita de Zheng He a Venecia. No obstante, su otro libro *Liber de omnibus rebus naturalibus* nos ofrece una serie de pistas. En primer lugar, Fontana sabía de la existencia de América cuarenta años antes de que Colón la «descubriera». Refiriéndose al océano Atlántico escribió: «Et ab eius occasu finitur pro parte etiam terra incognita» («El océano Atlántico está bordeado al oeste por una tierra desconocida»).[19]

En segundo lugar, sabía de la existencia de Australia dos siglos antes de que Tasman existiese. Fontana escribió que «algunos cosmógrafos, y especialmente aquellos que tienen información gracias a experiencias de primera mano y a la realización de viajes lejanos y de una navegación diligente, han encontrado recientemente una extraordinaria región habitable más allá del círculo equinoccial del sur (al sur de 23° 20' S) que no está cubierta por agua, además de muchas islas famosas».[20]

En tercer lugar, da muestras de un sólido conocimiento del océano Índico cuarenta años antes de que Vasco de Gama explorase aquella zona. Tomando todos estos indicios en conjunto —que los artificieros de Zheng He hubiesen utilizado todas las máquinas descritas en el libro de Fontana y hubieran llevado a bordo muchas de ellas, que el libro de Fontana se hubiera publicado en Venecia poco después de que la escuadra de Zheng He llegara allí y que Fontana supiese de la existencia de América, del océano Índico y de Australia, en un momento en que los europeos lo ignoraban—, me parece razonable suponer que Fontana adquirió muchos de sus conocimientos sobre las armas de fuego gracias a los artificieros de Zheng He.

Taccola aporta una prueba que confirma mi suposición: introdujo en Europa una novedad china de principios del siglo xv, un derivado del arsénico para mejorar la potencia de la pólvora. Needham lo explica de la manera siguiente:

El *München Codex 197* es una obra compartida. Por un lado fue el cuaderno de notas de un ingeniero militar que escribía en alemán, el husita anónimo, y, por otro, el de un italiano, probablemente Marianus Jacobus Taccola, que escribía en latín; constan las siguientes fechas: +1427, +1438 y +1441. Contiene la fórmula de la pólvora y ofrece una descripción de las escopetas acompañada de ilustraciones. Un rasgo curioso, característico de los chinos (cf. pp. 114 y 361), es la incorporación de sulfuro de arsénico al polvo; ello se remonta a los días de los lanzaproyectiles de fuego, pero seguramente provocaba el efecto de aumentar el poder destructivo de la pólvora, por lo que podría haber sido útil en la fabricación de bombas y granadas. En *De re militari*, el MS del siglo +xv de París, supuestamente escrito antes de +1453, tal vez por Paolo Santini, figura un cañón en una carreta con una pantalla en la parte anterior, morteros que disparan «bombas» incendiarias casi verticalmente contra objetivos cercanos, una bombarda con cola (cebotane o timón) y un jinete que sostiene un pequeño fusil con una cerilla encendida.[21]

En el momento en que los florentinos tuvieron acero y pólvora para poder fabricar bombardas y cañones, Francesco di Giorgio les sacó partido rápidamente.

FRANCESCO DI GIORGIO

Entre 1430 y 1450, las armas de pólvora dibujadas por Fontana y por Taccola todavía no habían sido «inventadas». No obstante, aquello cambió en los cuarenta años siguientes, como sabemos por los relatos de Francesco di Giorgio relativos al asedio de Castellina en el mes de agosto de 1478. Los Pazzi, apoyados por el papa Sixto V, habían iniciado un levantamiento armado contra los Médicis en Florencia. Al

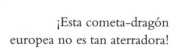

¡Esta cometa-dragón europea no es tan aterradora!

Este aterrador prototipo de «torpedo-dragón» debía de destrozar y hundir sin piedad a los barcos enemigos.

Puede que los chinos no inventasen los fundíbulos, pero no cabe duda de que su uso estaba generalizado en el siglo XIV.

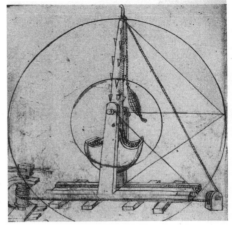

El prolijo tratado de máquinas de guerra de Di Giorgio contenía muchos fundíbulos.

poco tiempo, todo el norte de Italia estuvo en llamas. Los pueblos del sur aprovecharon la oportunidad e iniciaron la marcha hacia la Toscana. Francesco fue designado para defender las ciudades toscanas.[22]

A continuación ofrecemos la descripción de Weller del asedio de Colle val d'Elsa, una localidad de montaña cerca de Florencia, por parte de los napolitanos:

El duque Federico llevaba para el asedio cinco bombardas cuyos nombres eran aterradores —*Cruel, Desesperada, Victoria, Perdición, Sin miramientos*— y que, sin duda, estarían hermosamente decoradas, pues esa era la moda de los cañones italianos de la época; lanzaban grandes bolas de piedra que pesaban entre 168 y 172 kilos, y el peso del propio cañón también era considerable, pues la caña, si medía 2,70 metros, alcanzaba más de 6.000 kilos y la cola casi 5.000, por lo que se necesitaban más de cien parejas de búfalos para arrastrarlos hasta su posición.

El arte de fabricar estos primeros cañones en dos partes, la caña y la cola, se practicaba en Siena; y aunque tal vez no habrían influido mucho en el desenlace de una batalla moderna, en aquella época se consideraban una novedad formidable. Francesco di Giorgio, en el sitio de Castellina (14-18 de agosto de 1478), utilizó una batería de estas bombardas sienesas y pontificias.[23]

Las ilustraciones de los cañones de Francesco pueden verse en el Instituto y Museo de Historia de la Ciencia de Florencia.[24] Debajo de ellas hay un grabado del «cañón trueno de mil bolas», de 1300-1350.[25] Junto a los dibujos de Taccola y de Di Giorgio figuran las armas que se disparaban: misiles explosivos y barriletes de pólvora.

Los chinos hicieron gran cantidad de dibujos de misiles explosivos y barriletes de pólvora en el *Huo Lung Chung*, publicado alrededor de 1421, y en el *Wu Ching Tsung Yao*, un manual de la época de la dinastía Sung, original de 1044, pero actualizado en 1412. La «cometa de fuego de bambú» y el «pájaro de fuego con pico de acero», los lanzadores incendiarios y la «bomba atronadora» del *Wu Ching Tsung Yao* y la «bomba mágica rompehuesos y lacerante de aceite incendiario» del *Huo Lung Chung* aparecen al lado de los proyectiles de Di Giorgio. Otro parecido interesante entre los dibujos

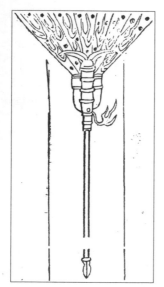

¡El lanzaproyectiles de Taccola no resulta tan amenazador!

El dominio de la pólvora por parte de los chinos les permitió desarrollar muchas armas eficaces y mortales.

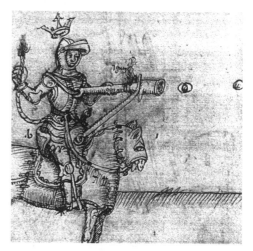

de Di Giorgio y el cañón de pólvora chino es que ambos poseen curiosas formas de bulbo. Di Giorgio ilustró cinco tipos de bombarda diferentes en el MS Palatino 767 (BNCF, p. 163). Esta peculiar forma de vasija aparece en el *Huo Lung Chung*.[26] En aquel momento, los chinos todavía no dominaban lo suficiente la elaboración del acero como para que soportara la expansión del gas en la cámara de explosión una vez que se prendía fuego a la pólvora. La forma de bulbo permitía que el metal fuera más grueso en la cámara que en la caña.

Alrededor del año 1400, a principios de la época Ming, este problema había sido resuelto, lo que permitió a los chinos fabricar el «cañón de mil bolas»,[27] que Francesco copió en sus últimos dibujos.[28] Los cañones de Francesco tienen una decoración preciosa. No obstante, si retiramos la decoración lo que queda es la forma de los cañones chinos.

Pólvora, acero, cañones y proyectiles explosivos no fueron las únicas armas que Taccola, Francesco y Fontana copiaron de los chinos. No había pasado todavía una generación desde la visita china de 1434, y los florentinos ya estaban empleando una serie de métodos chinos para fundir el hierro y la pólvora tal como estos la habían formulado para producir proyectiles explosivos que lanzaban con cañones idénticos en diseño a los de sus homólogos chinos.

Dibujo a pluma de un buque armado en un tratado militar italiano del siglo XV.

Durante siglos, la tecnología naval china fue muy superior a la europea.

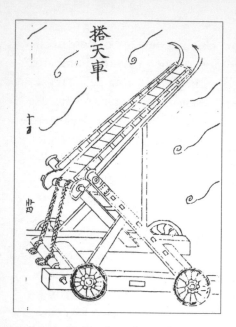

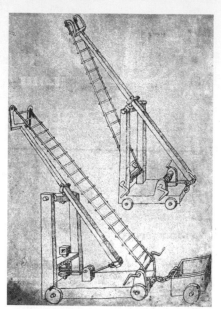

Izquierda: Escalera de asedio móvil y armas ofensivas, ambas chinas.
Derecha: Ilustración de escaleras de asedio móviles realizada por Di Giorgio.

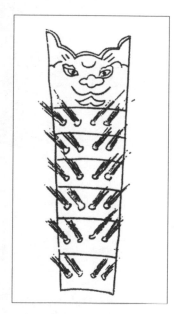

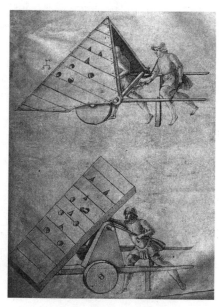

Izquierda: Los escudos móviles chinos eran eficaces tanto en posición de ataque como de defensa.
Derecha: Los escudos de Di Giorgio no eran tan llamativos estéticamente.

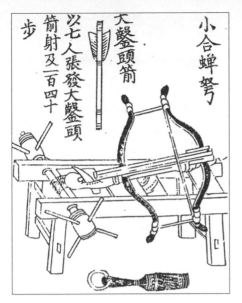

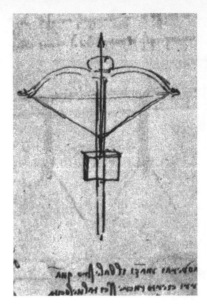

Izquierda: Ilustraciones de ballestas del *Nung Shu*.

Derecha: Una de las tres ilustraciones de Leonardo de una ballesta.

Izquierda: Los caballos y bueyes chinos podían convertirse en armas peligrosas.

Derecha: Compárese con el dibujo de Taccola; son asombrosamente parecidos.

Tanto los chinos como los europeos utilizaban animales para prender fuego al enemigo, cuyos efectos eran devastadores.

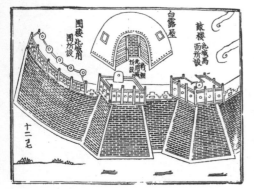
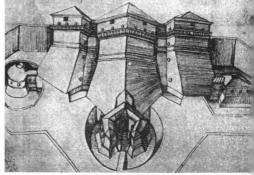

Izquierda: Fortaleza fronteriza inexpugnable.
Derecha: Fortaleza similar dibujada por Di Giorgio en su tratado de arquitectura y máquinas.

LA IMPRENTA

Existen muchas definiciones de *imprenta*. La que he adoptado yo es la siguiente: «Proceso en virtud del cual la tinta es trasladada al papel por medios físicos o químicos». Fundamentalmente son cuatro los métodos por los cuales puede realizarse: la placa de cobre, en la que las palabras se graban en el metal y se rellenan de tinta; la litografía, método químico que aprovecha la repulsión entre el agua y la grasa; la xilografía, o impresión por medio de sellos de madera en virtud de la cual primero se talla el tema en un bloque de madera, cuya superficie se cubre de tinta, y la tipografía, o impresión de tipos móviles, en la que se talla un sello para cada carácter o letra.[1]

Nadie discute que la xilografía y la impresión con tipos móviles se inventaron en China. La Colección Cultural China, *Ancient Chinese Inventions*, explica su evolución:

> La xilografía se inventó probablemente entre las dinastías Sui y Tang, basándose en la técnica de trasladar textos y dibujos esculpidos en sellos de madera y de piedra a otras superficies, y se desarrolló en los períodos de Primaveras y Otoños y de los Reinos Combatientes respectivamente. La invención del papel y la mejora de la tinta trajeron con ellos la innovación de la xilografía ...
>
> La impresión con tipos móviles se inventó después, [por] Bi Sheng (alrededor de 1051) ... En su obra *Mengxi Bitan* («Ensayos desde mi estanque soñado»), Shen Kuo escribe sobre la impresión mediante tipos móviles de Bi ... hechos con una mezcla de arcilla y cola endurecida en el horno. Compuso textos colocando los caracteres tipográficos uno al lado de otro en una placa de acero revestida de una mezcla de resina, cera y ceniza de papel. Calentaba ligeramente esta placa, presionaba los carac-

teres con otra placa lisa para nivelarlos y luego la dejaba enfriar, y el tipo quedaba solidificado. Una vez hecha la impresión, el carácter tipográfico podía despegarse volviendo a calentar la placa. Bi Sheng preparaba dos placas de acero para usarlas por turnos y acelerar así todo el proceso de impresión. También elaboró diferentes cantidades de tipos para los caracteres dependiendo de su frecuencia de uso en los textos y los ordenó de forma que facilitara la composición de los textos. Comprobó que esta técnica alcanzaba su máxima eficiencia cuando imprimía varios cientos o varios miles de copias.

Después de Bi Sheng otras personas inventaron caracteres tipográficos esculpidos en madera. Alrededor de 1313, Wang Zhen, un agrónomo de la dinastía Yuan, imprimió su obra *Nung Shu* («Tratado agropecuario») con sellos de madera móviles y explicó esta novedad en un apéndice al tratado. También inventó cajetines horizontales compartimentados que giraban en torno a un eje vertical de modo que facilitaba la manipulación de los tipos. Wang sometió a prueba esta técnica e imprimió en un mes cien ejemplares del *Jing doe Xianzhi* («Anales del condado de Jingde»), una obra de sesenta mil caracteres, lo cual puede considerarse un logro notable para aquella época.[2]

EL DESARROLLO DE LA IMPRENTA A PRINCIPIOS DE LA DINASTÍA MING

Según Joseph Needham:

> Durante la época Ming, la impresión se caracterizó por la amplia gama de temas que abarcó, por las innovaciones técnicas que introdujo y por su refinamiento artístico. En contraste con los períodos anteriores, la impresión Ming no solo abarcó las obras tradicionales sobre los clásicos, la historia, la religión y las colecciones literarias, sino también temas o campos nuevos, como las novelas populares, la música, las artes industriales, los relatos de viajes por mar, tratados para la construcción de barcos y obras de tipo científico procedentes de Occidente, que nunca antes se habían visto impresos en China ...
>
> Los impresores de la época Ming introdujeron la tipografía de metal, mejoraron el proceso multicolor de la xilografía, refinaron el grabado de los sellos para las ilustraciones de los libros y utilizaron la xilografía para hacer reproducciones facsímiles de ediciones antiguas.[3]

Needham también ha dejado constancia de las enormes aportaciones de Zhu Di. Entre 1405 y 1431, Zhu Di reunió a un grupo de tres mil eruditos para compilar la *Yongle Dadian*, una enciclopedia sin parangón en la historia de la humanidad por su volumen y su alcance. Esta obra de proporciones gigantescas contenía una gran cantidad de información obtenida gracias a los viajes de Zheng He e incluía 22.937 extractos de más de siete mil obras de los clásicos, de historia, filosofía, literatura, religión, teatro, artes industriales y agricultura. Era una obra de cincuenta millones de caracteres encuadernada en 11.095 volúmenes de unos cuarenta centímetros de alto por veinticinco de ancho cada uno. Esta empresa titánica quedó depositada en la Biblioteca Imperial de la Ciudad Prohibida cuando se inauguró en 1421.

Se acepta de manera general que la impresión xilográfica móvil llegó a Europa procedente de China por la misma época en que el embajador Zheng He llegó a Florencia en 1434. Parece que tres personajes se disputan el honor de ser el primer europeo que utilizó la impresión xilográfica con tipos móviles: Laurens Janszoon Coster, Johannes Gutenberg y un impresor desconocido de Venecia o de Florencia.

Reivindicación de Laurens Janszoon Coster

En el centro del casco antiguo de Haarlem, ciudad holandesa de la costa del mar del Norte, se eleva una sólida casa frente a la plaza de la Gran Iglesia. En uno de sus muros, el curioso podrá leer esta inscripción:

> Memoriae sacrum
> Typographia
> Ars artium omnium
> conservatix
> Hic primum inventa
> circa annum MCCCCXL

(«En la sagrada memoria de la tipografía, conservadora de todas las artes, inventada aquí alrededor del año 1440.»)[4]

Los partidarios de Coster, a quien está dedicada la inscripción, dicen que iba caminando por el bosque entre 1420 y 1440 cuando cortó un pedazo de corteza de árbol, le dio la forma de las letras, como si las mirase en un espejo, y las colgó juntas para imprimir palabras en un papel. Su yerno le ayudó a probar diferentes tintas a fin de mejorar la calidad de la impresión. A continuación grabó dibujos y los explicó con palabras. Se dice que su primer libro impreso fue *Spieghel onzer Behoudenisse* («Espejo de nuestra salvación»). Las hojas de papel estaban impresas a una cara, y los costados en blanco estaban pegados de modo que formaban la página. Siglos más tarde, Junius relataría lo que sucedió después: «El nuevo invento prosperó por la rapidez con que la gente compró aquel producto novedoso. Se contrataron aprendices ... lo que significó el inicio de la desgracia, porque entre ellos estaba un cierto Johann ... Este tal Johann, cuando hubo aprendido el arte de fabricar los tipos y combinarlos —de hecho todo el oficio—, aprovechó la primera oportunidad que se le presentó, el día de Nochebuena, cuando todo el mundo estaba en la iglesia, para robar toda la colección de tipos, las herramientas y todo el equipo de su maestro».[5]

La historia prosigue con el viaje de Johann a Amsterdam, luego a Colonia y finalmente a Mainz, donde abrió una imprenta. Gutenberg financió a Johann y con el tiempo adquirió el negocio.

LA REIVINDICACIÓN DE GUTENBERG

Gutenberg sería unos treinta años más joven que Coster. Nació en 1398, hijo de Frielo Gensfleisch («carne de oca») y Elsa Gutenberg («buena montaña»). En aquel tiempo, los hijos podían adoptar el apellido de soltera de su madre si existía la posibilidad de que dicho apellido se perdiera.[6]

Blaise Agüera y Arcas y Paul Needham, de la Universidad de Princeton, estudiaron concienzudamente la posibilidad de que hubiese sido el primero en utilizar la imprenta. Descubrieron a través de un análisis por ordenador que la Biblia de Gutenberg no fue impresa con tipos móviles, ni tampoco un puñado de obras suyas anteriores.

Si estos expertos están en lo cierto, la reivindicación de Gutenberg queda invalidada.[7]

LA REIVINDICACIÓN VENECIANA

A continuación presentamos la traducción de un decreto del Senado veneciano del 11 de octubre de 1441 (anterior a Gutenberg):

> Considerando que el arte y misterio de fabricar cartas y figuras impresas que se practica en Venecia ha entrado en decadencia, y que ello es consecuencia de la gran cantidad de naipes y de figuras coloreadas que se fabrican fuera de Venecia, y que es menester aplicar algún remedio a este mal para fomentar a dichos artistas, que forman una familia muy numerosa, y no a los extranjeros: se ordena y se establece, de conformidad con la petición presentada por dichos Maestros, que a partir de este momento no se permita traer o importar ningún tipo de trabajo de este arte que esté impreso o pintado en tela o en papel; a saber: retablos, imágenes, naipes o cualquier otra cosa que pueda fabricarse con este arte, ya sea pintada o impresa ... Y [en tal caso, se impondrá una multa de] treinta libras y doce *soldi*, una tercera parte de la cual irá al Estado, otra a los Giustizzieri Vecci, a quienes corresponde este asunto, y otra al denunciante.[8]

Esta referencia da a entender que los venecianos ya habían estado aplicando el arte de la impresión y del estarcido en color con anterioridad a 1441 con diversos fines. A partir de 1441, Venecia se convirtió rápidamente en el centro de la tipografía en Europa. Hacia 1469, el impresor alemán Johann von Speyer había realizado una edición de 100 ejemplares de las *Epistolae ad familiares* de Cicerón. En 1478 había 22 imprentas en Venecia, que habían realizado 72 ediciones. En 1518, se habían realizado más de 600 ediciones. Con el cambio de siglo, las cifras aumentaron a 150 imprentas y 4.000 ediciones. En aquel momento se publicaban libros en latín, italiano, griego, hebreo, árabe, serbocroata y armenio. Los reducidos impuestos que Venecia exigía a las empresas extranjeras y las oportunidades de beneficio que ofrecía esta gran ciudad comercial contribuyeron a que se convirtiera en la capital de la imprenta en Europa.[9]

Los embajadores de Zheng He debieron de hacer importantes esfuerzos por impartir conocimientos de impresión a los venecianos. Sin imprenta, el calendario astronómico de Xuan De habría tenido que ser copiado a mano. Sería inevitable que los estúpidos bárbaros cometieran faltas, errores que se multiplicarían copia tras copia. No solo mezclarían los cálculos de la latitud y la longitud, sino que sus copias de los mapamundis chinos se volverían cada vez más inexactas. Para evitar esta confusión, convenía ofrecer a los bárbaros los conocimientos de la impresión con tipos móviles, además de las tablas astronómicas y los mapas. Así, los chinos podrían estar seguros de que los europeos llegarían al Reino Medio para rendirles tributo; ¡no habría excusa posible!

El obsequio de los tipos móviles resultó tener un valor incalculable, aparte de su empleo en cartografía y navegación marítima. La imprenta ayudó a los europeos a controlar la propagación de la peste, porque pudieron publicarse instrucciones para luchar contra ella. Venecia imprimió edictos en 1456 y 1457, Génova en 1467 y Milán en 1468. Les siguieron Siena, Parma, Udine y Cremona.[10] A continuación vino la legislación sobre la peste destinada a los pobres. Las prostitutas fueron prohibidas en Perugia y Siena en 1485, y se fundaron hospitales especiales para atender a los enfermos. La imprenta fue crucial para la salud pública.

El Renacimiento fue revolucionario no solo en el terreno artístico. Modificó la idea que tenía el hombre europeo de su lugar en el universo, así como en los ámbitos de la astronomía, la lógica, la geometría, la arquitectura, la ingeniería, la mecánica, la anatomía, la filosofía, la política, las artes bélicas y la música. La impresión de libros no produjo ideas nuevas. Pero la introducción de los tipos móviles permitió que las ideas revolucionarias se propagaran a lo largo y ancho de Europa.

La imprenta revolucionó también el desarrollo de la música. Los músicos podían ahora tocar juntos leyendo la misma partitura, exactamente como la había escrito el compositor. La música compleja de la que fue pionero el inglés Dunstable fue posible porque escribió

Una escena típica en la corte pontificia: Pinturicchio pinta la corte del papa Pío II.

Florencia y su hijo más famoso, Leonardo da Vinci.

HOMBRES DEL RENACIMIENTO Y SUS OBRAS ANTES Y DESPUÉS DE 1434

1400 **1410** **1420**

Paolo Toscanelli
1397–1481   Universidad 1415–1424

Leon Battista Alberti
1404–1472

Nicolás de Cusa
1401–1464   Universidad 1417–1424

Giovanni di Fontana
c.1400–c.1455

Pisanello c.1395– c.1455

Taccola
1382–1453

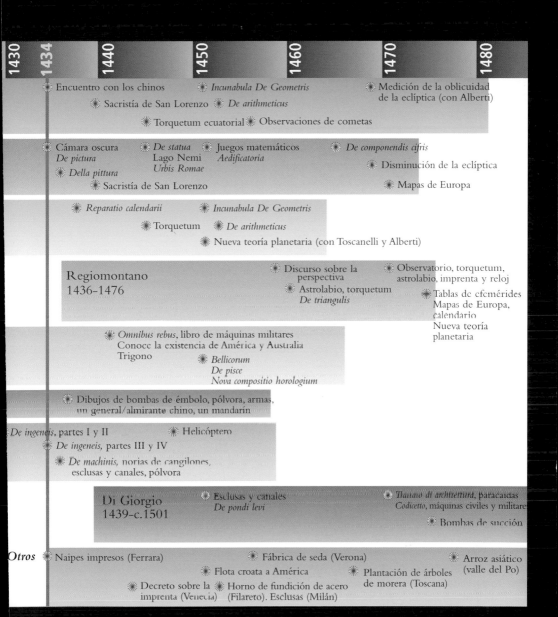

1430 **1434** **1440** **1450** **1460** **1470** **1480**

✳ Encuentro con los chinos ✳ *Incunabula De Geometris* ✳ Medición de la oblicuidad
✳ Sacristía de San Lorenzo ✳ *De arithmeticus* de la eclíptica (con Alberti)
✳ Torquetum ecuatorial ✳ Observaciones de cometas

✳ Cámara oscura ✳ *De statua* ✳ Juegos matemáticos ✳ *De componendis cifris*
De pictura Lago Nemi *Aedificatoria*
✳ *Della pittura* *Urbis Romae* ✳ Disminución de la eclíptica
✳ Sacristía de San Lorenzo ✳ Mapas de Europa

✳ *Reparatio calendarii* ✳ *Incunabula De Geometris*
✳ Torquetum ✳ *De arithmeticus*
✳ Nueva teoría planetaria (con Toscanelli y Alberti)

Regiomontano ✳ Discurso sobre la ✳ Observatorio, torquetum,
1436-1476 perspectiva astrolabio, imprenta y reloj
✳ Astrolabio, torquetum ✳ Tablas de efemérides
De triangulis Mapas de Europa,
calendario
Nueva teoría
planetaria

✳ *Omnibus rebus*, libro de máquinas militares
Conoce la existencia de América y Australia
Trigono ✳ *Bellicorum*
De pisce
Nova compositio horologium

✳ Dibujos de bombas de émbolo, pólvora, armas,
un general/almirante chino, un mandarín

De ingeneis, partes I y II ✳ Helicóptero
✳ *De ingeneis*, partes III y IV
✳ *De machinis*, norias de cangilones,
esclusas y canales, pólvora

Di Giorgio ✳ Esclusas y canales ✳ *Trattato di architettura*, paracaídas
1439-c.1501 *De pondi levi* *Codicetto*, máquinas civiles y militares
✳ Bombas de succión

Otros ✳ Naipes impresos (Ferrara) ✳ Fábrica de seda (Verona) ✳ Arroz asiático
✳ Flota croata a América ✳ Plantación de árboles (valle del Po)
✳ Decreto sobre la ✳ Horno de fundición de acero de morera (Toscana)
imprenta (Venecia) (Filareto). Esclusas (Milán)

Esquema cronológico con las fechas clave del Renacimiento italiano.

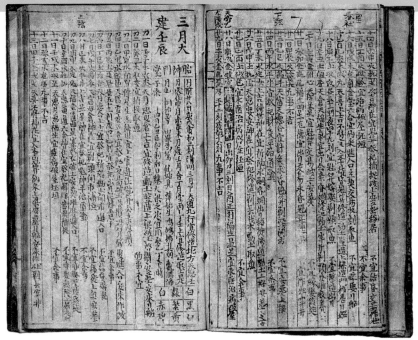

Tablas de efemérides de la Pepysian Library, Universidad de Cambridge.

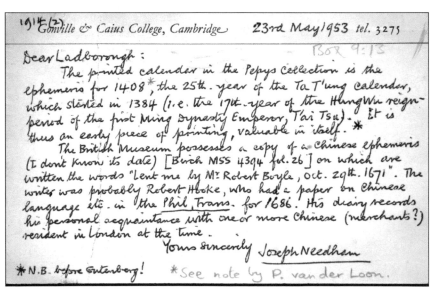

La postal de Needham habla por sí sola.

Tabla de efemérides de Regiomontano.

La astronomía china fue, sin lugar a dudas, más avanzada que la europea hasta la visita de la delegación china a Florencia en 1434.

¿Adónde nos llevan los futuros descubrimientos? A América y más allá…

una partitura para varias voces. Copiar a mano una partitura de aquellas características habría sido una pesadilla. Johann Sebastian Bach completó la revolución de Dunstable.

La imprenta también adelantó los viajes de los descubrimientos. Gracias a ella los conocimientos, también los procedentes de China, pudieron estar al alcance de muchos exploradores. A su vez, los descubrimientos y hazañas de los exploradores pudieron darse a conocer ampliamente. Y el romanticismo que rodeaba a aquellos viajes disparó la imaginación de la gente. El *Amadís de Gaula*, que relata las aventuras imaginarias de los conquistadores del Nuevo Mundo, sedujo la imaginación popular con sus cuentos de vírgenes de piel pálida y cabellos dorados, rubíes del tamaño de un huevo de paloma y hombres vestidos de oro de la cabeza a los pies.

Gracias a la imprenta, la construcción de los barcos pudo realizarse en función de un diseño uniforme y puesto a prueba. Antes de que se inventase la imprenta, cada barco construido era un ejemplar único, un navío experimental que dependía en parte de la habilidad del copista, un escriba. Las armas de fuego y los cañones con los que iban armados los barcos pudieron fabricarse a partir de diseños impresos que habían sido probados y verificados; el capitán del barco ya no tenía que preocuparse de si las paredes de los cañones eran suficientemente gruesas y habían sido construidas con el acero adecuado para evitar una explosión que acabara con su tripulación. Los fabricantes de armas pudieron vender sus diseños. Los capitanes de barco pudieron zarpar con tablas de efemérides impresas que les permitieron determinar la latitud y la longitud en su travesía hacia el Nuevo Mundo, utilizando cartas homologadas y actualizadas.

El saber medieval de los doctores árabes y chinos pudo divulgarse por todo el mundo. Por ejemplo, hacia el siglo XI los doctores chinos comprendieron cómo tenían que vacunar a los pacientes contra la viruela. El primer libro chino de medicina forense, que contenía medidas de control de la peste, se publicó en 1247.

La extraordinaria magnitud y generosidad de los regalos chinos a Occidente estaba cargada de lógica desde el punto de vista del emperador chino. Si China tenía que seguir siendo un coloso en la escena mundial, había que sobornar y educar a los bárbaros para que le rindieran tributo. Aquel fue, no obstante, el último viaje. Después, China se retiró a un aislamiento autoimpuesto. Europa, libre de explotar la prodigalidad de los regalos chinos, se convirtió pronto en la dueña del mundo.

LA APORTACIÓN DE CHINA AL RENACIMIENTO

MAPAS DEL MUNDO

A partir de 1434 todos los mapamundis europeos cambiaron. Se apartaron de los mapas circulares cuyo centro era Jerusalén, que subrayaban los temas religiosos, para dibujar el mundo tal como realmente es.

Toscanelli envió a Colón un mapa de América, y Regiomontano puso a la venta un mapamundi.[1] Magallanes poseía también un mapa del mundo. Andrea Bianco dibujó Florida en su carta atlántica de 1436 (Biblioteca de Newberry, Chicago), y en su mapa de 1448 describió Brasil. Luego, en 1507, Waldseemüller publicó su increíble mapamundi con el perfil preciso de América del Norte y del Sur.

Todos aquellos mapas tenían algo en común: mostraban con precisión partes del Nuevo Mundo antes de que los europeos hubiesen llegado a aquellas tierras. En el de Waldseemüller figuraba el océano Pacífico antes de que Magallanes se hubiese hecho a la mar, y en el de Andrea Bianco aparecían Florida y Antilia cincuenta y seis años antes de que Colón arribara a sus costas. Asimismo, en el planisferio de Cantino de 1502 puede verse la costa de Florida antes de que Ponce de León la «descubriera».

Estos mapas tienen otro rasgo en común. Todos son copias, en su totalidad o en parte, del mapa de Zheng He de 1418. La política lógica y deliberada de la misión de Zheng He era distribuir mapamundis chinos. Porque si los bárbaros no tenían mapas bien hechos, ¿cómo iban a llegar hasta el Reino Medio a rendirle pleitesía?

En la conferencia sobre Zheng He que se celebró en Nanjing en diciembre de 2002, el profesor Liu Manchum dio a conocer su investigación sobre los archivos judiciales correspondientes a los inicios de la dinastía Ming, especialmente los de la provincia de Fujian.[2] Descubrió el relato de una delegación brasileña que había llegado a Fujian en 1507, tras un viaje de cinco años. La delegación rindió honores al emperador con generosidad, en especial regalándole esmeraldas, y llevaba los poderes plenipotenciarios grabados en una placa de oro. Había logrado llegar a China gracias a un mapa.

El profesor Liu Manchum se dio cuenta de que, en la fecha en que la delegación brasileña partió de Brasil rumbo a China, en 1502, los europeos no habían llegado ni a Brasil ni a China por mar.[3] En consecuencia, el mapa que los guió de Brasil a China no pudo haber sido europeo. Entonces investigó los cuadernos de Zheng He y encontró relatos de cuando sus flotas llegaron a América. Concluyó que las flotas de Zheng He habían llegado a Brasil antes de 1434, fecha a partir de la cual el emperador prohibió los viajes a ultramar. El profesor Manchum iba a escribir un libro defendiendo que había sido Zheng He, y no Colón, quien había descubierto América. Pero entonces supo de mi libro, *1421*, y decidió posponer el suyo.

Brasil aparece también en un mapa javanés publicado antes de que los europeos llegaran a Java. En una carta del mes de abril de 1512 al rey Manuel de Portugal, Alfonso de Albuquerque, el primer europeo que llegó a Malaca, se refería a un mapamundi que había adquirido a un práctico javanés y que había guardado en su buque, el *Fiore de la Mar* (el *Fiore de la Mar* se hundió antes de llegar a Portugal):

> Os envío una parte auténtica de un gran mapa que perteneció a un práctico javanés, en el que aparece el cabo de Buena Esperanza, Portugal y el territorio de Brasil, el mar Rojo y el golfo Pérsico, y las islas de las Especias. También muestra adónde navegan los chinos y los gores, con las loxodromías y las rutas que emprenden sus barcos, así como el interior de varios reinos y de otros con los cuales lindan. Me ha parecido el trabajo más asombroso que he visto nunca y estoy seguro de que Su Alteza quedará maravillado al verlo. Los nombres están escritos en javanés, y encontré a un habitante de Java que sabía leerlos y escribirlos. Envío a Su Alteza este fragmento que Francisco Rodrigues copió

del original, en el que Su Alteza podrá ver de dónde vienen realmente los chinos y los gores y las rutas que vuestros barcos deberían seguir para llegar hasta las islas de las Especias, dónde se hallan las minas de oro y las islas de Java y Banda, de dónde proceden la nuez moscada y su corteza, el macis, y el territorio del reino de Siam. Podréis observar hasta dónde llega la navegación china, adónde regresan sus barcos y el punto más allá del cual no avanzan. La parte principal del mapa desapareció con el *Fiori de la Mar*. Desentrañé el significado de este mapa con el práctico Pero de Alfoim, para que pudiera explicárselo a Su Alteza. Podéis considerar esta pieza como parte auténtica y exacta del mismo, porque muestra las rutas que los chinos emprenden en ambas direcciones. No aparece el archipiélago denominado Celades, situado entre Java y Malaca.

Alfonso de Albuquerque, criatura y siervo de Su Alteza, césar de Oriente.[4]

Albuquerque no estima necesario señalar que la primera vez que los europeos llegaron a Oriente, los javaneses (y los chinos) ya conocían la ubicación de Portugal y de Brasil en un mapamundi. Su carta desvela información sobre asuntos internos de los reinos, lo que implica un conocimiento auténtico de los mismos. Manuel Stock, al que debo esta información, ha descubierto también una referencia a Brasil en un mapa fechado en 1447.[5] En la Biblioteca de la Duquesa de Medina Sidonia, en Sanlúcar de Barrameda, existen mapas de Brasil anteriores a Dias y a Cabral.

Además de conocer Brasil y una ruta a las islas de las Especias —antes de que los exploradores europeos zarparan hacia aquellos lugares—, tanto los venecianos como los portugueses sabían de la existencia de Australia hacia 1516 como muy tarde. Giovanni di Fontana, el doctor veneciano, en 1450 sabía ya de la existencia de Australia, del océano Índico y de América.[6]

En la Biblioteca Nacional de Australia se conserva una carta fechada en 1516, escrita por un veneciano, Andrea Corsali, que había viajado a bordo de un barco portugués. La carta, escrita en Cochin, se dirige al dux de Venecia. Corsali explica que doblaron el cabo de Buena Esperanza y llegaron a Nueva Guinea y Timor. Dibuja la Cruz del Sur con la suficiente precisión como para demostrar que la había visto. La carta afirma que los portugueses conocían extensas tierras en el sur denominadas India Australis (Meridional), a las que luego se denominó Java la Grande.

El profesor Jaime Cortesão, en «El descubrimiento precolombino de América», describe el primer viaje portugués a Brasil e incluye un informe dirigido al rey Juan de Portugal. Se aconseja al rey que «ordene, si le place, que le traigan el mapamundi de Pedro Vaz Bisagudo. Y Su Alteza podrá ver en él la posición de estas tierras. No obstante, este mapa no especifica si estas tierras [Brasil] están habitadas o no. Se trata de un mapamundi antiguo, pero figura en él la Mina».[7]

Así que contamos con un documento que atestigua que Brasil aparecía en un mapa del mundo antes de que la primera expedición europea llegase hasta allí. Esto cuadra con el hecho de que Brasil figurase en el mapa de Andrea Bianco de 1448 y es una prueba más de que los hemisferios norte y sur estaban documentados en mapas mucho antes de que empezasen los viajes de los exploradores europeos.

Si, como defiendo, en su visita de 1434 Zheng He entregó mapas a los bárbaros para que pudieran devolver la visita, los venecianos y los portugueses habrían tenido conocimiento del Nuevo Mundo alrededor de esa fecha.[8] Y si los venecianos tuvieron noticia de la existencia del Nuevo Mundo hacia 1434, lo más probable es que salieran hacia allí poco después.

El que se considera de manera general el primer viaje a Canadá fue la desafortunada expedición de Miguel Côrte-Real en 1502. Côrte-Real llegó hasta el golfo de San Lorenzo. Sin embargo, una vez allí, sus marinos descubrieron la empuñadura dorada de una espada y fruslerías de plata de fabricación veneciana en un pueblo de nativos de Labrador.[9]

VIAJES CROATAS RUMBO AL OESTE

En 1434, el Imperio veneciano estaba en su apogeo. Venecia controlaba la costa croata. Los marineros dálmatas eran contratados en los barcos venecianos y los prácticos venecianos se entrenaban en Perast (véanse los capítulos 7 y 13). Según los archivos croatas, que describe Louis Adamic en un número de 1972 de *Svetu Magazine*,[10] varios barcos mercantes croatas fondearon frente a la costa de Carolina en 1449. Se decía que navegaban rumbo a China vía América.

Adamic empezó a investigar en los archivos históricos croatas tras haber hablado con unos ancianos que le explicaron leyendas ancestrales de este pueblo que relataban travesías por el océano Atlántico en tiempos inmemoriales. El breve relato mencionaba que tres de los cinco barcos que integraban la expedición quedaron varados cerca de la bahía de Chesapeake; los otros dos regresaron a Dubrovnik. Desafortunadamente, la guerra con Turquía impidió que enviaran una expedición de rescate. Charles Prazak cree que los supervivientes se integraron en la tribu de los powhatan y dieron su nombre a la isla de los Croatas.

La tripulación de una carabela croata, la *Atlante*, atravesó el océano Atlántico y avistó tierra en 1484 (Sinovic, 1991). Según el historiador Charles Prazak, unos documentos mencionados en *Zajecnicar* (2 de diciembre de 1979) hablan de varios barcos croatas que transportaban refugiados de las invasiones turcas y que llegaron a Carolina, cerca de la isla de Roanoke, en 1470. Prazak (1993) y Sinovic (1991, p. 153) creen que estos supervivientes se mezclaron con las tribus nativas de los algonquinos y contribuyeron enormemente a mejorar su cultura y su lengua. Han descubierto que el nombre de una tribu de nativos, los indios croatoan, y de una isla en el cabo Hatteras, la isla de Croatoan, derivan del idioma croata ...

En 1880, el historiador Hamilton McMillan señaló que «los indios croatoan tienen tradiciones vinculadas a las personas procedentes de los barcos que resultaron destruidos en el pasado».

Esta historia se repitió en Oriente, cuando las naves dálmatas acompañaron a las chinas de regreso a su país y «descubrieron» una serie de islas en el Pacífico a las que dieron nombres dálmatas, los cuales fueron sustituidos por nombres españoles y portugueses después de la Primera Guerra Mundial.

Como señalé en mi libro *1421*, Colón, Magallanes, Albuquerque y Cabral reconocieron que tenían mapas de las islas del Caribe, de América del Sur, del Pacífico y de Brasil respectivamente. Toscanelli había enviado a Colón una carta tras su encuentro con la delegación china. Los archivos de Colón, que fueron adquiridos por la duquesa de Medina Sidonia, ofrecen abundantes pruebas de que Colón había viajado a América antes de 1492.[11] El libro del doctor Marino Ruggiero aporta pruebas de que el Papa financió un viaje de Colón a América antes de 1485.[12]

Todo lo expuesto confirma que los venecianos y los portugueses comprendieron la geografía mundial a partir de 1434 y antes de que empezaran los viajes de los grandes exploradores europeos. Sin duda, recibieron esta información de la delegación china.

La delegación de Zheng He aportó también conocimientos de astronomía a Alberti, a Regiomontano y a Toscanelli, que Regiomontano incorporó a sus tablas de efemérides y Alberti empleó con diversos fines. Las tablas de Regiomontano fueron entregadas a los navegantes portugueses en 1474 y más tarde a Colón y a Vespucci, quienes las utilizaron para calcular la longitud. Estas tablas permitieron también a los marineros calcular la latitud del paso del sol por el meridiano haciendo uso de las tablas de declinación. Este método fue aplicado con éxito por Dias, que determinó con precisión la latitud del cabo de Buena Esperanza a 35° 20' S.[13]

Así pues, la delegación de Zheng He no solo mostró a los europeos la ruta al Nuevo Mundo, sino que les facilitó los conocimientos necesarios para calcular la latitud y la longitud para llegar hasta allí y regresar al punto de partida sin perderse.

La transferencia de conocimientos no se limitó a una entrega de mapas. Nicolás de Cusa fue el primer europeo que echó por tierra las teorías de Aristóteles y Ptolomeo sobre el universo. Revolucionó el saber postulando que el Sol, y no la Tierra, era el centro del sistema solar, y que la Tierra y los planetas se desplazaban en una órbita elíptica alrededor de aquel. Para llegar a esta conclusión, supongo que tanto Nicolás de Cusa como Toscanelli se sirvieron del calendario astronómico chino que la delegación de Zheng He había regalado al papa Eugenio IV.

Las tablas de efemérides de Regiomontano con la posición del Sol, la Luna, los cinco planetas y las estrellas no contenían ningún dato que no figurase en el calendario astronómico chino, el *Shoushi*.

En los cuarenta años siguientes a la visita de la delegación china en 1434, el conocimiento del universo cambió de forma tan radical como el de la Tierra.

Como explica el profesor Zinner, podría ser que Copérnico hubiese aprendido de Regiomontano y hubiera recibido su influencia. Copérnico estudió en la Universidad Jagellónica de Cracovia (1491-1494) y luego en Italia, casi siempre en Bolonia (1496-1503).[14] En aquella época, la de Cracovia era la universidad europea en la que habían arraigado con más fuerza las enseñanzas de Regiomontano.[15] Puede que el interés de Copérnico por las tablas de senos tuviera su origen en las *Tabulae diretorium* de Regiomontano, que se imprimieron en 1490 y se encontraron más tarde en Cracovia.

Zinner explica la conexión entre ambos:

> Copérnico también recibió la influencia de Regiomontano en Bolonia. Allí obtuvo sus *Efemérides* y el *Epítome*, y podemos suponer que ambos le motivaron a poner a prueba el sistema ptolemaico realizando observaciones. Y sucedió con Copérnico lo mismo que había sucedido cuarenta años antes con Regiomontano. Partiendo de sus observaciones, ambos detectaron errores y se sintieron obligados a llegar a la raíz de dichos errores.
>
> La similitud va todavía más lejos. Ambos trabajaron largo y tendido con extensas tablas de senos, que eran necesarias para efectuar cálculos con los instrumentos de observación, y —lo más importante— ambos crearon su propia trigonometría, puesto que las matemáticas existentes no les bastaban para cubrir sus necesidades.[16]

El empleo de tablas de senos y de trigonometría esférica para poder realizar cálculos precisos con los instrumentos de observación había sido desarrollado por Guo Shoujing dos siglos antes. Sin embargo, Guo Shoujing no figura en las biografías de matemáticos famosos publicadas por los europeos.[17]

Zinner prosigue (p. 184):

> Si Copérnico se inspiró tanto en Regiomontano, es muy probable que conociera, a través de Novara, sus planes de transformar la teoría planetaria vigente, y que aquello lo animase a seguir adelante con su tarea ...

Tenemos que resignarnos ante la imposibilidad de determinar el alcance de los logros de Regiomontano. La suya fue una empresa titánica, que él aspiraba a coronar con una teoría planetaria. En el curso de su trabajo abandonó la cosmología vigente y se estaba preparando para formular una nueva, para los nuevos tiempos. Contaba con las herramientas astronómicas y matemáticas necesarias para formular esta nueva cosmología; pero sus esfuerzos quedaron truncados por un destino implacable [la muerte].[18]

La teoría de Copérnico «atribuía a la Tierra un movimiento diario alrededor de su eje y un movimiento anual alrededor del Sol, que permanecía inmóvil». Siguió los pasos de Nicolás de Cusa en la defensa de una idea cuyas repercusiones tendrían gran alcance para la ciencia moderna. A partir de ahí, la Tierra no podría considerarse nunca más el centro del cosmos; era más bien un cuerpo celeste más entre otros tantos, cuya órbita podía predecirse matemáticamente.

El profesor Zinner no conocía la obra de Guo Shoujing. En mi opinión, podemos ir todavía más lejos. ¿Copió Copérnico directamente a Regiomontano al proponer su revolucionaria teoría de que la Tierra y los planetas giran alrededor del Sol y de que es este, y no la Tierra, el centro del sistema solar?

Yo creo que sí, y baso mi afirmación en la investigación de Noel M. Swerdlow, profesor adjunto de historia en la Universidad de Chicago, presentada bajo el título «La derivación y el primer borrador de la teoría planetaria de Copérnico».[19]

En su bien argumentado artículo, el profesor Swerdlow empieza con un interesante comentario que Copérnico hizo al Papa en la época en que publicó su revolucionaria obra *De revolutionibus orbium coelestieum*, en 1543. Copérnico le dijo al papa Pablo III que era muy reacio a publicar aquella teoría —que la Tierra no es el centro del cosmos sino un cuerpo celeste entre muchos— por miedo a ser ridiculizado por el público. Le explicó que le había costado «no solo nueve años, sino que ya iba por el cuarto período de nueve años, es decir» desde 1504 aproximadamente, un tiempo después de que Copérnico consiguiera las *Efemérides* y el *Epítome* de Regiomontano en Bolonia.

Entre 1510 y 1514, Copérnico resumió sus innovadoras ideas en *De hypothesibus motuum coelestium e se constitutis commentariolus* («Comentario sobre las teorías de los movimientos de los objetos celestes partiendo de su disposición»). Sus principales temas, según la *Nueva Enciclopedia Británica*, eran «el aparente movimiento diario de las estrellas, el movimiento anual del Sol y el comportamiento retrógrado de los planetas fruto de la rotación diaria de la Tierra sobre su eje y de su rotación anual alrededor del Sol, que permanece estático en el centro del sistema planetario. Por lo tanto, la Tierra no es el centro del universo sino únicamente de la órbita de la Luna».

En palabras del profesor Swerdlow, Copérnico, en su *De commentariolus*,

apenas dice nada de cómo llegó a sus nuevas teorías. Empieza con un principio único que gobierna la teoría planetaria, y luego formula objeciones a las teorías de sus predecesores. A continuación explica que ha formulado una nueva teoría planetaria de acuerdo con sus primeros principios, y esto viene seguido de un conjunto de siete postulados. Estos casi no tienen nada que ver ni con el principio inicial ni con las objeciones, sino que lanza la sorprendente teoría de que la Tierra y los planetas giran alrededor del Sol y señala algunas consecuencias más de esta teoría.[20]

En la p. 425 el profesor Swerdlow prosigue de esta manera:

Las fuentes de la primera teoría planetaria de Copérnico son relativamente escasas. La derivación de los modelos tanto de la primera como de la segunda anomalías y casi todo el contenido del *Commentariolus* parecen depender de tres fuentes seguras y de dos posibles:
1. Peurbach ...
2. Peurbach y Regiomontano, *El Epítome del Almagesto*. Empezó a escribirlo Peurbach, que en el momento de su muerte, en 1461, había acabado los seis primeros libros, y lo terminó Regiomontano en 1462 o 1463 ... Sospecho que Regiomontano no solo escribió los libros VII a XIII del *Epítome*, sino que además revisó la versión de Peurbach de los libros I al VI ... Este (el *Epítome*) fue el libro que sirvió de base a Copérnico, más que el *Almagesto*, cuando escribió *De*

revolutionibus, que contiene no solo información y procedimientos de aquel, sino que incluso lo parafrasea. En el *Commentariolus*, el uso del *Epítome* puede verse claramente en la sección dedicada a la duración del año tropical y sideral y al ritmo de precesión, pero, como se señala a menudo en el comentario, el *Epítome* está relacionado con muchas partes del *Commentariolus*. No obstante, mayor importancia para el objeto que nos ocupa revisten las propuestas 1 y 2 del libro XII [de Regiomontano], que contienen *el análisis conducente a la teoría heliocéntrica* ... Nunca se subrayará lo bastante la importancia del *Epítome*, ni quedarán sus virtudes lo suficientemente reconocidas ... El *Epítome* hace que uno tome conciencia de la gran pérdida que supuso la muerte temprana de Regiomontano para la astronomía, pérdida de la que no nos recuperamos hasta pasado más de un siglo.[21]

Aquí lo tenemos: en opinión del profesor Swerdlow, Copérnico siguió el libro 11 del *Epítome* de Regiomontano, en el que figuraba el análisis que llevaría a Copérnico hasta su revolucionaria teoría.

Citando una vez más la *Nueva Enciclopedia Británica*:

El sistema copernicano atrajo a un gran número de astrónomos y matemáticos independientes. Su atracción no radicó únicamente en su elegancia, sino en su ruptura con las doctrinas tradicionales. Concretamente se oponía a Aristóteles, que había postulado de forma convincente la inmovilidad de la Tierra; es más, ofrecía una alternativa al universo geocéntrico de Ptolomeo. En la cristiandad occidental ambas opiniones habían sido elevadas casi al nivel de dogma religioso; no obstante, para muchos observadores serios impedían un mayor desarrollo y hacía tiempo que debían haber sido rechazadas.

Desde el punto de vista científico, la teoría copernicana exigía dos importantes cambios de perspectiva. El primero tenía que ver con el tamaño aparente del universo. Las estrellas permanecían siempre exactamente en la misma posición fija, pero si la Tierra estuviera dando vueltas alrededor del Sol, deberían reflejar un pequeño cambio periódico. Copérnico explicó que la esfera estelar estaba demasiado distante como para poder apreciar el cambio. En consecuencia, su teoría llevó a creer en un universo mucho mayor de lo que se imaginaba con anterioridad...

El segundo gran cambio se refiere a las razones por las cuales los cuerpos caen al suelo. Aristóteles había dicho que caían a su «lugar natural», que era el centro del universo. Pero, dado que según la teoría heliocéntrica la Tierra ya no era el centro del universo, había que buscar otra explicación. Esta revisión de las leyes que gobiernan el comportamiento de la caída de los cuerpos desembocó con el tiempo en el concepto newtoniano de la gravedad universal.

El destronamiento de la Tierra como centro del universo causó una profunda conmoción. Ya no podía considerarse el epítome de la creación, pues no era más que un planeta como otros. Ya no era el centro de todos los cambios y deterioros en un universo inmutable que la acompañaba. Y la creencia de que existía una correspondencia entre el hombre o microcosmos, como reflejo del universo circundante, y el macrocosmos dejó de ser válida. Para cuestionar con éxito todo el sistema de la autoridad antigua se necesitaba un cambio radical en la concepción filosófica del universo por parte del hombre. Esto es lo que se ha denominado con acierto «revolución copernicana».

¿Con acierto? ¿No debería haberse denominado «revolución de Regiomontano» o «de Guo Shoujing»?

JOHANNES KEPLER (1571-1630)

A Johannes Kepler se le conoce en la actualidad por sus tres leyes del movimiento planetario. La primera afirmaba que los planetas se desplazan alrededor del Sol en órbitas elípticas en las que el Sol se sitúa en uno de los puntos focales de la elipse (razonamiento de Nicolás de Cusa, salvo en lo que se refiere al punto focal). La segunda (de la que habló primero) afirmaba que los planetas barren áreas iguales de sus órbitas en tiempos iguales. Rechazó la creencia anterior de que los planetas se desplazan en órbitas circulares a velocidad constante, y la sustituyó por la teoría según la cual la velocidad de cada planeta varía según su distancia respecto del Sol —es mayor cuanto más se acerca al Sol y menor cuanto más se aleja de él—, lo que no se diferencia en nada de lo que Guo Shuojing había descubierto tres siglos antes sobre el planeta Tierra.[22]

Kepler había aprendido astronomía copernicana con Michael Mästlin (1550-1631) cuando entró en el STIFT, el seminario teológico de la Universidad de Tubinga, donde se doctoró en 1591. Publicó un libro de texto sobre astronomía copernicana escrito en forma de preguntas y respuestas, el *Epitome astronomiae Copernicanae*. En mi opinión, aunque puede que Kepler no se diera cuenta, se basó en la astronomía copernicana, que a su vez derivaba de Regiomontano y de Nicolás de Cusa, quienes extrajeron sus ideas básicas más novedosas de Toscanelli y del calendario astronómico chino.

GALILEO GALILEI

Galileo nació en Pisa en 1564. Su padre era músico. Se formó en la Universidad de Vallombrosa, cerca de Florencia; en 1581 se matriculó en la Universidad de Pisa para estudiar medicina. Nunca recibió formación de matemáticas o astronomía.

La vida de Galileo estuvo dominada por la revolución copernicana. Fue el primer europeo en desarrollar un telescopio potente, de treinta y dos aumentos, un paso gigantesco en la observación astronómica. Descubrió las lunas de Júpiter y Saturno, las manchas solares y las fases de Venus, y publicó los resultados de sus observaciones en *Siderius nuncius* (*El mensajero de los astros*).[23] Todo ello le condujo a creer que la teoría copernicana era correcta; ahí empezaron todos los problemas.

La vieja guardia, que se había pasado la vida enseñando la teoría de Ptolomeo según la cual la Tierra se halla en el centro del universo, sintió amenazados sus medios de subsistencia y su reputación. Se unieron en contra de Galileo y lograron el apoyo de los dominicos para denunciar la blasfemia que constituía afirmar que el hombre, criatura de Dios, no se hallaba en el centro del universo. Los intelectuales y fanáticos religiosos se impusieron; la teoría de Copérnico fue calificada de «falsa y errónea» y el libro de Copérnico fue prohibido mediante decreto el 5 de marzo de 1616. El cardenal Bellarmine, jefe de los teólogos de la Iglesia católica, prohibió a Galileo defender las teorías de Copérnico. Ocho años más tarde, Galileo intentó que se derogara el decreto de 1616. Consiguió una dispensa que le permitió hablar de las teorías de Ptolomeo y de Copérnico, siempre que sus conclusiones fueran las dictadas por la Iglesia católica, que decía que el hombre no podía tener la pretensión de conocer cómo está hecho el mundo porque eso atentaba contra la idea de la omnisciencia de Dios.

Galileo aceptó las condiciones y pasó los ocho años siguientes escribiendo un diálogo en el que comparaba los dos sistemas principales, el de Ptolomeo y el de Copérnico. El libro fue sumamente popular, se vendió muchísimo. Parecía que había derrotado a los jesuitas, pero estos volvieron al ataque. El libro de Galileo había sido escrito con tal fuerza que iba a perjudicar más a las opiniones establecidas que «Lutero y Calvino juntos».[24]

El Papa ordenó que fuera procesado, pero eso planteó un serio problema jurídico a los abogados pontificios, puesto que Galileo había cumplido el decreto de 1616. Inesperadamente «apareció» un documento que demostraba que, en las negociaciones que desembocaron en el decreto de 1616, a Galileo se le había prohibido «impartir enseñanzas o hablar del copernicanismo del modo que fuese». Así pues, había conseguido el decreto mediante alegaciones falsas, puesto que su libro era una forma velada de hablar y enseñar. Los poderes establecidos organizaron un juicio espectáculo, que se celebró en 1633, fecha en que Galileo tenía setenta años y estaba enfermo. Lo condenaron, pero le conmutaron la pena de prisión. Se le ordenó que renegara de la teoría copernicana y afirmara que «abjuraba, maldecía y detestaba» sus errores pasados al apoyar a Copérnico. Durante el tiempo en que vivió en arresto domiciliario, escribió algunas de sus obras más grandes, que resumían sus primeros experimentos. Hizo su último gran descubrimiento, el del desplazamiento diario y mensual de la Luna, en 1637, justo antes de quedarse ciego. Murió en 1642.

Los logros más monumentales de Galileo fueron el empleo de un telescopio potente para estudiar el universo y validar la obra de Copérnico y sus pensamientos pioneros sobre la gravedad. Fue el primer europeo que supo ver que las matemáticas y la física formaban parte de una misma materia, y que los fenómenos terrestres y celestes podían combinarse en una rama de la ciencia, al igual que los experimentos y los cálculos, lo concreto y lo abstracto. Galileo allanó el camino a Newton.

A Galileo se le atribuye el descubrimiento de los satélites de Júpiter (Ío, Europa, Calixto y Ganímedes), en 1616. Algunos estudiosos defienden que el astrónomo alemán Simon Mayer los descubrió algunos años antes. En el trabajo titulado «El astrónomo chino Gan De había descubierto los satélites de Júpiter 2000 años antes que Galileo», Paul Dong, Rosa Mui y Zhou Xin Yan mencionan que el profesor Xi Zezong, de la Academia China de Ciencias, afirmó que un astrónomo chino había descubierto los satélites de Júpiter en el año 364 a. C.[25] El argumento que sustenta esta afirmación se halla en el volumen 23 de la antigua obra de astronomía china *Kai Yuan Zhan Jing* («Libros de observaciones desde el principio de los tiempos»). Un pasaje del mismo reza así: «Gan De dijo: "En el año de Shau Yo, Xi, Nu, Shu y Wei [Ío, Europa, Ganímedes y Calixto] la estrella anual era muy grande y brillante. Parecía que tuviese una pequeña estrella roja acoplada en un costado. A esto se le llama alianza"».

La «estrella anual» era el nombre que se le daba a Júpiter en la antigua China, y la pequeña estrella roja era el satélite de Júpiter. Los autores del trabajo ofrecen una traducción moderna de Gan De: «Había una pequeña estrella rosa junto al planeta Júpiter. Concluimos por lo tanto que es un satélite de Júpiter». (En algunos lugares, todavía es posible observar los satélites de Júpiter a simple vista, especialmente en la provincia china de Hebei y en el desierto del Sáhara, así como en algunos puntos de Japón.)

Mi intención al citar la observación de los satélites de Júpiter por parte de los chinos dos mil años antes no es la de restar importancia a los enormes logros de Galileo, sino ilustrar hasta qué punto son eurocéntricos los historiadores y astrónomos occidentales, que se niegan a reconocer que la astronomía china era mucho más avanzada que la europea. Parece casi increíble que los jesuitas hubiesen podido convencer a los chinos de que sabían más que ellos de astronomía, incluso en la predicción de eclipses, algo que los chinos habían estado haciendo durante siglos antes de que esta orden pusiese los pies en China.

EL DESARROLLO DEL ARTE Y DE LA PERSPECTIVA

Leon Battista Alberti, en calidad de notario del papa Eugenio, habría redactado las actas de la reunión entre este y el embajador chino. Como ha dicho de manera sumamente concisa Joan Gadol, Alberti fue más allá de los límites de la astronomía para definir su relación con las matemáticas y después utilizó estas últimas para desarrollar la pintura y la arquitectura, la cartografía y la topografía, incluso los diseños de ingeniería y la criptografía. Toscanelli, Alberti, Nicolás de Cusa, Regiomontano y, posteriormente, Copérnico y Galileo emplearon la concepción racional del espacio para formular sus ideas; una concepción a la que llegaron de la mano de los métodos matemáticos.[26]

Alberti conocía todas las ramas de las matemáticas: la geometría, la aritmética, la astronomía y la música. En *De pictura*, su sistema de perspectiva y de las proporciones humanas constituye la base técnica de la pintura y la escultura del Renacimiento, puesto que presenta ideas y valores artísticos que tuvieron implicaciones culturales enormes para aquellos tiempos. La obra de Alberti abarcó la pintura, la escultura, la arquitectura, la estética, las matemáticas, la cartografía, la topografía, la mecánica, la criptografía, la literatura y la filosofía moral.

Burckhardt consideraba que el Renacentismo preconizado por Alberti fue la primera etapa, la génesis, de la civilización y de la cultura modernas de Europa.

EUROPA SE CONVIERTE EN DUEÑA Y SEÑORA DEL MUNDO

La transferencia masiva de conocimientos de China a Europa y el hecho de que se produjera en un breve plazo de tiempo fueron la chispa que encendió la revolución que denominamos «Renacimiento».

Reyes, capitanes y navegantes no solo contaron por vez primera con mapas que les mostraban la verdadera forma del mundo, sino que además pudieron adquirir instrumentos y tablas que les mostraban cómo llegar a aquellas tierras desconocidas por la ruta más rápida y cómo regresar a casa sin perderse.

Cuando llegaron al Nuevo Mundo, les esperaba un sistema de comercio internacional creado por los chinos, los árabes y los indios equivalente a la mitad del producto interior bruto del mundo. El sistema en cuestión se basaba en el intercambio de productos manufacturados chinos por materias primas del resto del mundo. El modelo comercial había sido instaurado a base de miles de viajes marítimos a lo largo de cientos de años y había sido perfeccionado mediante siglos de experiencia de monzones y vientos alisios. Cuando China desapareció de la escena mundial, Europa no tuvo más que apropiarse de su sistema comercial.

Los europeos encontraron, además de la prodigalidad de las nuevas tierras, los resultados de la sofisticada ingeniería genética y de trasplante de la que los chinos fueron pioneros: maíz en el sudeste asiático, procedente de América;[27] algodón en las Azores, resultado de la polinización cruzada de las cepas indias y americanas; patatas dulces de América del Sur, que alimentaban a los pueblos indígenas del otro lado del Pacífico hasta Nueva Zelanda; arroz transportado desde China a Brasil y a «Nueva Inglaterra», y huertos de cítricos en Carolina del Norte y del Sur, así como en Florida, Perú, África occidental y Australia.[28]

Lo mismo vale en lo tocante a los animales: enormes criaderos de caracoles en el río Paraná, gallinas asiáticas en América del Sur, pavos americanos en la India (de l'inde-dinde), caballos chinos en América del Norte y piscifactorías en Nueva Zelanda; las plantas que han alimentado (maíz), vestido (algodón) y dado cobijo (coco) a la humanidad durante los últimos seis siglos habían sido trasplantadas o transportadas entre unos y otros continentes antes de que los europeos llegasen al Nuevo Mundo.

Las materias primas extraídas se habían enviado por barco a todos los continentes. Los europeos encontraron minas de oro en Australia, de hierro en Nueva Zelanda y en Nueva Escocia, de cobre en América del Norte, y una sofisticada industria del acero en Nigeria.

Los nuevos métodos cartográficos permitieron a los europeos situar en el mapa las fabulosas riquezas del Nuevo Mundo. La imprenta permitió que las noticias de aquellos descubrimientos exóticos llegaran a todos los rincones; especialmente a los recién nacidos estados europeos, impetuosos y competitivos.

En aquel mismo momento, los europeos supieron de la existencia de la pólvora china y de sus avanzadas armas de fuego: bazukas, morteros, proyectiles explosivos, cohetes y cañones. Los pobres incas, armados con sus túnicas de plumas y sus palos, fueron aplastados por la brutal y despiadada pero increíblemente valiente panda de conquistadores al mando de Pizarro. Atahualpa no tuvo ninguna oportunidad, ni tampoco Moctezuma. Como consecuencia de la matanza de Pizarro, España tuvo acceso a las minas de plata más valiosas del mundo y se abalanzó sobre ellas.

El conocimiento de la imprenta permitió divulgar de manera precisa y rápida las riquezas del Nuevo Mundo. Con las armas de fuego, la rivalidad europea cobró fuerza y urgencia, lo que desembocó en una competencia frenética por la conquista del Nuevo Mundo.

Los mismos cambios espectaculares pueden apreciarse en Europa, especialmente en la producción de alimentos, la minería y la elaboración de las materias primas. Para su éxito, la introducción del arroz en el valle del Po en la década de 1440 dependió de los acueductos, canales y sistemas de esclusas diseñados por Leonardo da Vinci y Francesco di Giorgio, combinados con la novedad de las norias de cangilones chinas, que permitían llevar el agua a los campos de arroz en el momento oportuno y de forma económica.

El auge de la construcción que experimentó Milán se benefició del aprovechamiento del río Po mediante el uso de esclusas y canales de alimentación «chinos». Se logró obtener temperaturas más elevadas en los hornos y fundiciones gracias a los compresores impulsados por turbinas hidráulicas. Se pudo moler el maíz con molinos eficientes cuyos diseños habían sido desarrollados a lo largo de siglos por los ingenieros chinos.

En el campo del arte y de la arquitectura, las nuevas normas de la perspectiva explicadas por las matemáticas racionales de Alberti, y perfeccionadas por el genio de Leonardo da Vinci, podían ser aplicadas a la construcción de toda suerte de edificios, que además se podían explicar y describir con toda exactitud y a toda velocidad gracias a la imprenta. Estas ideas se propagaron como un reguero de pólvora desde Florencia.

Tal vez la transferencia de conocimiento más importante de China a Europa fue la que se refiere al funcionamiento del universo. La idea de los griegos y los romanos en virtud de la cual la Tierra está en el centro y el Sol y los planetas giran a su alrededor fue reemplazada por un sistema racional cuya explicación era de base matemática. El hombre pudo mirarlo todo como si fuera nuevo y repensar su lugar en el mundo, y así lo hizo. Este nuevo espíritu de indagación se aplicó a todos los aspectos de la vida: a la física, las matemáticas, las ciencias y la tecnología, así como al arte y la religión. Todo tenía una explicación sin necesidad de la bendición de la Iglesia. El pensamiento quedó liberado de siglos de dogma religioso.

En el diagrama de dos páginas del tercer encarte en color se enumeran los «inventos» y descubrimientos de Toscanelli, Alberti, Nicolás de Cusa, Regiomontano, Taccola, Pisanello, Andrea Bianco, Francesco di Giorgio y Fontana. Como puede verse, apenas produjeron algo significativo antes de 1434, tras lo cual se produjo una explosión de ideas, inventos y teorías.

La transferencia de conocimientos intelectuales que tuvo lugar en 1434 se realizó entre un pueblo que había desarrollado su civilización a lo largo de miles de años y una Europa que empezaba a salir de mil años de estancamiento a consecuencia de la caída del Imperio romano. Las semillas chinas cayeron en terreno muy fértil.

Hasta hoy se ha descrito el Renacimiento como un resurgir de las civilizaciones europeas clásicas de Grecia y Roma. Se ha hecho caso omiso de la influencia de China. A mi juicio, si bien es incuestionable que Grecia y Roma desempeñaron un papel importante, la transferencia de conocimientos intelectuales procedentes de China fue el desencadenante del Renacimiento.

Ya es hora de replantearnos, mal que nos pese, esta visión eurocéntrica de la historia.

Tercera parte

El legado de China

22

TRAGEDIA EN ALTA MAR: LA FLOTA DE ZHENG HE ES DESTRUIDA POR UN TSUNAMI

En 2003, Cedric Bell, ingeniero naval, fue a la Isla del Sur de Nueva Zelanda a visitar a su hijo y a su familia. Durante su estancia, realizó estudios de anomalías magnéticas (MAS) que revelaron una posibilidad asombrosa: que un número nada desdeñable de juncos hubieran naufragado en la costa sudoriental de la isla. Al parecer, los supervivientes habrían conseguido llegar a tierra y habrían construido caserones de piedra para cobijarse, habrían sembrado campos de arroz y creado piscifactorías para alimentarse y hornos de fundición para producir hierro. Cedric estaba convencido de que toda una flota china había sido destruida por una tormenta colosal.

El informe de Cedric Bell tenía tantas repercusiones que mi primera reacción fue de incredulidad; no hice nada. No obstante, un encuentro con el señor Bell me convenció de que era un ingeniero práctico y disciplinado nada dado a hacer castillos en el aire. Así que decidimos embarcarnos en una serie de comprobaciones independientes en un bloque de caserones, en los restos de uno de los naufragios y en uno de los hornos; si alguien podía rebatir los resultados de su investigación, no la daríamos a conocer. El bloque de caserones eran las ruinas que Cedric había explorado, que se hallaban debajo de una pista de críquet de Akaroa, donde las fotografías tomadas por satélite a mediados del verano mostraban la hierba reseca por encima de las paredes enterradas; observada desde el espacio, se distinguía la estructura de las paredes.

Contratamos a una empresa independiente, GPR Geophysical Services, de Auckland, para que realizase allí un reconocimiento topográfico mediante radar de penetración. La empresa confirmó los resultados del trabajo de Cedric, pero una de las supuestas paredes era demasiado recta como para que fuera realmente una pared. Solicitamos a las autoridades locales los planos de las conducciones subterráneas que pasaban por debajo de la pista de críquet. Estos confirmaron que lo que parecía una pared completamente recta eran las conducciones, pero las otras tres paredes exteriores e interiores de las casas, no. Primer punto para Cedric.

Elegimos el horno de fundición de Le Bons Bay, cerca de Akaroa, porque estaba en terreno público, era fácilmente visible y accesible, y se hallaba cerca de unos depósitos de mena de hierro. Es más, tenía un diseño sofisticado: dos arroyos impulsaban una turbina hidráulica, que a su vez accionaba unos compresores de aire para aumentar la temperatura de cocción de la mena. Cerca de allí había un almacén. La empresa Rafter Radiocarbon Dating Laboratory y la Universidad de Waikato (ambas de nivel internacional y desconocidas para mí y para Cedric) llevaron a cabo espectrografías de masa mediante acelerómetro y pruebas de datación por carbono 14 en diferentes edificios. Los certificados de datación pueden consultarse en nuestra web. Se demostró que era correcta la conclusión de Cedric Bell de que aquel horno de fundición había funcionado antes de la llegada de los europeos, es decir, había sido manejado por un pueblo desconocido (los maoríes no fundían hierro); antes de los maoríes, se había fundido hierro a altas temperaturas y con métodos sofisticados.

La investigación del doctor R. N. Holdaway confirmó este extremo. La datación por medio de carbono 14 había demostrado que los huesos de rata asiática que había encontrado en Nueva Zelanda tenían doscientos años. Puesto que las ratas no pueden nadar más que unos pocos metros, necesariamente tenían que haberlas llevado allí los seres humanos.

Los restos del naufragio que elegimos también estaban en Le Bons Bay, no lejos del horno, enterrados y cubiertos además por el agua, excepto cuando bajaba la marea. Los análisis realizados por

GPR mostraron dos objetos extraños del mismo tamaño y en la misma posición que el estudio de anomalías magnéticas de Cedric Bell y con la misma forma. (Los resultados figuran en nuestra web.)

El estudio que había hecho Cedric Bell de los caserones, del horno de fundición y de los restos del naufragio había sido verificado por varias organizaciones de prestigio y por métodos diversos, y todas confirmaron en términos generales sus conclusiones. Es decir: que un pueblo de cultura sofisticada había llegado en juncos a Nueva Zelanda y había vivido y trabajado allí mucho antes que los maoríes y los europeos, e incluso antes de la llegada de las flotas de Zheng He.

El paso siguiente en nuestra investigación era el pueblo maorí. ¿Quiénes eran? El doctor Geoffrey Chambers y su equipo, en particular Adele Whyte, habían realizado pruebas de ADN en busca de una respuesta. Concluyeron que el ADN mitocondrial de los maoríes procedía de los chinos de Taiwán, extremo que ratificó el ministro de Asuntos Exteriores de Nueva Zelanda, el doctor Winston Peters, en su discurso con ocasión de la reunión de la Asociación de Países del Sudeste Asiático (Asean), celebrada en Malasia el 25 de julio de 2006: «Mi opinión es muy sencilla: los pueblos indígenas de Nueva Zelanda vinieron de China ... la prueba del ADN es irrefutable».

Ahora esperamos que el nuevo gobierno de Nueva Zelanda modere su enfoque acerca de la historia antigua de su país: especialmente, que los lugares actualmente vetados a la población neozelandesa se abran al público, y que los huesos humanos fechados con anterioridad a la llegada de los maoríes, ahora en posesión del gobierno, sean sometidos a pruebas de ADN. He ofrecido costear estas pruebas, y un distinguido profesor de genética de la Universidad de Oxford, de fama mundial, está dispuesto a realizarlas. Estamos a la espera de la autorización del gobierno.

Cedric Bell regresa a Nueva Zelanda

Una vez finalizadas las comprobaciones técnicas de las conclusiones de su trabajo, Cedric Bell regresó a Nueva Zelanda en 2004 y halló pruebas todavía más pasmosas: restos de juncos empotrados boca arriba en los acantilados de la Isla del Sur. El perfil del casco de madera se veía claramente, y también el revestimiento de hormigón, respecto del cual un análisis reveló que estaba hecho por la mano del hombre y que era una mezcla de cal quemada y cenizas volcánicas. En el cemento se apreciaban marcas en los lugares donde se había pegado al casco con cola de arroz. Algunos restos del naufragio estaban carbonizados, y otros habían salido disparados a casi treinta metros por encima del nivel del mar. De vez en cuando, el acantilado vomitaba bombas de cañón, contrapesos y objetos varios: los restos de una campana de barco, un puñal laminado y un broche budista muy antiguo con la palabra «montaña» inscrita en chino.

La única explicación verosímil de una destrucción tan brutal es un tsunami. Grandes olas que habían estampado los juncos contra las rocas, dejándolos empotrados cuando el mar volvió a su lugar. Nos enteramos de que el profesor Ted Bryant, de la Universidad de Wollongong, había publicado en un libro muy documentado, *Tsunami: The Underrated Hazard*, que la Isla del Sur de Nueva Zelanda había sido arrasada por varios incendios y por un tsunami entre 1410 y 1490 (fechas que había obtenido a partir de las dendrocronografías). El libro del profesor Bryant había sido publicado mucho antes que el mío, *1421*. Como Nueva Zelanda se halla sobre una línea de falla, el tsunami y los incendios pudieron ser provocados por un episodio sísmico, como han apuntado muchos expertos del país, entre ellos el doctor J. R. Goff. No obstante, un terremoto no explicaría que los restos del barco se hubieran carbonizado antes de quedar incrustados en el acantilado, porque no habría provocado incendios masivos en el mar, donde se hallaban los juncos.

El libro del profesor Bryant explica que los aborígenes australianos y los maoríes de Nueva Zelanda hablaban de un cometa que había sido la causa de los «fuegos místicos». Tanto los astrónomos chinos como los mayas describen un cometa alargado y azul observado junto a Canis Minor durante veintiséis días consecutivos en junio de 1430, fecha compatible con la dendrocronografía de Bryant. Posteriormente, en noviembre de 2003, Dallas Abbott y su equipo del Observatorio Terrestre de Lamont-Doherty, en Palisades (Nueva York), anunciaron que habían descubierto que el cometa había caído en el mar entre la isla de Campbell y la Isla del Sur, abriendo un cráter de doce kilómetros entre ambas.

Imaginemos una flota de juncos que navega rumbo al norte dejando atrás la isla de Campbell, de regreso a casa. Tras dos días de viaje desde la isla de Auckland, el vigía avista un grupo de islas bajas justo en medio de su ruta (las islas Snares, a 48° 10' N, 166° 40' E). La flota se ve obligada a alterar el rumbo rodeando las islas; la mitad de la flota gira hacia el este y la otra hacia el oeste, y ambas mitades quedan separadas por una distancia de unos treinta kilómetros cuyo centro es la posición 48° 10' N, 166° 55' E.

Entonces llega el cometa, veintiséis veces más brillante que el sol, un bramido ensordecedor de cientos de decibelios que revienta los tímpanos de los marineros y cuya elevadísima temperatura prende fuego a sus cuerpos. El cometa impacta contra el mar a unos cien kilómetros al sur de la flota. Olas gigantescas, de casi doscientos metros, voltean los barcos como si fueran de papel. Los mástiles y aparejos son pasto de las llamas, atizadas por vientos de seiscientos cuarenta kilómetros por hora. A continuación incluimos el extracto que Dallas Abbott, Andrew Matzen y Stephen F. Peckar, del Observatorio Terrestre de Lamont-Doherty, y Edward A. Bryant, de la Universidad de Wollongong (Australia), presentaron a la Geological Society of America en el otoño de 2003:

> Goff atribuye el abandono de la costa neozelandesa en el año 1500 a un tsunami provocado por un terremoto. No obstante, el terremoto más grande de la historia provocó olas de una altura máxima de entre cuarenta y sesenta metros [150-200 pies]. En la neozelandesa isla de Stewart, hay arena de playa a unos 220 metros aproximadamente [720 pies] sobre el nivel del mar en Hellfire y a unos 150 metros [500 pies] en Mason Bay. En la parte oriental de Australia hay depósitos de megatsunamis cuyas alturas máximas alcanzaron los 130 metros [425 pies], y que el carbono 14 fecha en 1503. Hay depósitos de un megatsunami en la parte oriental de la isla de Lord Howe, en pleno mar de Tasmania, lo que hace pensar que el cráter que lo originó tendría que estar más hacia el este. A este cráter original lo llamamos Mahuika, el dios del fuego de los maoríes. El cráter Mahuika tiene unos 20 kilómetros de anchura [unas 12 millas] y al menos 153 me-

tros [502 pies] de profundidad. Se halla en la plataforma continental de Nueva Zelanda a 48,3° S y 166° 4' E. Varios indicios apuntan al cráter Mahuika como origen del episodio de 1500. El primero es que se halla en una trayectoria en forma de gran círculo desde Australia, en un ángulo de 45° respecto de la tendencia general de la costa oriental australiana. Los depósitos del megatsunami que se hallan cerca de Wollongong y en Jervis Bay hacen pensar que la gran ola del tsunami habría tenido precisamente esta orientación. El segundo es la profundidad del subsuelo de los depósitos causados por el impacto. Hemos hallado material arrancado por el impacto en todos los dragados realizados cerca del cráter. Puesto que los sedimentos marinos se depositan a un ritmo de aproximadamente un centímetro [0,39 pulgadas] cada mil años, las pruebas del carbono 14 confirmarán si el depósito provocado por el impacto se formó hace solo quinientos años. El tercer indicio es la distribución de las tectitas, que se hallan en el lado opuesto a la dirección por la que llegó el elemento que causó el impacto. Aunque hemos encontrado material arrancado por el impacto en muchas muestras, solo algunas de ellas contenían tectitas. Todas las muestras que contienen tectitas se hallaban al SE del cráter, de cara al SE de Australia, donde la bola de fuego fue avistada por los aborígenes.

En correspondencia más reciente, el equipo de Lamont-Doherty ha restringido la fecha a 1430-1455. La bola de fuego que impactó fue vista a más de mil kilómetros. El tsunami superó los 220 metros (700 pies) de altura cuando llegó a la isla de Stewart, más al norte (la arena de la playa se encontró a esa altura), y tenía 130 metros (400 pies) cuando llegó a Australia. La velocidad máxima del viento habría sido de 640 kilómetros por hora (cálculos de Lamont-Doherty). El aumento de presión provocado por la energía cinética del cometa habría generado el efecto Coriolis en la dirección del viento. Es decir, las olas procedentes de la zona del impacto debieron de irradiar en progresión ascendente hacia la costa sur de Nueva Zelanda aplastando los barcos contra los acantilados; otros tantos serían arrastrados hasta la costa a ambos lados del estrecho de Tasmania, al sudeste de Australia.

El informe completo de Cedric Bell sobre los juncos empotrados contra los acantilados de Nueva Zelanda figura en nuestra web www.1421.tv, en el epígrafe «Independent Reports», y contiene el inventario de los restos del naufragio con sus correspondientes latitud y longitud. Los ochenta restos que descubrió en 2004 proceden de tres emplazamientos principales: en los Catlins (en la costa sudeste de Nueva Zelanda), algo más al norte, cerca de Moeraki, y más al norte aún, cerca de la península de Banks.

Los restos de la costa sur y este de Australia pueden resumirse como sigue. Los hallados en el lado oriental de la isla de King contienen agujas de bronce similares a las de Ruapuke. En la zona de la costa oriental de Tasmania, en Storm Bay, el mar vomita monedas de Hong Wu (padre de Zhu Di) después de las tormentas. Los primeros habitantes que llegaron a la isla de Kangaroo encontraron cerdos chinos cimarrones. Las pulgas de otros cerdos cimarrones de la zona de Warrnambool tienen características parecidas (los cerdos asiáticos y europeos tienen pulgas muy diferentes). Hay tres barcos más cuyos restos no han sido identificados entre Warrnambool y la isla de Kangaroo. En la franja de costa denominada Coorong hay una serie de pozos viejos «del hombre chino». Según los aborígenes que viven en esta zona de la costa, un pueblo extranjero se instaló junto a ellos después del naufragio de un barco ocurrido mucho antes de que llegasen los europeos.

El tsunami que se originó en el lugar donde impactó el Mahuika habría arrastrado los barcos hacia Australia. Una vez cerca de la costa norte del estrecho de Bass, los vientos contraalisios los habrían arrastrado por el estrecho hasta arrojar a dos de ellos en la isla de Flinders, a otro en la costa oriental de la isla de King, cerca de Elephant River, y al último en la costa de Warrnambool y en la isla de Kangaroo. Los restos de naufragio hallados en estos lugares concuerdan con lo que se sabe del cometa Mahuika y del tsunami que provocó, y lo mismo ocurre con los hallazgos de Cedric Bell en la Isla del Sur de Nueva Zelanda.

INDICIOS DE LA EXISTENCIA DEL TSUNAMI: NAUFRAGIO DE UNA FLOTA CHINA EN OREGÓN Y LA COLUMBIA BRITÁNICA

El 31 de enero de 2007 el señor Dave Cotner, ciudadano norteamericano de ochenta y dos años de edad, me envió un correo electrónico desde Las Vegas, donde reside, explicándome su descubrimiento de lo que creía que eran los restos de un junco chino muy antiguo enterrado a unos cuarenta metros de profundidad en unas dunas que se hallaban a unos mil quinientos metros de la orilla del mar. Al igual que Cedric Bell, el señor Cotner había hecho aquel descubrimiento mediante el sistema de anomalías magnéticas (MAS).

Me reuní con el señor Cotner en Las Vegas el 20 de febrero del mismo año. Juntos estudiamos los planos de sus descubrimientos. Al día siguiente fuimos en avión a Coos Bay (Oregón), alquilamos un coche y exploramos el lugar.

Los restos del naufragio se hallan en el Parque Estatal William Tugman, que forma parte del Área Nacional de Recreo de Dunes, del estado de Oregón. El emplazamiento, aproximadamente a 43° 30' N, se halla en el lugar donde los exploradores caribeños Juan Rodríguez Cabrillo y Bartolomé Ferrello habían informado de un junco chino naufragado en 1542. El análisis de las anomalías magnéticas de Dave Cotner había mostrado los restos de un barco de madera de siete mástiles partido en dos y tumbado de costado, escorado unos veinte grados a babor, a unos veintidós metros sobre el nivel del mar y enterrado bajo capas de arena cuyo grosor oscilaba entre los cuatro y los doce metros. El ancla se extendía en dirección noroeste. Cuando el señor Cotner descubrió los restos del barco en 1985, cavó un hoyo de dos metros y medio, y dispuso una bomba para extraer madera. Vio que la embarcación tenía una forma muy extraña, parecida a una barcaza en la que la quilla se extendía de punta a punta y estaba construida con grandes cuadernas (sesenta centímetros de lado). La posición del ancla indicaba que estaba en uso cuando ocurrió la catástrofe y que el junco había sido arrastrado de lado y arrojado tierra adentro a mil quinientos metros de la costa por una ola que tendría aproximadamente unos veintitrés metros de altura.

Nuestro esquema se basaba en la suposición de que el tsunami que había provocado el naufragio había sido consecuencia del cometa Mahuika y, en consecuencia, que habría afectado a la costa de Oregón a su paso por Nueva Zelanda con un rumbo de 040 aproximadamente. La playa es poco profunda y se va adentrando en el mar a lo largo de varios cientos de metros —condición ideal para que se forme la ola del tsunami—, y no existen en los alrededores islas que amortigüen la fuerza del impacto.

Decidimos empezar los sondeos de anomalías magnéticas partiendo del lugar donde se hallaban los restos e ir desplazándonos por las dunas en una pista de 220 grados hasta llegar al mar. Cada vez que el señor Cotner encontraba algo, nos parábamos, leíamos la posición por satélite y yo tomaba una foto. (En aquella fase de la investigación los datos del satélite no significaban nada, eran números de ocho y diez cifras.) De vuelta a casa dibujábamos las anomalías magnéticas y me di cuenta de que teníamos pruebas de que el junco se había partido en el trayecto recorrido por la ola enorme desde donde estaba fondeado el barco hasta las dunas de arena, dejando a su paso pruebas de su desintegración.

La línea de la costa desciende en dirección al mar tan suavemente que las olas se acentúan (aunque durante nuestra estancia el viento tenía solo fuerza cinco, las olas eran bastante feas). Un junco arrastrado hasta la orilla habría quedado hecho trizas en un santiamén. Era imposible que 110 años más tarde Ferrello hubiese reconocido que aquellos eran los restos de un junco chino y debió de verlos a bastante distancia de la orilla; posteriores tormentas de arena lo habrían cubierto. Encargamos más pruebas para conseguir un dibujo tridimensional de los restos (como hicimos en Sacramento) y tenemos la intención de mostrar a las autoridades pertinentes estas imágenes para solicitar el permiso para excavar en la zona. Estas comprobaciones confirmaron los resultados de la prueba de anomalías magnéticas realizada por Dave Cotner.

Indicios del tsunami en el oeste de Canadá: restos de juncos chinos entre 43° N y la isla de Vancouver

Entre las muchas crónicas que existen, aquí presentamos una que se gestó hace tiempo en torno a un naufragio en Clatsop Beach, al norte de donde se descubrió el junco de Cotner. Se trata de una leyenda chinook, «El primer barco que vieron los Clatsop», narrada por Franz Boas, que empieza en una playa en la que una anciana mujer camina en busca de su hijo. Ve algo que parece una ballena, pero cuando se acerca ve dos abetos erguidos encima de ella. «Cielos, es un monstruo», piensa. Cuando se acerca más a aquella cosa, ve que en su parte exterior hay revestimientos de cobre. Hay cuerdas anudadas a aquellos abetos y está llena de hierro. Entonces sale un oso de su interior. Se queda de pie encima de aquella cosa. «Parecía un oso —dijo la mujer, cuando fue a contar lo que había visto a los mirones—, pero tenía el rostro de un ser humano.»[1]

Un hombre que estaba en la playa se encaramó al barco y entró. Cuando miró en su interior, vio que estaba lleno de cajas. Encontró botones de bronce ensartados en cuerdas (monedas con un orificio en medio) de media braza de longitud. El pueblo de Clatsop recogió el hierro, el cobre y el bronce.

Esta historia la corrobora el relato oral de los indios seneca, que cuenta que los chinos desembarcaron en lo que actualmente es la costa de Washington-Oregón, antes de la llegada de los europeos. Al parecer, durante los meses de verano había llegado una nave pequeña y fue bien recibida por los indios locales. Durante los meses de invierno, otra flota volvió a aquel lugar esperando una bienvenida similar, pero fueron aniquilados por el pueblo crow, que había bajado de las llanuras huyendo de un invierno muy frío.[2]

Las islas de Queen Charlotte y Vancouver aparecen en el mapa de Waldseemüller (1507) y en el de Zatta (1776)[3] antes de que los europeos occidentales llegasen a la Columbia Británica, es decir, antes de la llegada de Vancouver o de Cook. Zatta habla de la «colonia dei chinesi» («colonia de los chinos») para referirse a la isla de Vancouver y remite a los exploradores rusos que encontraron a chinos cuando llegaron en 1728 (Bering) y en 1741 (Chirikov). Los hidrógrafos rusos de Vladivostok hallaron los dibujos que Chirikov había hecho de aquellas personas chinas.

Hugo Grotius (1624) dijo refiriéndose a Galvão: «Las gentes de China normalmente navegaban a lo largo de toda la costa, que parece llegar hasta 70 grados hacia el norte»; es decir, hasta el estrecho de Bering.

Cuando el comandante Powers del ejército estadounidense llegó con la misión de asumir la administración del valle de Klamath

(Oregón), hasta entonces en manos de los franciscanos, encontró una colonia china (40° N). A lo largo de toda la costa entre los 40° y los 50° N, existen numerosos indicios del naufragio de los barcos chinos de Zhu Di (1403-1424) y del emperador Xuan De (1426-1435). Ambos emperadores habían construido unas flotas de gran envergadura. El profesor Long Fei y la doctora Sally Church, de la Universidad de Cambridge, que estudiaron el *Shi-lu*, los Archivos Oficiales de los Astilleros entre 1403 y 1419, nos informan de las siguientes cifras: en aquel período de dieciséis años se construyeron 2.726 juncos, de los cuales un mínimo de 343 y un máximo de 2.020 habrían estado a disposición de Zheng He.[4]

Indicios del tsunami a lo largo de la costa occidental norteamericana

En Susanville (California) se encontró enterrada en un bosque una hermosa placa de bronce del período Xuan De (1426-1435).

El expediente antropológico número 23 (1981) de la Universidad de Oregón revela el descubrimiento de porcelana china por parte de Herbert K. Beals y Harvey Steele en Netarts Sand Spit (45° 29' N), a 240 kilómetros al norte del junco de Cotner: «Entre 1956 y 1958 se realizaron excavaciones en el emplazamiento arqueológico designado con el código 35-TI-I bajo la dirección de L. S. Crossman, de la Universidad de Oregón. En 1958 se recuperaron 127 fragmentos de porcelana china en las excavaciones realizadas en la Casa 13 de su yacimiento, bajo la supervisión de Thomas M. Newman».

El artículo divide los hallazgos en dos grupos: posiblemente Cheng Hua; Yung Lo (Zhu Di) y Hsuan Te (Xuan De). Los autores concluyen: «Naturalmente, es posible que los juncos chinos o los viajes comerciales posteriores a Colón hubiesen transportado porcelana Ming. No obstante, este extremo es dudoso desde el punto de vista lógico. Nos cuesta creer que utilizasen porcelana antigua en los viajes de marineros, puesto que los objetos antiguos se valoraban muchísimo».

El conservador del Tillamook County Pioneer Museum, que se halla tierra adentro a la altura de Netarts Sand Spit, donde se encontraron los restos de cerámicas, me informó del hallazgo en el mar de una polea hecha de *calophyelum*, una madera asiática, que fue entregada al Horner Museum de Corvallis.[5] Se estimó que era de 1410.

Ozette es un pueblo makah, que se hallaba a unos pocos días de navegación al norte del junco de Cotner. Quedó sepultado por un corrimiento de tierras en la década de 1770. El Departamento de Antropología de la Universidad del Estado de Washington ha publicado tres volúmenes de Informes de Investigación del Proyecto Arqueológico de Ozette[6] en los que comparan cientos de declaraciones de personas relacionadas con el hecho, puesto que las excavaciones se iniciaron en 1966. Una de ellas cuenta que «cedió una parte de la ladera de la colina a cuyos pies se halla el pueblo de Ozette ... y la arcilla líquida arrasó la montaña, desplazando o aplastando todo lo que encontró a su paso».

Se han realizado excavaciones metódicas y rigurosas de estas casas alargadas y de sus muladares, separando las diferentes épocas. A nuestros efectos, vale la pena señalar el empleo de herramientas de hierro y los indicios de comercio con Japón entre 1400 y 1450 (el pueblo makah no fundía hierro).

En un artículo aparecido en *Contributions to Human History*,[7] el conservador del Royal British Columbia Museum, Grant Keddie, estudia la hipótesis de que las culturas nativas indias de la costa pacífica de América del Norte recibieran la influencia de las culturas avanzadas de China gracias a sus contactos prehistóricos (es decir, preeuropeos). Keddie concluye lo siguiente:

> El empleo por parte de los nativos de gran cantidad de monedas chinas en la costa noroccidental, a consecuencia del comercio de pieles, queda plasmado en los diarios de los primeros exploradores y comerciantes. Las fechas de fabricación de las monedas chinas utilizadas en el comercio con los indios norteamericanos e introducidas más tarde por inmigrantes chinos eran, en casi todos los casos, anteriores a la fecha del contacto (antes del contacto con los europeos) ... Queda claro que es necesario estudiar más a fondo el contexto

temporal y espacial de los últimos contactos prehistóricos entre el Viejo y el Nuevo Mundo.

Desde 1990, fecha en que se publicó dicho artículo, se han hallado infinidad de nuevos indicios de los viajes precolombinos de los juncos chinos a América: restos de barcos en Long Beach, en la isla de Vancouver, que al parecer transportaban arroz; un jarrón chino pescado por la trainera *Beaufort Sea* frente a la costa de Ucluelet y otro frente a Tofino (al oeste de la isla de Vancouver); el naufragio, al parecer, de un junco chino al norte de Sequim, en el estrecho de Juan de Fuca; un talismán y una lámpara chinos (precolombinos), varias figuritas de bronce del dios Garuda y antiguos bronces chinos en la isla de Vancouver; monedas antiguas chinas en Chinlac; bronces chinos hallados en el fondo del estrecho de Juan de Fuca, y estructuras y túmulos de piedras inexplicables.

NÚMERO DE JUNCOS QUE NAUFRAGARON

Teniendo en cuenta todos los hallazgos mencionados, parece que al menos treinta juncos naufragaron en la costa entre los 41° y 49° N. Si esto fuera cierto, debería haber indicios de que un número importante de supervivientes llegaron hasta la orilla, como ocurrió después de una catástrofe similar en Nueva Zelanda (informe de Cedric Bell).

ASENTAMIENTOS CHINOS A ORILLAS DEL RÍO COLUMBIA

Algunos restos de juncos hundidos se hallan cerca de la desembocadura del río Columbia, que tiene unos ocho kilómetros de ancho. Doscientos cuarenta kilómetros aguas arriba, donde el río gira bruscamente hacia el este, justo al norte de Portland, se halla el lago Vancouver. Allí, en el estrecho valle del río Lake, se han hallado cientos de artículos de cerámica, cocidos por «los alfareros de Washington», un grupo que surgió de la nada «alrededor de 1400» y desapareció trescientos años más tarde, de la misma manera insospechada.[8] El Instituto Norteamericano de Estudios Arqueológicos llegó a la conclusión de que aquella cerámica era asiática. Si seguimos remontando el río Columbia ciento noventa kilómetros más en una zona al oeste de The Dalles, se halla Hog Canyon, donde hasta hace poco vivían en estado salvaje unos cerdos de pata corta, de los que se dice que eran chinos.

En los lagos cercanos al río Columbia, la población local cultiva una hortaliza parecida a la patata, denominada *wapato*, originaria de China. Los indios Nez Percé, a cuyas tierras se accede desde el río Columbia, son conocidos por sus característicos caballos moteados, los Apaloossa, que aparecen en cuadros de la dinastía Yuan.

Los indicios que encontramos a lo largo del río Columbia y por toda la región de la Columbia Británica llevan a pensar en la existencia de una antigua colonia china. Los indios squamish tienen relatos de comerciantes chinos anteriores a la llegada de los europeos, y también los haida, de la isla Queen Charlotte, que hablan de unas personas que navegaban de poniente a levante. En el folclore nootka se habla de unos «visitantes lejanos» que llegaron antes que los europeos. Los pueblos indígenas de la isla de Whidbey, en Puget Sound, creen que fueron los chinos quienes talaron grandes extensiones de bosque hace cientos de años. Los tótems de la isla de Vancouver y de la costa de Washington son idénticos a los de la provincia china de Wuhan. Las ceremonias de los indios potlach son iguales en ambos lugares. Más de treinta palabras de la lengua que hablan los haida tienen el mismo significado en chino: *tsil* («caliente»), *chin* («madera») o *etsu* («abuela»). En el Olympic State Park está el río Ho y en la isla de Vancouver tienen China Beach (la Playa de China) y China Hill (la Colina de China). Los lugareños sacrifican perros blancos para «propiciar las bendiciones del cielo», como se hace en China.

LA CONFIRMACIÓN DEL ADN

Mariana Fernández-Cobo y sus compañeros[9] estudiaron el ubicuo polyomavirus JC en el ADN del pueblo salish, que antaño vivió en la costa del Pacífico. Explican en lenguaje sencillo que analizaron la orina de estos pueblos y descubrieron que las cepas MY[ZA] y To-kio-1 —responsables del trastorno renal benigno «Japón» (es decir, Mongolia y Japón)— son idénticas al MT-1 [ZA] y al MT-3 [ZA] del pueblo salish. En resumen, que los salish que ahora viven en Montana y los pueblos mongoles/japoneses sometidos a la prueba del ADN tienen los mismos antepasados.

El junco de Cotner es una prueba decisiva en muchos aspectos. En primer lugar, parece confirmar la amplia evidencia en apoyo del episodio del tsunami que Cedric Bell constató a partir de los juncos hallados en Nueva Zelanda. En segundo lugar, podría facilitar datos de cómo eran los juncos de Zheng He; datos que podrían transmitirse a los constructores de una réplica para los Juegos Olímpicos de Beijing. En tercer lugar, sirve como centro de atención en la labor de recopilar pruebas y testimonios de los viajes de Zheng He a América. La publicación de todos los datos relativos al junco de Cotner constituirá sin duda una avalancha de nuevos indicios.

INDICIOS DEL NAUFRAGIO DE FLOTAS CHINAS EN AMÉRICA DEL SUR

Hemos recibido una gran cantidad de correos electrónicos relativos a la presencia precolombina del pueblo chino y al naufragio de sus juncos en América del Sur, especialmente en Perú. La información aparece en nuestra web, en los apartados dedicados a Perú y Chile. Puesto que estoy convencido de que al menos una flota naufragó a consecuencia del tsunami Mahuika, hemos dedicado algún tiempo a acotar la investigación. Las flotas de Zheng He habrían comerciado con las civilizaciones existentes entonces en América del Sur.

El emplazamiento de los principales puertos de dichas civilizaciones estuvo determinado por la geografía única de aquel continente. La cordillera de los Andes se extiende a ambos lados del ecuador; en su prolongación hacia el sur se va ensanchando y la llanura costera que abarca unos ciento sesenta kilómetros en Ecuador se va estrechando cada vez más hasta que en Chile ocupa una superficie de tan solo treinta y dos kilómetros. En el punto del sur donde la cordillera se amplía, surge una meseta cubierta de praderas de más de 3.500 metros de altura entre los picos. Desde las alturas de este altiplano y en dirección oeste, discurren innumerables riachuelos como las patas de un ciempiés, que desembocan en el mar. Al este de los Andes se extiende una amplia llanura, cálida y baja, que absorbe los vientos húmedos del Atlántico. Cuando estos vientos húmedos se desplazan hacia el oeste, bañan la selva brasileña antes de descargar el resto del agua en los Andes, en forma de nieve en razón de la altura. En primavera, entre septiembre y abril, los vientos refrescan. Durante un breve período de tiempo, la nieve cubre incluso la parte alta de las laderas de los Andes occidentales. Cuando en verano la nieve se derrite, el agua se precipita en cascadas a lo largo de los ríos del «ciempiés» hasta el océano Pacífico. Así pues, si uno empieza el recorrido a la altura del ecuador y se desplaza hacia el este, se encuentra con una asombrosa diversidad de climas. Primero la franja de costa completamente seca; luego las laderas occidentales de los Andes, jalonadas cada cincuenta kilómetros por ríos henchidos de agua unos tres meses al año; a continuación, una meseta elevada, fría y cubierta de hierba, el Altiplano, que recibe copiosas lluvias una cuarta parte del año, y por último la selva amazónica, calurosa y húmeda.

La costa desértica existe debido a la corriente de Humboldt, fría, que discurre en dirección norte desde la Antártida, y a un sistema de altas presiones en medio del Pacífico, cuya combinación impide la existencia de precipitaciones. En consecuencia, no existe la palabra *lluvia* ni en lengua quechua ni en aymara. En lugar de lluvia, en invierno la costa se cubre de una fina neblina, que desaparece cuando el sol calienta la tierra. En chino, esta neblina se llama *Perú*.

Cuando la corriente de Humboldt aflora a la superficie, hace que emerjan millones de toneladas de plancton de sus profundidades. Los peces pequeños se alimentan de este plancton y atraen a peces más grandes, que a su vez son el alimento de los leones marinos. Aquellas aguas producen 1.680 kilos de pescado por hectárea, cifra que multiplica casi por mil el promedio mundial. La forma más gráfica de contemplar esta extraordinaria abundancia es llegando en barco (o submarino) desde el Pacífico; la corriente de Humboldt se adivina gracias a las exhibiciones acrobáticas de enormes bandadas de pájaros que se lanzan al agua para atracarse. Millones de ellos anidan en la costa, generando una producción constante de fertilizante, el guano.

Así pues, los pueblos que vivían a lo largo de la costa del Pacífico en el sur de Ecuador, en Perú y en el norte de Chile tenían a su disposición una despensa interminable de pescado, marisco, aves y leones marinos para alimentarse. Los ríos que discurrían por sus valles iban cargados de agua durante una cuarta parte del año y tenían fertilizante a pedir de boca. Por lo tanto, no sorprende que esta franja de costa haya producido civilizaciones humanas en los albores de los tiempos. La tierra tiene tanto que ofrecer como la del Nilo, la de los ríos de Mesopotamia, la del Ganges o la de los ríos de China. De ahí que las civilizaciones de América del Sur sean tan antiguas como las del resto del planeta: la de Caral Supe, en Perú, tiene unos 5.000 años de antigüedad, la china, 3.900, la india, 4.600, la de Egipto, 5.300 y la de Mesopotamia, 5.700.

Las más grandes civilizaciones de la costa pacífica de América del Sur, empezando por los asentamientos de Caral y de Chavín, estaban ubicadas entre el río Lambayeque, en la parte septentrional de Perú, y el río Ica, en el sur. Al sur del Ica, la costa se estrecha considerablemente, y al norte del Lambayeque la corriente de Humboldt y su reserva de pescado van desapareciendo. Puesto que Perú fue la cuna de la civilización más rica de todas ellas, esta zona debió de atraer la atención de Zheng He.

Esta parte de Perú está llena de pruebas de las visitas chinas durante los últimos dos mil años. Hay un centenar de pueblos de la región peruana de Ancash que conservan todavía su nombre chino. La población inca tiene una parte de sangre del este asiático, hasta el punto de que el perfil de su ADN casi podría decirse que es chino. (Profesor Gabriel Novick y colegas, vayan a www.1421.tv, luego a «Evidence» y después a «Part VII-The genetic legacy of Zheng He's fleets».)[10]

La prueba más evidente de todas puede contemplarse en el Museo Arqueológico Rafael Larco Herrera de Lima, que exhibe 45.000 piezas de las tumbas del período Cupisnique (1000 a. C.), de los Moches

(400-800 d. C.) y, más recientemente, de los períodos Nasca, Chimu y Chanca. Le pregunté al señor Claudio Huarache, conservador del museo, quien me atendió con suma amabilidad, si existían retratos de mercaderes chinos en la cerámica que se había encontrado en las tumbas. Acto seguido me enseñó preciosas pinturas de chinos de las tumbas de Moche, Chanca y Nasca, que abarcan un período de dos mil años y un espacio que se extiende por toda la costa de Perú, de norte a sur. En nuestra web aparece un retrato de un mercader chino.

Perú aparece en los mapamundis chinos mucho antes del mapa de 1418 (colección cartográfica de Hendon Harris) y antes de la carta de navegación de Zheng He (en la que también figura Perú; véase en la web www.1421.tv la sección «Maps speak without words», de Liu Gang). La carta maestra del mundo[11] de Diego Ribero, de 1529, muestra con gran detalle la costa de Perú con una inscripción que reza: «Provincia y ciudades de la seda china». El mapa de Ribero fue publicado antes de que Pizarro (el primer europeo) llegara a Perú. El mapa de Waldseemüller también se publicó antes de la llegada de Pizarro, y muestra toda la cordillera de los Andes, que recorre la costa de América del Sur.

Así pues, parece razonable suponer que Zheng He sabía de la existencia de Perú antes de zarpar. Habría visitado puertos donde sus flotas habrían podido comerciar. Gracias a las crónicas de los primeros españoles sabemos que a partir de 1420 las principales zonas de comercio habían sido Chan Chan, en el norte de Perú, y luego, en dirección sur, Chancay (al norte de Lima), Pachacamac, en la periferia meridional de la Lima moderna, y Paracas, a unos doscientos cuarenta kilómetros al sur de Lima. Chancay empezó a producir cerámica en serie de manera repentina en la década de 1420, y a algunas piezas las llamaban «china». Lo primero que pensé fue que Chancay debió de ser el primer puerto que visitó Zheng He (en castellano medieval, el nombre significa «ciudad de la seda china»), pero, lamentablemente, el lugar ha sido saqueado de tal manera que es imposible comprobarlo. Así que necesitamos otras pistas.

El mapa de 1418 incluye esta inscripción a lo largo de Perú: «Los lugareños practican la religión de Paracas». También figura en él un río en la costa peruana. Cuando Liu Gang publicó el mapa, busqué en los archivos jesuitas y franciscanos para averiguar cuándo se mencionaba por primera vez esta religión en los anales europeos. Para mi sorpresa, no aparecía en ningún documento. Para seguir buscando, fuimos en coche al sur de la península de Paracas, que actualmente es una reserva nacional protegida por el gobierno peruano. Allí se encuentra el museo arqueológico de Julio Tello, que nos dio la solución al enigma. El pueblo de Paracas enterraba a sus difuntos envolviéndolos en una suntuosa tela de fabricación local, hecha de algodón y lana de vicuña y teñida con hermosos pigmentos naturales. Max Uhle, un arqueólogo alemán, vio por primera vez este tipo de tela en el mercado de Lima a finales del siglo XIX, y después de examinarla la situó a principios de la cultura inca.

En 1925 Julio Tello, un arqueólogo peruano, visitó la península de Paracas e hizo excavaciones en las zonas denominadas Cerro Colorado y Wari Kayan. Tello se dio cuenta de que lo que había encontrado no era de origen inca, sino de otra cultura diferente, a la que denominó Paracas. Así pues, los europeos no tuvieron noticia de esta cultura hasta 1925, aunque el nombre de Paracas aparecía en el mapa de Liu Gang de 1418. Me pareció que esto solo podía significar que Zheng He había conocido la península de Paracas. En consecuencia, era como mínimo defendible que el río que aparecía en el mapa de 1418 estaba cerca de Paracas. ¿Qué otras pistas había?

Al norte de Paracas está el río Cañete, y junto a la península están el río Pisco y al sur el río Ica. Los ríos Pisco e Ica y sus afluentes tienen la misma forma que el río que figura en el mapa de Liu Gang de 1418. Cuando Marcella y yo fuimos (en mayo de 2006), ambos estaban secos si bien sus respectivos valles eran frondosos y fértiles, pues habían recibido abundantes lluvias a principios de año. Recorrimos ambos ríos. El cauce del Pisco había tenido en otro tiempo una anchura de unos dieciséis kilómetros, como puede comprobarse por la erosión de las orillas rocosas a unos treinta kilómetros aguas arriba, cerca de Tambo Colorado, donde se bifurca, tal como figura en el mapa de 1418. Esto hace que el río Pisco sea el candidato más probable para ser el del mapa. Decidimos que a nuestro regreso al Reino Unido investigaríamos qué habían encontrado los primeros españoles que llegaron al río Pisco un siglo después del viaje de Zheng He.

El relato más completo es el de María Rostworowski[12] de Díez Canseco en su obra *Historia de los Incas*. Tras explicar que «chincha» equivale a «chinchay» («seda china») en catalán medieval, describe la conquista pacífica de los chinchas por parte del inca Túpac Yupanqui y cómo aquel pueblo fue absorbido por la jerarquía inca, así como las atenciones que dedicaron al jefe de los chinchas primero Túpac Yupuanqui y luego Huayna Capac y Atahualpa. Describe el encuentro del señor de los chinchas con Pizarro en una litera (carruaje sin ruedas) en la misma procesión que el emperador Atahualpa, con lo que viene a decir que el señor de los chinchas gozaba de un estatus similar al del jefe inca Atahualpa. Este lo explica diciendo que el señor de los chinchas había tenido cien mil barcos. Bartolomé Ruiz narra la captura en el mar de una balsa chincha cargada de mercancías de gran valor. En el escudo de Pizarro se puede apreciar un junco chino (Museo de las Indias de Sevilla).

María Rostworowski halló muchos paralelismos entre los chinchas y los chinos. De las civilizaciones antiguas peruanas, los chinchas fueron los únicos expertos en astronavegación, para lo cual se valían de la estrella Cundri. Eran hábiles comerciantes que viajaron hacia el norte y llegaron hasta Ecuador, y que utilizaban un tipo de moneda de cobre como divisa internacional. Eran expertos plateros y orfebres. Rostworowski describe las leyendas de los naylamp (en el norte), que se refieren a los extranjeros que llegaron por mar antes que los españoles en flotas de grandes balsas. Aquellos extranjeros se instalaron entre ellos.

Una y otra vez, la señora Rostworowski reitera que el chincha era un señorío rico y próspero de los incas, y que los chinchas hablaban su propia lengua, el runi simi, y no el quechua de los incas. Por último, la historiadora concluye: «¿Por qué el pueblo chincha se hizo marinero y cómo aprendió a navegar? Los conocimientos actuales no nos permiten obtener una respuesta satisfactoria ... tal vez mantuvieron contactos con navegantes de diversos lugares que les enseñaron sus conocimientos marítimos».

El autor de *Culturas prehispánicas de Perú*, Justo Cáceres Macedo,[13] subraya la importancia de los mercaderes chinchas.

Sobre su origen [del pueblo chincha] existe una versión según la cual unos pueblos de fuera [extranjeros] conquistaron el valle de Chincha con ayuda de un oráculo al que llamaban Chinchacama. La población creció muy rápidamente y, debido a ello, los valles vecinos sellaron una alianza con el pueblo chincha, que llevó a cabo expediciones a la sierra, a la tierra de los collas a orillas del lago Titicaca, en la época en que los incas fundaron Cuzco. Cuando llegaron los españoles, el chincha era uno de los pueblos más prósperos y prestigiosos de los Andes ...

Estudios realizados recientemente apuntan a la existencia de un importante grupo de mercaderes en el valle de Chincha que comerciaban con el norte, por toda la costa hasta llegar a Ecuador, al sur del Altiplano, y que por el sur llegaban hasta Valdivia (Chile).

Un manuscrito anónimo del siglo XVI [nos] asegura que aquellos comerciantes utilizaban un tipo de moneda y que «compraban y vendían con cobre».

Chincha fue conquistado por los incas durante el reinado de Túpac Yupanqui y anexionado al imperio en 1476. En su conquista pacífica de los chinchas, los incas ocuparon el emplazamiento de Tambo Colorado y erigieron nuevos edificios. Tambo Colorado era un centro comercial ideal que conectaba la costa con Ayacucho, con Abancay y con Cuzco, en el Altiplano. De los Andes llegaban turquesas, oro, plata, amatistas, obsidiana negra y la espléndida lana de vicuña, la mejor del mundo. De la costa llegaba nácar, pescado y sal. Desde el valle del Pisco, tanto hacia la costa como hacia el Altiplano, llegaban infinidad de plantas, frutas y verduras (uva, naranjas, plátanos, dátiles, algodón, maíz, espárragos y yuca), todas las cuales crecen actualmente en los valles

SACRIFICIOS RITUALES

En el mapa de 1418 se indica que los pueblos de América del Sur practicaban sacrificios rituales. Hace unos diez años entró en erupción el volcán Abancay, que lanzó cenizas ardiendo al volcán cercano, el Ampato, y derritió la nieve de la cumbre. Posteriores erupciones vomitaron, además de tierra líquida, una virgen del sol enterrada alrededor del año 1440 en lo que se supone que fue un sacrificio ritual. Se la llamó Juanita; su cuerpo congelado, en perfecto estado de conservación, puede verse en la cámara frigorífica de la Universidad de Arequipa. En el año 2000 se trasladó el cuerpo a la Universidad de Tokio para someterlo a pruebas de ADN y de carbono 14. Murió alrededor del año 1440 y, por lo tanto, habría sido concebida en torno a 1425. Su ADN contiene una parte china (taiwanesa) significativa.

En mi opinión, el emperador inca Atahualpa estaba en lo cierto cuando decía que los chinchas habían tenido en otro tiempo una flota enorme. Él había sido un almirante de aquella flota y, cuando naufragó, se instaló con su pueblo en el valle del Chincha, donde prosperaron como comerciantes; de ahí que Diego Ribero se refiera a las ciudades de la costa (en época anterior a la llegada de Pizarro) como «ciudades de seda china».

La conquista llevada a cabo por los incas siempre me ha parecido algo extraordinario. Llegaron de no se sabe dónde alrededor de 1400-1450 y al cabo de 150 años habían erigido un imperio en América del Sur casi tan grande como el Imperio romano y habían construido un sistema de carreteras y puentes que alcanzaba los 29.000 kilómetros, mayor que el de los romanos. Eran unos administradores extraordinarios y se las arreglaban para integrar las destrezas de los pueblos sometidos al servicio del bien común. Todo sucedió de forma bastante inesperada bajo el reinado de Pachacuti (1438-1471). Pachacuti derrotó a los chinchas, como se ha dicho, y a los chimus en el norte, haciéndose así con la llanura costera hasta Quito, en Ecuador. Luego nombró a Túpac Yupanqui (1471-1493) para que llevara los ejércitos hacia el sur, a Chile. Pachacuti derrotó a los tiwanakus y a los waris. En su máximo poderío, el Imperio inca llegó a extenderse de norte a sur a lo largo de cuatro mil kilómetros, poblado por unos veinte millones de personas. Solo el Imperio chino lo superó en extensión y en número de súbditos.

Que eran magníficos como agricultores y ganaderos puede verse todavía hoy si se toma el tren que atraviesa los Andes desde La Reya hasta el Machu Picchu. En las praderas altas y frescas están los rebaños de alpacas y llamas; mil metros más abajo se multiplican los cultivos de patata, y luego los de maíz; a unos ochenta kilómetros de allí, antes de llegar al valle Sagrado, hay abundantes pastos, y más allá, en el valle Sagrado, se cultivan coca, plátanos, orquídeas y pimientos.

Los incas emplearon los conocimientos y habilidades de sus predecesores para mejorar la productividad de las tierras. De los waris aprendieron a construir canales, acequias y acueductos; de los chimus aprovecharon el comercio internacional, y de los tiwanakus del lago Titicaca aprendieron los cultivos hidropónicos y cómo cultivar la patata en grandes cantidades. Los moches conocían los secretos del cultivo de los pimientos, los plátanos y la coca. El tren que parte del lago Tiwanaku al Machu Picchu constituye un museo en vivo de los métodos de cultivo de los incas; aquí, los acueductos, las terrazas, los canales y las casas están hechos de piedra tallada tan perfectamente encajada que, a pesar de siglos de terremotos, no podría ensartarse un cuchillo por entre las juntas.

¿Por qué se fueron a pique todas las civilizaciones de América del Sur, excepto la de los incas, entre 1440 y 1450 y cuatro decenios después? A mi juicio, la respuesta está en el tsunami Mahuika. Además de destruir la flota china, arrasó las prósperas ciudades costeras ofreciendo a los pueblos de las montañas, los incas, la posibilidad de invadirlos. Soy demasiado viejo para seguir esta línea de investigación, pero espero que otros lo hagan.

Lo que es seguro es que el tsunami Mahuika destruyó enormes flotas chinas en Nueva Zelanda y en el sur y el este de Australia, en el océano Índico, a lo largo de la costa oriental de África del Sur y en toda la costa pacífica de América del Norte y del Sur. Fue una catástrofe de la que China jamás se recuperó. Se acabaron los grandes periplos. China se retiró de la escena mundial a llorar sus pérdidas. La gran aventura había llegado a su fin.

23

LA HERENCIA DE LOS CONQUISTADORES: LA VIRGEN DE LA VICTORIA

Trujillo, 25 de julio de 1434:
Festividad de Santiago Apóstol

La familia Pizarro salió de su casa en la calle de los Mártires a las doce del mediodía. Un trayecto breve por una calle de piedra resbaladiza los separaba de la Puerta de Santiago. A través de ella, se veía la torre achaparrada de la iglesia de Santiago, donde asistirían a misa para celebrar, justamente, el nacimiento del apóstol.

Una de las hazañas más increíbles de los anales de la humanidad se gestó precisamente en este pequeño pueblo de montaña de la remota Extremadura. Ningún miembro de la familia Pizarro había visto el mar; Trujillo, el polvoriento pueblo del interior en el que habían nacido, no tenía tradición marinera alguna. Sin embargo, el nombre de Trujillo quedaría grabado a lo largo y ancho del continente americano. Un hijo de Trujillo, Francisco Pizarro, conquistaría el poderoso Imperio inca, derrotando a una civilización de veinte millones de personas con un grupo de ciento ochenta correligionarios.

Extremadura, cuna de conquistadores, es una tierra de belleza inefable y de crueldad salvaje. En primavera, está alfombrada de flores. En verano, los lobos acechan a las ovejas rezagadas de los rebaños que avanzan con andar cansino por los senderos de la Mesta en busca de pastos. Los horizontes interminables de aquella tierra están bordeados de cumbres que se tiñen de rosa al alba y de negro aterciopelado al caer la noche. Al mediodía, la tierra agrietada y rojiza vibra con el calor, y el sol obliga a las piaras de cerdos a guarecerse bajo los olivos.

En Extremadura uno contempla los últimos vestigios de la España romana; restos de los bosques de madroños, alcornoques y encinas que antaño cubrieran la totalidad de la península. Todavía se practica la prehistórica dehesa: aclarar los bosques y la maleza mediante el método de la roza. En el cielo siempre azul cobalto, los buitres y las águilas imperiales vuelan en círculos en busca de lagartos y serpientes que se deslizan por la tierra ardiente. Una tercera parte del territorio está cubierto de roca pelada. Aquí y allá aparecen pueblitos blancos como la cal, incrustados en las laderas de las montañas, como si los hubiese lanzado la mano de un gigante.

El nombre *Extremadura* se acuñó con intención despectiva. Era sinónimo de estupidez, retraso y aridez. Da a entender una tierra que ha sido abandonada, ridiculizada. En la versión española de la serie británica *Fawlty Towers*, Manuel, el camarero idiota, es natural de Extremadura. Cuando Cervantes quiso crear al tonto del pueblo, también eligió a uno de Extremadura.

En la actualidad Extremadura es una región próspera, orgullosa e independiente. Tiene su presidente y su gobierno, como las demás regiones de España; es prácticamente una nación. En el norte, Las Hurdes, las montañas, se encierran conformando una de las regiones «perdidas» más fascinantes de Europa, tema de la melancólica película de Luis Buñuel *Las Hurdes, tierra sin pan*. Lindando con Las Hurdes está La Vera, rica en viñas, cerezas y peras.

La historia de Extremadura ha estado condicionada por la de sus vecinos. Al oeste Portugal, al norte Castilla y al sur Andalucía. De todas las direcciones han llegado ejércitos que han pisoteado el suelo extremeño, desde los cartagineses hasta la Guerra Civil española en la década de 1930. Durante doscientos años, los campesinos de Extremadura soportaron ejércitos de extraños que ocupaban sus campos, robaban su ganado, violaban a sus mujeres y quemaban sus casas y sus cosechas.

Aun así, esta tierra devastada fue la cuna de los conquistadores que se hicieron con los poderosos imperios inca, maya y azteca. Los extremeños colonizaron América desde Florida a Tierra del Fuego. Hoy en día, los nombres extremeños de Trujillo, Guadalupe y Medellín se encuentran esparcidos a lo largo y ancho del continente americano, testamento del coraje de aquellos hombres pobres, valientes y devotos de hace tanto tiempo. El contraste entre la riqueza de China o de las grandes civilizaciones de América en 1434 y la pobreza de Extremadura no podía ser mayor. Cuando el emperador inca Viracocha entró al frente de sus súbditos en la plaza mayor de Cuzco el día de San Juan de 1434, llevaba ropas de exótica lana de vicuña e iba adornado con joyas de oro y de jade. En Extremadura, el abuelo de Francisco Pizarro asistía a misa con su mejor traje de pobre. Ninguna de las personas cuyos nietos partirían a la conquista del Nuevo Mundo sabía de la existencia de América. Y lo que es todavía más extraordinario: casi todos los conquistadores de Extremadura procedían de la parte más árida de la región, todos habían nacido en un radio de cien kilómetros en torno a Mérida.

Francisco Pizarro y Francisco de Orellana nacieron en Trujillo, Hernán Cortés en Medellín, Pedro de Valdivia en Villanueva de la Serena y Vasco Núñez de Balboa y Hernando de Soto, en Jerez de los Caballeros. En resumen, los primeros colonizadores de Florida, Texas, Luisiana, México, Guatemala, Honduras, El Salvador, Panamá, Nicaragua, Colombia, Ecuador, Venezuela, Perú, Brasil y Chile procedían del mismo rincón de tierra árida.

Todavía más asombroso es el número de conquistadores que salieron del mismo pueblecito de montaña, Trujillo: Hernando de Alarcón, el primer europeo que cartografió California; Nuño de Chávez, fundador de Santa Cruz en Bolivia; Diego García de Paredes, fundador de Trujillo en Perú; Gonzalo Jiménez de Quesada, compañero de Cortés en su conquista de México; fray Jerónimo de Loaisa, primer arzobispo de Lima; fray Vicente de Valverde, obispo de Cuzco; Inés Muñoz, primera mujer casada que se instaló en Lima, y Francisco de Orellana, descubridor del Amazonas. Todos ellos vivían a pocas manzanas de la familia Pizarro en Trujillo. ¿Acaso un hada madrina agitó una varita mágica sobre aquella ladera polvorienta de la que tantos conquistadores partieron?

En busca de una respuesta a este enigma, recorrí Extremadura y

Andalucía durante muchos años. En una noche fría de primavera, mientras una niebla húmeda y oscura cubría la Meseta Central, me encontré frente a la casa de Núñez de Balboa, en una calle secundaria de Jerez de los Caballeros. El dormitorio de Balboa estaba cubierto de maleza, y el único mueble que quedaba era una vieja cama desvencijada. Es evidente que la familia era pobre de solemnidad. ¿Qué fue lo que dio a este joven analfabeto la confianza para hacerse a la mar, navegar miles de kilómetros zarandeado por tormentas y luego abrirse paso a machetazos por una selva tropical impenetrable, hasta descubrir el océano Pacífico? Recordé la casa de Pizarro, también en un pueblo recóndito, también poco más que un establo, y los muebles, poco más que cuatro tablas de madera. ¿Fue la pobreza lo que espoleó a los conquistadores a lanzarse a la aventura?

En aquel momento y lugar decidí explorar los lugares de nacimiento de los hijos más famosos de Extremadura, empezando por el norte, por Trujillo, y descendiendo hacia el sur por Villanueva de la Serena, Medellín, Mérida, Zafra y Jerez de los Caballeros. (Un viajero que quiera seguir mi trayecto, puede hacerlo cómodamente en automóvil en un día.) Descubrí tres elementos comunes a todos los grandes conquistadores. Pizarro, Orellana, Balboa y De Soto eran pobres; ni uno solo de ellos procedía de las veintiséis grandes familias de España. No solo eran pobres, sino que su pobreza era fruto de la injusticia social.

Castilla había liderado la reconquista de España para arrancarla de manos de los árabes. En 1434, Extremadura era una provincia fronteriza de Castilla. Al sur quedaba Andalucía, el último bastión musulmán. Una vez finalizada la Reconquista, las tierras que los extremeños habían arrebatado a los árabes fueron entregadas a los caballeros castellanos. Los soldados de a pie de Extremadura, que habían luchado con tanto arrojo, no recibieron nada.

Extremadura tenía muchos habitantes, pero la tierra pertenecía a un puñado de familias castellanas. En 1434, Castilla se extendía desde los Pirineos a la frontera portuguesa en el oeste, y desde la costa de Galicia en el norte al reino árabe de Granada en el sur. Se decía que todas aquellas tierras pertenecían a once familias. La duquesa de Albuquerque podía viajar desde los Pirineos a Portugal sin abandonar sus propiedades. En 1931, sin ir más lejos, las tierras de Andalucía pertenecían solo a diecisiete familias. Unos pocos lo poseían todo; millones de personas no tenían nada.

A lo largo de las centurias, España ha sido una sociedad de clases. Desde el siglo xiv, el derecho escrito fijaba las clases y les asignaba sus miembros respectivos. La clase con títulos nobiliarios —duques, marqueses, condes y vizcondes— era propietaria de la tierra, controlaba a decenas de miles de personas y tenía un poder extraordinario sobre el gobierno. Vivían en castillos imitando o superando el estilo de vida de los monarcas. En *The Noble Spaniard*, de Somerset Maugham, un caballero dice: «No tengo que quitarme el sombrero en presencia del rey». Puede parecer una broma, pero la ley reconocía este derecho a los miembros de las veintiséis familias nobles de España.

La injusticia de clase quedó resumida en una obra brillante, *El alcalde de Zalamea*, escrita por el más grande dramaturgo español, Pedro Calderón de la Barca. Zalamea era un pueblo de la Extremadura occidental utilizado por los monarcas españoles como escala para sus tropas en marcha hacia Portugal. Los ejércitos españoles estaban integrados por rudos soldados privados y por oficiales de la última capa de la nobleza, los hidalgos. El alcalde es un hombre de dinero y prestigio, pero es un campesino. Se da cuenta de que las tropas no respetarán su autoridad y lo utilizarán para acceder a las chicas de la localidad. La protagonista es la más hermosa de ellas, la que más amenazada está, hija de un honrado labrador, temeroso de Dios. La tiene escondida en casa. El capitán de la tropa llama a la puerta y le exige a su bella hija. Pedro Crespo se niega, argumentando: «Es mi hija, somos una familia honrada, ella tiene su honor y su alma».

Pero el capitán afirma que solo los hidalgos tienen honor. La persigue hasta el bosque y la viola, ejerciendo su derecho de pernada.

LA MESTA

Teniendo en mente esta idea del cruel sistema de clases español, volvamos a la familia Pizarro. Mientras caminaban en dirección a la iglesia aquella mañana sofocante de julio, debieron de ver la interminable llanura envuelta en la calina. En el siglo XV, enormes rebaños de ovejas emigraban hacia el sur atravesando aquella llanura, en busca de pastos que los alimentasen durante el invierno. El derecho de pasto era otra parte del botín que había correspondido a la nobleza. Cuando los nobles castellanos se adueñaron de las enormes propiedades de los árabes, las convirtieron en pastos para el ganado ovino. Una vez que la Reconquista estuvo prácticamente finalizada, se introdujeron en España unas mil trescientas ovejas merinas procedentes del norte de África. Los reyes de Castilla fundaron entonces la Mesta, una organización destinada a proteger la cría de ganado ovino y la producción de lana, dominada por las familias adineradas que habían invadido aquellas tierras.

La Mesta se hizo muy poderosa. Durante siglos, ocupó con mano de hierro las tierras para que las ovejas pudieran pastar en ellas, bloqueando así la innovación agrícola. La riqueza fluyó hacia el norte y los desdichados extremeños apenas recibieron nada. Durante años, el empobrecimiento de los campesinos a manos de Castilla los empujó hacia las ciudades. Aún hoy en día existe el barrio extremeño en Madrid, donde las tiendas, los bares y los cafés están llenos de familias emigradas. La dureza de su vida queda plasmada en la rítmica canción «La vendimia»:

> La canción del otoño
> Cantan los carros por los caminos.
> Y las hojas murmuran
> Tristes canciones sin el racimo.
> Con el viento se marchan
> Siguiendo al mozo que va en el carro
> Pero las hojas secas lloran canciones
> Presas al barro.

La melodiosa música se repite en la jota extremeña, un baile parecido al flamenco, muy influenciado por la música árabe.

Para las familias como la de los Pizarro era imposible eludir las injusticias de clase. El Arco de Santiago bajo el cual pasó la familia de camino a la iglesia era propiedad de los Chaves, castellanos que habían capitaneado el ataque tras el cual Trujillo quedó liberada de los árabes en 1232. Controlaban el paso de las personas y se lo impedían a aquellos que no pagaban el peaje. La familia poseía un imponente palacio desde el que se veía, enana, la casa de los Pizarro. En Jerez de los Caballeros, el cuchitril de Núñez de Balboa quedaba eclipsado de modo parecido por los palacios de las familias Rianzuela, Logroño y Bullón, todas castellanas.

El papel de la Virgen María y de Santiago Apóstol en la Reconquista

A pesar de aquella miseria y desigualdad, parece que la fe dio a los conquistadores el valor necesario para vencer a cualquier enemigo. Estaban marcados sobre todo por su devoción a la Virgen María. Se dice que se apareció en una nube encima de Trujillo durante la batalla que reconquistó la ciudad. Hoy en día su estatua se erige por encima de la casa de Pizarro, fácilmente visible en el paseo hasta la iglesia.

La vida religiosa giraba en torno a la Virgen María. El escudo de la Muy Noble y Leal ciudad de Trujillo consiste en una imagen de la Virgen de la Victoria sobre un fondo plateado. La Virgen estuvo profundamente vinculada a la Reconquista, y se aparecía con frecuencia a los soldados para asistirles en momentos de peligro. Del mismo modo, el núcleo espiritual de la Reconquista fue el templo de la Virgen en el monasterio de Guadalupe, en la ladera sudoeste de las montañas del mismo nombre. El culto a la Virgen se originó allí.

Tras la Reconquista siguió un período de estancamiento. La expansión de Castilla se detuvo. La aparición de la Virgen en Guadalupe renovó la vitalidad y ofreció una nueva identidad y un punto de convergencia a los esfuerzos espirituales del pueblo. Los conquistadores nombraron a la Virgen de Guadalupe su protectora. En América del Sur su imagen está por todas partes, y la isla caribeña en la que los portugueses pusieron pie en la década de 1440 también lleva el nombre del monasterio.

Los reyes de Castilla peregrinaron a Guadalupe y mandaron

construir una hospedería en la que se impartía enseñanza a los niños. Los grandes exploradores fueron en busca de la protección de la Virgen antes de partir. Colón recibió el permiso para zarpar estando en Guadalupe. Hernán Cortés, conquistador de México, pasó nueve días de retiro allí, rezando delante de la imagen de la Virgen milagrosa. Posteriormente, dedicó el templo de peregrinación más grande que existe en América a Nuestra Señora de Guadalupe.

Por detrás de la Virgen en orden de importancia, el culto a Santiago Apóstol fue otro elemento determinante en los conquistadores, cuya máxima expresión fue la Orden de Santiago (Sant Iago = San Jaime). En efecto, en 1434 la orden gobernaba Extremadura como si fuera un Estado dentro de otro Estado.

Todo había empezado con la Reconquista. Los ejércitos árabes invadieron la península Ibérica en el año 711, invitados por los príncipes visigodos, que andaban enzarzados en sus peleas. Los árabes tardaron siete años en llegar hasta los Pirineos, mientras que a los cristianos les costó setecientos expulsarlos de allí. La Reconquista de España estuvo vinculada a Santiago a cada paso.

El descubrimiento de su cuerpo en el 889, enterrado en el Campo de la Estrella en Santiago de Compostela, fue el principio. La noticia se divulgó rápidamente por todo el norte de España. Toda la cristiandad quiso preservar los restos del apóstol y mantener a raya a los infieles. Durante esta primera fase de la Reconquista, los ejércitos cristianos eran, en realidad, seguidores de los caudillos locales, cuyo objetivo principal era enriquecerse a expensas de los árabes. El más poderoso de ellos, Rodrigo Díaz de Vivar (1040-1099), es el héroe castellano por excelencia. Su apodo, el Cid («el Señor»), le fue impuesto por los árabes. Luchaba contra quien fuera, siempre que le reportase un beneficio. Católico devoto, esposo dedicado y el ideal del caballero castellano, el Cid ha llegado a representar la esencia de la caballería y del valor castellanos.

Hacia el año 1410, los árabes habían sido desplazados hacia el sur hasta Antequera, que cayó en manos del ejército cristiano al mando de la Orden de Santiago aquel mismo año. Hacia 1434, se hallaban acorralados en una zona delimitada por La Línea de la Concepción, Ronda, Antequera, Martos y Huelva. Al sur de aquella línea, en un enclave protegido por Sierra Nevada, los árabes criaban ovejas y pagaban tributos a los grandes señores de Castilla.

Desde Uclés, donde tenía su cuartel general, hasta Sierra Nevada, que era la frontera entre el territorio cristiano y el árabe, la orden impuso su dominio. Su legado se hace evidente por doquier: en el sinnúmero de iglesias de Santiago que se erigieron desde Cáceres en el norte hasta Antequera en el sur, y en las fortalezas de Santiago desde Sanlúcar de Barrameda en el oeste a Jaén en el este. Hay hospitales de Santiago en Zafra y Mérida, y seminarios en Caldera de León y Zafra. Prácticamente no hay localidad que no tenga su calle de Santiago.

En 1410, la línea sucesoria de los reyes de Aragón se truncó cuando Martín I el Humano murió sin heredero. Soplaban aires de guerra civil. En virtud del Compromiso de Caspe de 1412, Fernando de Antequera, miembro de una rama de la dinastía de los Trastámara, la casa real de Castilla, se convirtió en rey de Aragón.

En Inglaterra, el rey Juan había contraído segundas nupcias. Su esposa, Isabel de Portugal, le dio una hija, de nombre Isabel. Con el tiempo se uniría en matrimonio con Fernando de Aragón, desoyendo a sus asesores y sellando la unidad de España, que a efectos prácticos había sido unificada en virtud del Compromiso de Caspe.

La España unificada poseía un ingrediente de primera calidad para lanzarse a los viajes de descubrimiento: los extremeños. Tenían el ejemplo de su antepasado, el Cid, que había cosechado victorias haciendo frente a obstáculos insuperables gracias a una voluntad y un valor sobrehumanos. Y tenían la realidad diaria de la falta de pan.

Salvo Cortés, todos los conquistadores famosos que hemos mencionado provenían de familias pobres; ni una sola de las ilustres familias castellanas participó en los viajes de exploración. No es casual que los conquistadores fueran rigurosamente legalistas. Negociaron por adelantado sus derechos con la monarquía especificando de manera minuciosa cómo se repartirían el botín.

Por una vez en la vida, los extremeños pudieron quedarse con él. En casa, los hidalgos luchaban denodadamente por el pan de sus hijos, mientras que en ultramar, las conquistas, las tierras y la riqueza derivada de ellas les permitió comprarse títulos nobiliarios. Al embarcarse en los viajes de exploración, los conquistadores podían esperar tres recompensas distintas: la salvación espiritual por hacer la guerra contra los infieles, ganancias materiales en forma de enormes extensiones de territorio y grandes riquezas, y, de vuelta a casa, fama, gloria, títulos de caballeros y castillos para iluminar sus años crepusculares.

Los espantosos peligros y dificultades a los que tuvieron que hacer frente los conquistadores en su exploración de las nuevas tierras no debieron de parecerles muy distintos de los que ya habían conocido durante la Reconquista. Con tal de que demostraran el mismo valor extremo que sus antecesores, podrían superar cualquier obstáculo, convencidos de que la Virgen María y Santiago los protegerían. Al final, la victoria sería suya.

Además, en 1434 el islam había sido arrinconado en el extremo meridional de la península Ibérica, entre Sierra Nevada y el mar. Al norte de las montañas no había más tierras que reconquistar. Durante seiscientos años, sus antepasados habían estado haciendo la guerra; la llevaban en la sangre.

La miseria de la «tierra sin pan» explica la urgencia de todos ellos por irse de Extremadura, pero no la manera en que los conquistadores superaron la falta de tradición marítima de su tierra natal. Este problema se subsanó gracias a la unión de Castilla con Aragón tras el Compromiso de Caspe. Tras haber expulsado a los árabes de España, Castilla se dedicó intensamente a absorber los vastísimos territorios que había adquirido.

Aragón, por otro lado, había cumplido su parte en la Reconquista dos siglos antes que Castilla y los había aprovechado para crear un imperio marítimo. Hacia 1434 ya había adquirido dos valiosos siglos de experiencia. El reino aragonés poseía barcos que podían recorrer el mundo y cartógrafos que habían empezado a dibujar el Atlántico y África. Los eruditos del reino sabían que la Tierra es redonda y que al otro lado del Atlántico está América. A pesar de ello, el reino aragonés era débil; sería el segundón y haría lo que Castilla le pidiese.

Los conquistadores tenían el ejemplo de los portugueses. En 1415, Enrique el Navegante había hecho la colosal apuesta de invadir África, hogar del islam. Hacia 1421 había poblado Madeira, que se convertiría en una próspera colonia portuguesa. Los barcos de Enrique habían zarpado rumbo a América; los portugueses sabían que la Tierra es redonda, que el mar no cae en picado por el borde del mundo y que rodeando África se llega a la India y a Oriente.

¿Y qué esperaban encontrar los conquistadores cuando llegaran a la mítica América, tierra del Amazonas? En una época de literatura romántica, sus sueños se vieron sin duda alimentados por poemas épicos como el *Amadís de Gaula*. Jóvenes hermosas los esperaban en palacios de mármol para cubrirlos de favores sexuales. Las criadas les lavarían los pies y los vestirían con túnicas doradas. Habría un sinfín de rubíes blancos y de esmeraldas verdes del tamaño de huevos de paloma. No es de extrañar que a Pizarro le costase tan poco elegir a los doscientos correligionarios de entre los muchos que respondieron a su llamada aquella mañana sofocante de verano a la salida de la iglesia de Santiago.

La suerte está del lado de los valientes. Los conquistadores hallaron en América tres imperios desesperadamente debilitados. Los aztecas se habían vuelto psicópatas, caníbales que se comían a las tribus vecinas de México. Cortés fue recibido con los brazos abiertos por los millones de habitantes de las tierras mexicanas que apoyaron su invasión. En América Central, la misma práctica horrenda había envenenado a los mayas. Debilitados por la guerra civil, apenas ofrecieron una resistencia simbólica. En América del Sur, el «culto a las momias» había llegado a su inevitable término.

Sin territorios hacia donde expandirse, los incas se habían dedicado a luchar entre sí. No tenían hierro. Un ejército de muñecas de trapo esperaba a Pizarro. Por una serie de casualidades increíbles, cada uno de estos imperios, víctimas de un debilitamiento letal, sucumbió en el preciso momento en que desembarcaron los conquistadores. Los tres árboles frutales habían madurado simultáneamente, todos ellos sin espinas. Los conquistadores se limitaron a llegar y coger la fruta.

Nuestra indagación para redescubrir el mundo en la época de Zheng He finaliza en Sanlúcar de Barrameda, en el estuario del Guadalquivir. Este río potente y melancólico simboliza el cambio del Viejo al Nuevo Mundo. Había sido hasta aquel momento la gran autopista que había unido Córdoba, la magnífica capital de la España musulmana, con el resto del mundo musulmán en Oriente, y se convirtió en aquel momento en el vínculo entre Sevilla, capital de la nueva España, y sus colonias occidentales del Nuevo Mundo.

Si el Guadalquivir pudiese hablar, podría decir con un suspiro de desaliento que fueron tan extraordinarios los acontecimientos que tuvieron lugar en la época de Zheng He, que pareciera que Dios, cansado de su creación, hubiese decidido intentar algo nuevo.

Tiene la última palabra Omar Khayyam (alrededor de 1074):

> *Los que son ancianos*
> *y los que son jóvenes*
> *todos corren un tiempo*
> *en pos de su deseo.*

> *Este universo viejo*
> *para nadie permanecerá;*
> *se fueron y nos vamos,*
> *otros vendrán y partirán.*

Nuestro largo viaje de exploración al corazón del mundo medieval ha llegado a su fin. Como hicieran nuestros antepasados, nos encomendamos a Dios.

AGRADECIMIENTOS

Este libro es fruto de un esfuerzo colectivo y no podría haberse hecho realidad sin la ayuda de cientos de personas. Me temo que estos agradecimientos pueden resultar incompletos; si alguien se siente ofendido por haber sido omitido, le ruego que nos lo comunique. En nuestra web hallará más agradecimientos.

Quiero expresar mi agradecimiento a las siguientes personas que llevaron a cabo investigaciones independientes e importantes financiadas de su propio bolsillo con una duración superior a dos años:

LAM YEE DIN

Tuve la suerte de conocer al señor Lam Yee Din en Hong Kong en 2003. El señor Lam ha estudiado detalladamente los mapas de Zheng He y ha publicado las conclusiones de su estudio en cuatro trabajos extensos que figuran en nuestra web. En mi opinión, el señor Lam es el mayor experto vivo sobre los viajes de Zheng He. Propuse que le invitaran a hablar del tema en la Biblioteca del Congreso, conferencia que tuvo lugar el 16 de mayo de 2005. Su alocución fue retransmitida a China y a Asia por Phoenix Television.

TAI PENG WANG

Tai Peng Wang es historiador y periodista y reside en Vancouver. Su familia es de Quanzhou. Habla y escribe la versión del mandarín que se emplea en su provincia natal. Esto ha sido muy importante en

331

los debates sobre la autenticidad del mapa de 1418, ya que fue elaborado por un cartógrafo de Quanzhou.

Tai Peng Wang ha escrito y publicado cinco trabajos de gran importancia, especialmente el titulado «Zheng He y las visitas de sus enviados a El Cairo en 1414 y 1433». Esto no implica que Tai Peng Wang esté de acuerdo con todo lo que yo afirmo en el presente libro.

CEDRIC BELL

Antes de ir a Nueva Zelanda en 2003, Cedric Bell leyó *1421* y decidió explorar un poco las playas de la Isla Sur de Nueva Zelanda. Envió los resultados de sus indagaciones a una empresa que en aquel momento realizaba un documental de televisión sobre *1421*. Cedric había encontrado unos cuarenta restos de naufragio enterrados en la arena o en los acantilados y también las ruinas de unos caserones que los supervivientes habían construido en la costa, así como los restos de unos hornos de fundición cuya finalidad era refinar la mena de hierro. Para confirmar todo esto, encargué a unos laboratorios reconocidos la verificación de uno de los restos de barco, de uno de los caserones y de un horno de fundición mediante un radar de penetración, así como la determinación de su fecha con carbono 14. Los resultados figuran en nuestra web de *1421*, junto con la investigación realizada por Cedric Bell. Ambos ofrecen pruebas concluyentes de que los chinos fundieron hierro en Nueva Zelanda durante dos mil años. A mi juicio, Cedric se ha convertido en la máxima autoridad en el tema de la construcción de los juncos que integraban las flotas de Zheng He gracias a sus descubrimientos y a su posterior análisis de los restos del naufragio, a lo que hay que añadir su experiencia como ingeniero naval.

ROSANNE HAWARDEN Y DAVE BELL

Rosanne y Dave han continuado la investigación de Cedric Bell en Nueva Zelanda, invirtiendo su tiempo durante cuatro años sin recibir ayuda económica por mi parte. Han llevado a cabo el trabajo básico que nos ha permitido presentar una historia alternativa y menos simplista del origen de la población de Nueva Zelanda y del Pacífico Sur, a saber: que los primeros pobladores fueron chinos y que estos llevaron hasta allí a otras gentes del sudeste asiático. Los polinesios, incluidos los maoríes, son descendientes suyos. El trabajo de Rosanne y de Dave ha sido de gran importancia para ampliar las pruebas relativas a *1421* en Nueva Zelanda, Australia y las islas del Pacífico Sur.

LIU GANG

El señor Liu Gang, socio fundador del segundo bufete de abogados más importante de China, ha coleccionado mapas y obras de arte durante varios decenios. Hace cinco años halló en una librería de Shanghai «El mapamundi de Zheng He de 1418», que se describe con todo detalle en nuestra web de *1421*. En aquel momento, sabía poco de Zheng He y archivó el mapa sin más, como una curiosidad. En 2005, Liu Gang compró la versión en mandarín de *1421* y cayó en la cuenta de que poseía el primer mapamundi reconocible y exacto elaborado tras los primeros viajes de Zheng He. Le rogamos que consulte la web citada si desea más información sobre este mapa y su autenticidad.

DAVE COTNER

En 1985 Dave Cotner, ex piloto de la armada norteamericana, encontró los restos de un barco antiguo en la costa de Oregón, enterrado bajo nueve metros de arena que, a su vez, el agua cubría. El conservador del museo local determinó que los restos eran de procedencia china. Cuando Dave se puso en contacto con nosotros, encargamos a una firma conocida, GPR Geophysical Services of Portland (Oregón), que llevara a cabo pruebas de reconocimiento topográfico mediante radar de penetración del «Cotner 1», las cuales confirmaron por completo los resultados de las pruebas de anomalías magnéticas (MAS) de Dave realizadas en 1985: la posición, el tamaño, la forma, la profundidad, el ángulo y el asentamiento. La perforación para la extracción de muestras empezó en noviembre de 2007. Desafortunadamente, los restos del barco eran puro limo. Se han recuperado algunas astillas de madera, que serán fechadas y clasificadas a principios de 2008. Dave ha encontrado más restos sepultados en la zona. Para excavarlos se necesitarán cantidades elevadas de dinero.

DOCTOR GUNNAR THOMPSON

El doctor Thompson es experto en el descubrimiento de vestigios precolombinos en el Nuevo Mundo, y sus libros y su investigación sobre hallazgos multiculturales y sobre los primeros viajes asiáticos a América han sido muy valiosos para la redacción de *1434*. En *Secret Voyages*, Thompson ofrece pruebas de que entre 1277 y 1287 Kubilai Kan, emperador de China, envió a Marco Polo a América, y de que este llegó a la bahía de Hudson. El doctor Thomson presentó sus conclusiones en la Biblioteca del Congreso el 16 de mayo de 2005. Sus trabajos pueden consultarse en www.marcopolovoyages.com.

DOCTOR SIU-LEUNG LEE

El doctor Siu-Leung Lee nació y estudió en Hong Kong, donde se graduó en la Universidad China. Se doctoró en la Universidad de Purdue, cursó estudios de posdoctorado en la Universidad de Yale y fue profesor de química en la Universidad A&M de Texas, siendo pionero en la biosíntesis de las enzimas de los productos naturales.

El doctor Lee ha creado una web muy popular denominada Asiawind (www.asiawind.com). En colaboración con la señora Fu Yiyao, publicó un libro de caligrafía sobre la sabiduría china. Es un experto en caligrafía china internacionalmente conocido.

Desde el año 2002, el doctor Lee ha presentado críticas argumentadas a *1421*. No obstante, en 2006 adquirió un medallón que había sido hallado bajo tierra cerca de Asheville (Carolina del Norte). El doctor Lee cree que formaba parte de los regalos que el emperador Xuan De envió a los jefes de tribu americanos a través de su representante. Después de encontrar una gran cantidad de pruebas que han confirmado este extremo, el doctor Lee cree ahora que durante la dinastía Ming los chinos llegaron hasta Carolina del Norte. En junio de 2006 presentó sus conclusiones en la Universidad de Hong Kong, en el Museo de Historia y en la Universidad de la Ciudad de Hong Kong. En la web del doctor Lee encontrará más información.

PAUL CHIASSON

Paul Chiasson es un arquitecto canadiense de cincuenta y cinco años nacido en la isla de Cape Breton. Paul abrió un estudio que prosperó y se hizo con una buena cartera de clientes. Se especializó en arte y arquitectura asiáticos.

Los mi'kmaq, nativos de Cape Breton, tienen una leyenda según la cual hace muchos años llegaron del otro lado del mundo unos extranjeros y se instalaron en un cabo que se llama ahora Dauphin. Hace cinco años, Paul decidió explorar la colonia donde aquellos extranjeros se habían asentado. Al escalar hasta la meseta, descubrió los restos de una ciudad de piedra de estructura budista orientada hacia las islas Ciboux. El descubrimiento de Paul quedó plasmado en su libro *Island of the Seven Cities*, un *best-seller*.

En 2005, Paul nos invitó a Cedric Bell y a mí para efectuar un estudio del yacimiento del cabo Dauphin. En mi opinión las ruinas, si bien son budistas, no son de la época de Zheng He, sino mucho más antiguas. Presiento que acabará demostrándose que proceden de los viajes de la flota de Kubilai Kan.

CHARLOTTE HARRIS REES

Charlotte Harris Rees ha estudiado ampliamente los primeros contactos de los chinos con América. De niña vivió en Taiwán y luego en Hong Kong, en la misión baptista de sus padres, Marjorie y el doctor Hendon M. Harris. El doctor Harris halló un mapa asiático antiguo en el que figuraba la costa occidental del continente americano, y que le llevó a escribir en 1975 el libro *The Asiatic Fathers of America: Chinese Discovery and Colonization of Ancient America*. En 2006 Charlotte publicó una edición abreviada de dicha obra.

Los mapas Fusang más antiguos de Hendon Harris pertenecen a la dinastía Ming. Algunos creen que se remontan a un mapa chino de 2200 a. C. La Colección de Mapas Harris estuvo en la Biblioteca del Congreso entre 2003 y 2006 para su estudio. Fue examinada por el doctor Hwa-Wei Lee, jefe de la División de Asia, por el doctor John Hebert, jefe de la División de Geografía y Mapas, y por el profesor Xiaocong Li, de la Universidad de Peking (Beijing). A petición mía, Charlotte presentó sus conclusiones en un simposio en la Biblioteca del Congreso en mayo de 2005. Continúa escribiendo y dando conferencias sobre el tema. Su web es www.asianfathers.com.

Profesor Robert Cribbs

Robert Cribbs es profesor adjunto de ingeniería en la Universidad Estatal de California y profesor visitante de arqueología y música científicas en El Cairo (Egipto). Fundó y dirige varias empresas de ultrasonido —con aplicaciones médicas e industriales—, de vídeo de alta velocidad y de procesamiento por radar. Posee además la tercera colección más importante del mundo de astrolabios medievales. En consecuencia, se ha convertido, creo yo, en una de las máximas autoridades mundiales en materia de métodos utilizados por los astrónomos de la Antigüedad y de la Edad Media para determinar la latitud y la longitud, la disminución de la eclíptica, las ecuaciones de tiempo del Sol y de la Luna, y la determinación de la longitud a partir de la diferencia entre el tiempo sideral y el solar o de la distancia angular entre la Luna, los planetas y las estrellas.

El profesor Cribbs me ha explicado estos métodos con tanta claridad que yo he sido capaz de explicárselos a otras personas.

Presentó los resultados de sus estudios en un seminario sobre Zheng He celebrado en la Biblioteca del Congreso el 16 de mayo de 2005.

BENOIT LARGER Y DOCTOR ALBERT RONSIN

El señor Larger es un banquero francés jubilado que reside en Saint-Dié-des-Vosges. Patrocinó una exposición en el Museo Pierre-Nöel entre mayo y septiembre de 2007. En ella se reunió el trabajo de un grupo de eruditos, entre los que se hallaba Martin Waldseemüller, contratados por el duque René II, gobernante de Saint-Dié, para que elaborasen un mapa del mundo a base de copiar mapas separados recibidos de Portugal. Esta exposición, que presentaba de manera destacada el trabajo del doctor Albert Ronsin, conservador honorario del museo, constituyó la verificación de toda una vida dedicada a la investigación de los mapas de Martin Waldseemüller de 1507 y 1516 por parte de muchos distinguidos expertos. Me he basado en su investigación para escribir este libro. Les estoy enormemente agradecido, pues me ahorró mucho tiempo de investigación.

DOCTOR TAN TA SEN

El doctor Tan Ta Sen es un gran hombre de negocios de Singapur que preside además la Sociedad Internacional Zheng He. Esta sociedad verifica todos los datos nuevos relativos a los viajes de Zheng He entre 1403 y 1434. Me ha invitado a muchas reuniones de la sociedad y gracias a ello he aprendido mucho de los expertos en esta materia. El doctor Tan me presentó al ministro de Asuntos Exteriores de Singapur, que propuso la organización de una exposición sobre el libro *1421*, lo cual tuvo lugar en 2005. Asimismo, tuvo la amabilidad de prestar a la exposición varias obras de arte de valor incalculable, financió la producción de las maquetas de los juncos de la flota de Zheng He, gestionó el préstamo de aparatos muy valiosos y nos prestó una ayuda inestimable en muchos otros aspectos. La exposición de *1421* se halla ahora en Malaca, en lo que fueron las oficinas y el almacén del almirante Zheng He.

LYNDA NUTTER

Lynda Nutter es bailarina y coreógrafa, y entiende el japonés, el chino y la lengua nyungah de los aborígenes que viven en el valle de Swan, al este de Perth, en Australia occidental. Hace cinco años, Lynda encontró unas piedras esculpidas que forman un observatorio astronómico desde el cual se pueden hacer cálculos de longitud y de latitud. Estas piedras contienen inscripciones en grafía medieval china y se encuentran en medio del territorio nyungah. Gracias a sus conocimientos de chino, Lynda ha cotejado las marcas de la carta de navegación de Zheng He con la línea de la costa de Perth.

CHRISTOPHER POLLARD

Christopher Pollard se ha pasado media vida estudiando la España medieval, especialmente la historia de Extremadura. El último capítulo de este libro es un resumen de las notas que tomé durante sus conferencias. Las personas que deseen estudiar el tema con mayor profundidad pueden contactar con Christopher Pollard's Tours, con sede en Taunton (Inglaterra), empresa que él dirige realizando personalmente las visitas guiadas por las ciudades mágicas de la España medieval.

BIBLIOTECAS

Biblioteca del Congreso (Washington D. C.)

Es propietaria de los mapas de Waldseemüller de 1507 y de 1516. Organizó un simposio el 16 de mayo de 2005 en torno al tema de los viajes de Zheng He y me invitó a mí y a los seguidores de *1421*. Recibió duras críticas de personas que afirmaban que *1421* es un libro fraudulento y que un organismo tan excelso como la Biblioteca del Congreso no debía ofrecerle una plataforma. La biblioteca respondió que creía en el principio académico elemental de la libertad de expresión, y el simposio pudo celebrarse como se había previsto.

Biblioteca Británica

La Biblioteca Británica ofrece un servicio excepcional. Tiene un conjunto de expertos muy serviciales que ofrecen a los que no hablan el idioma de que se trate. Si por casualidad la Biblioteca Británica no posee el libro en cuestión (algunos de los que integran la *Yongle Dadian*, por ejemplo), enseguida te ponen en contacto con la biblioteca que posee esa obra. Cinco investigadores y yo hemos estado usando este excelente servicio durante años. Sin él, *1421* y *1434* no podían haber visto la luz.

Biblioteca Pepys, Magdalene College, Universidad de Cambridge

En ella se conserva el calendario astronómico de 1408.

Biblioteca Nacional (París)

Guarda la Esfera Verde de Waldseemüller de 1506 y el trabajo de la doctora Monique Pelletier sobre el origen y la autenticidad de dicha esfera; un mapa decisivo para la historia relatada en *1434*.

Biblioteca Central de Hong Kong

La principal biblioteca de Hong Kong es moderna y de lo más eficiente. La mayoría de las ilustraciones chinas que aparecen en *1434* proceden de allí, y les estamos muy agradecidos por sus servicios.

Biblioteca de la Duquesa de Medina-Sidonia
(Sanlúcar de Barrameda, Andalucía, España)

La familia de la duquesa, terratenientes españoles inmensamente ricos en los siglos XV y XVI, prestó apoyo a Cristóbal Colón y heredó sus papeles. En ellos se describen los distintos viajes de Colón a América antes de 1492.

Archivo Nacional Torre do Tombo (Lisboa)

Es el archivo donde se guardan las crónicas de los viajes portugueses precolombinos al Nuevo Mundo. En mi opinión, será una mina de oro para futuras investigaciones.

Mi agradecimiento también a la Biblioteca Bodleian de Oxford, a la Escuela de Estudios Orientales y Africanos (SOAS) y a la London School of Economics.

MUSEOS, INSTITUCIONES Y UNIVERSIDADES

El Museo Británico conserva una maravillosa colección de cerámica y obras de arte de las dinastías Yuan y Ming, entre ellas el mapa chino del siglo XII que detalla con precisión la forma de China con las líneas de latitud y de longitud superpuestas. Algunas de las cerámicas se hallaron en excavaciones realizadas en lugares remotos, por ejemplo una delicada tetera de porcelana azul y blanca de la primera época de la dinastía Ming, que se encontró enterrada en Australia.

Muchos indicios de las visitas de los chinos a Venecia se han hallado y se seguirán hallando en el Museo del Louvre de París, por ejemplo los bocetos y dibujos de Pisanello.

El Museo Pierre-Nöel contiene colecciones de Waldseemüller y de los recuerdos de sus amigos y colegas, así como el depósito de archivos de los viajes de Vespucci, y es el mejor lugar para investigar sobre Waldseemüller y sus esferas y mapas.

El palacio del Dux de Venecia custodia el mapamundi desde la India a América, elaborado de acuerdo con las anotaciones que figuraban en el mismo mapa, a partir de la información que habían llevado a Venecia Niccolò da Conti y Marco Polo. Este mapa fue copiado y enviado a don Pedro de Portugal en 1428. El mapa está boca arriba, como era costumbre en algunos mapas chinos de la época.

La Universidad de Chicago ha patrocinado el magnífico sistema de bases de datos JSTOR, que ha sido de gran valor para mí y para el equipo de *1421*.

La Universidad de Surrey ha sido la primera en utilizar un sistema no destructivo de análisis de materiales que emplea técnicas de retrodispersión Rutherford. En líneas generales, este sistema permite determinar la fecha con un 5 por ciento de margen de error y analizar materiales con suficiente precisión como para determinar su origen. La Universidad de Surrey ha tenido la amabilidad de asesorarnos en el empleo de este valioso recurso, que creemos que será de gran utilidad para analizar artículos encontrados en los juncos hundidos o cerca de ellos en todo el mundo.

OBRAS CLÁSICAS EN LAS QUE SE HA DOCUMENTADO «1434»

Science and Civilisation in China, del profesor Joseph Needham, Cambridge University Press (varias ediciones durante los cincuenta últimos años).

Esta obra monumental de treinta y cinco volúmenes es para mí uno de los ejemplos más extraordinarios de lo que es capaz el ser humano. He leído todos los volúmenes en los últimos quince años; sin ellos no habría empezado a escribir *1421* ni *1434*. Needham fue un genio; su mente podía abarcar todos los campos del conocimiento humano, desde la fermentación del licor chino hasta los aspectos más oscuros del criptoanálisis chino. No tiene parangón.

John L. Sorenson, profesor emérito de antropología de la Universidad Brigham Young, y Martin H. Raish son los autores de la majestuosa obra *Pre-columbian Contact with the Americas Across the Oceans*. Se trata de una bibliografía anotada que describe brevemente la literatura que versa sobre la transmisión de la fauna y la flora de un continente a otro con anterioridad a los viajes de Colón. Contiene unas seis mil entradas. En mi opinión, este libro echa por tierra cualquier reivindicación de los europeos de haber descubierto el Nuevo Mundo, y es más, me parece increíble que este libro no esté en todas las escuelas del mundo. Cada vez que doy una charla, hago lo posible por reconocer el trabajo de Sorenson y Raish. El equipo de investigación y yo nos sentimos afortunados de haber contado con este valioso material.

Carl Johannessen, profesor emérito de la Universidad de Oregón, ha colaborado con John Sorenson en la redacción y presentación de «Biology Verifies Ancient Voyages». El texto dice así:

> El análisis de una gran cantidad de literatura ha ofrecido pruebas concluyentes de que casi cien especies de plantas, la mayoría de ellas cultivadas, se hallaban tanto en el hemisferio occidental como en el oriental antes del primer viaje de Colón a América. Las pruebas provienen de fuentes arqueológicas, históricas y lingüísticas, y de estudios de arte antiguo y de ciencias naturales convencionales ... la única explicación verosímil para estos hallazgos es que se realizaran bastantes viajes transoceánicos en ambas direcciones entre el séptimo milenio a. C. y la etapa de los descubrimientos europeos.

Para mí ya no es defendible, sea cual sea el razonamiento que se ofrezca, que los europeos descubrieron el Nuevo Mundo. Sorenson, Raish y Johannessen han acabado con esta leyenda para siempre.

En *The Art of Invention*: *Leonardo and Renaissance Engineers*, el profesor Paolo Galluzzi describe en 251 páginas las aportaciones de los ingenieros sieneses a la obra de Leonardo da Vinci. El equipo de *1434* y yo lo utilizamos como una biblia cuando redactamos los capítulos 15 al 20. Galluzzi posee una habilidad pasmosa para analizar aquella época fantástica en la ciudad de Florencia.

Espero que no le moleste conocer las aportaciones que hizo la delegación china.

Frank D. Prager y Giustina Scaglia, especialistas en ingeniería del Renacimiento italiano, han escrito un libro que se deja leer maravillosamente, *Mariano Taccola and His Book «De ingeneis»*, publicado en 1972. Antes de la publicación de este libro de Prager y Scaglia, solo se habían identificado los libros 3 y 4 de Taccola (c. 1438). Ellos han reconstruido por vez primera los libros 1 y 2. Al hacerlo, han demostrado lo mucho que Francesco di Giorgio adaptó de Taccola y la influencia de la obra de Francesco en Leonardo da Vinci. El libro está profusamente ilustrado, con lo que da una idea de la proliferación, aparentemente extraordinaria, de maquinaria mecánica y militar a partir de 1433. Hemos comparado estas ilustraciones con las que figuraban en los libros chinos publicados antes de 1420.

El gran libro de Ernst Zinner *Regiomontanus: His Life and Work* nos brinda un relato ameno, lúcido y global de la asombrosa vida de Regiomontano, cuyas ideas fueron adaptadas por Copérnico y Galileo, hasta el punto de que la revolución copernicana debería tener tal vez otro nombre. He citado y resumido muchos párrafos de Zinner.

Joan Gadol ha escrito un libro fascinante e ilustrativo, *Leon Battista Alberti: Classical Man of the Early Renaissance*. Alberti era notario del papa Eugenio IV y en razón de su cargo debió de asistir al encuentro con la delegación china. Poseía una mente privilegiada y carisma, y ejerció una honda influencia en Toscanelli, Regiomontano, Nicolás de Cusa, Taccola, Francesco di Giorgio y, posteriormente, en Leonardo da Vinci. He citado a discreción la obra de Joan Gadol.

Apoyo académico

Naturalmente, es muy importante el apoyo de la comunidad académica a las teorías de *1421* y *1434*. Las personas que enumero a continuación me han enviado correos electrónicos mostrando su interés por *1421*, por *1434* o por ambos, por lo cual les doy las gracias: los profesores Yao Jide, Yingsheng Liu y Fayuan Gao, y el profesor

Liu Xaohong, de la Universidad de Yunnan; el profesor John Cogh-lan, de la Universidad de Melbourne-La Trobe; el profesor Miguel Lizana, de la Universidad de Salamanca; el profesor Arnaiz Villena, de la Universidad de Madrid; el profesor Drewry, de la Universidad de Hull; el profesor Ng Chin Keong, director, y el profesor Yeen Pong Lai, del Museo Chino de Singapur; el profesor Ethan Gallogly, del Santa Monica College; el profesor Hwa-Wei Lee, jefe del Departamento de Asia de la Biblioteca del Congreso; el profesor Hua Linfu, de la Universidad de Remin (Beijing); el profesor Xin Yuan-Ou, de la Universidad de Shanghai; el profesor Shi Ping, del Colegio de Mandos Navales (China); el profesor D. Hendrick, de la Universidad de Newcastle-upon-Tyne; el profesor Zhiguo Gao, del Instituto Chino de Asuntos Marítimos; el profesor adjunto Ted Bryant, decano adjunto de ciencias, de la Universidad de Wollongong; el profesor Bi Quan Zhong; el profesor Dobroruka, de la Universidad de Brasilia; J. David van Horn, profesor adjunto de la Universidad de Missouri-Kansas City; el doctor John W. Emerson, profesor emérito de geología, de la Universidad Central del estado de Missouri; Peter N. Peregrine, profesor adjunto y catedrático del Departamento de Antropología de la Universidad Lawrence; Peter M. Gardner, profesor emérito de antropología de la Universidad de Missouri; Gudrun Thordardotthir, profesora de la Universidad de Reikiavik; J. R. Day, profesor adjunto, jefe del Departamento de Ciencias Matemáticas y Estudios Informáticos de la Universidad de Hong Kong; Goran Malmquist, profesor de la Universidad de Estocolmo; el profesor Alex Duffey, conservador jefe de la Universidad de Pretoria; Richard Frewer, profesor de arquitectura de la Universidad de Hong Kong; el profesor Peter Roepstorff, de la Universidad del Sur de Dinamarca; el profesor Shuxuejun, de la Universidad Normal de Jiangxi; Susan Langham, profesora visitante de geología cuaternaria de la Universidad de Shenyang; el profesor Jack Ridge, de la Universidad de Tufts; Henry Pierson «Pete» French, Jr., profesor de historia y ciencias políticas de la Universidad Estatal de Nueva York y del Monroe Community College; Linda d'Argenio-Creuz, profesora adjunta del Brooklyn College; el profesor Peter L. P. Simpson, del Centro de Licenciados, Universidad de la Ciudad de Nueva York; Richard Kanek, profesor de física jubilado; Robin Pingree, profesor visitante de la Universidad de Plymouth (Mombassa); Jules Janick, profesor de la prestigiosa cátedra James Troop de horticultura de la Universidad de Purdue; Anthony Fazio, profesor adjunto de la División de Licenciados en Acupuntura y Medicina Oriental, del Colegio de Quiroprácticos de Nueva York; R. Thomas Berner, profesor emérito de periodismo y estudios americanos de la Universidad Estatal de Pensilvania; John Lawyer, profesor de ciencias políticas de la Universidad Bethel de Saint Paul (Minnesota); Paul Winchester, profesor clínico de neonatología de la Escuela Médica de la Universidad de Indiana; Rosa E. Penna, profesora de literatura inglesa de la Universidad Católica de Argentina y de la Universidad de Buenos Aires; Víctor M. Rivera, profesor del Baylor College de Medicina; D. Evans, profesor jubilado de antropología y fundador y director del Centro de Investigación de Ultramar de la Universidad de Wake Forest; Patti Grant-Byth, profesora de inglés en la Korea University de la Universidad de Minnesota; Johan Splettstoesser, profesor jubilado de geología y presidente de la Sociedad Polar Americana (Minnesota); Daniel Mroz, profesor adjunto de teatro de la Universidad de Ottawa; John Preston, profesor del Colegio Universitario de Tecnología de Michigan Oriental; P. A. McKeown, profesor emérito de la Universidad de Cranfield (G. B.); Niels West, profesor de investigación del Departamento de Asuntos Marítimos, Universidad de Rhode Island; David Greenaway, vicerrector interino, profesor de economía de la Universidad de Nottingham; el doctor Chris Gleed-Owen, responsable de investigación y supervisión del Herpetological Conservation Trust (Bournemouth); Edwin M. Good, profesor emérito de estudios religiosos y (por cortesía) de los estudios clásicos de la Universidad de Stanford; el profesor adjunto Pedro Augusto Alves de Inda, Universidad de Caxias do Sul; Anthony Nieli, profesor adjunto del Colegio de Tecnología de Pensilvania; contraalmirante Zheng Ming, profesor adjunto de la Universidad de Ingeniería Naval de Beijing; profesora Carol Urness, conservadora de la Biblioteca James Ford Bell de la Universidad de Minnesota; Roderich Ptak, profesor de la Universidad de Munich; el profesor Zheng Wei, director del Centro de Arqueología Submarina del Museo Nacional de Historia China de Beijing; los profesores Chen Xiansi,

345

Chao Zhong Cheng y Fan Jingming, de la Universidad de Nanjing; Zheng Yi Jun, profesor de la Universidad de Shandong; el profesor Zhu Yafei, de la Universidad de Beijing; el profesor Tao Jing Yi (Sri Lanka); el profesor Xu Yuhu, de la Universidad de Taiwán; el profesor Li Dao Gang (Tailandia); sir John Elliott, profesor de la Universidad de Oxford; Mike Baillie, profesor de la Universidad de Belfast; el doctor Philip Woodworth, profesor visitante de la Universidad de Liverpool; Sue Povey, profesora del University College de Londres; Christie G. Turner II, profesora de la Universidad Estatal de Arizona; George Maul, profesor del Instituto de Tecnología de Florida; Jane Stanley, profesora de la Universidad Nacional Australiana; Robert S. Kung, de la Asociación de Investigaciones sobre Zheng He, Hong Kong; el doctor John P. Oliver, del Departamento de Astronomía de la Universidad de Florida; el doctor Eusebio Dizon, director de investigaciones submarinas del Museo de Manila; el doctor Joseph McDermott, de la Universidad de Cambridge; el doctor Konrad Hirschler, de la Escuela de Estudios Orientales y Africanos de Londres (SOAS); el doctor Taylor Terlecki, de la Universidad de Oxford; la doctora Ilenya Schiavon, de los Archivos Estatales (Venecia); la doctora Marjorie Grice-Hutchinson, de la Universidad de Málaga; la doctora Linda Clark, de la Universidad de Westminster; el doctor Robert Massey, del Real Observatorio de Greenwich; el doctor Bob Headland, del Instituto Scott de Investigaciones Polares de Cambridge; el doctor Muhamed Waley, de la Biblioteca Británica, Londres; J. M. Nijman, del Politécnico de Amsterdam; el doctor Alan Leibowitz, de la Universidad de Arizona; el doctor Edgardo Cáceres; el doctor Tan Koolin, de la Universidad de Malaya, y el doctor Leo Suryadinata, del Instituto de Estudios del Sudeste Asiático, Singapur.

VISITAS A NUESTRA WEB WWW.1421.TV

Nos resulta imposible citar a todas las personas que han contribuido a nuestro trabajo de investigación, ya sea aportándonos nuevas pruebas, ideas para realizar nuevas indagaciones, correcciones para futuras ediciones de los libros y críticas constructivas. No obstante, hemos intentado incluir aquí a tantas como nos ha sido posible, sin seguir un orden concreto. Nuestras más sinceras gracias a:

Geoff Mandy, que tuvo la amabilidad de dedicar gran parte de su tiempo libre a organizar la base de datos «Amigos de *1421*». Gracias a Geoff, esperamos —crucemos los dedos— no haber dejado a nadie fuera de la lista de agradecimientos, ya sea aquí o en nuestra web.

Todos aquellos que han gestionado webs independientes dentro de la de *1421*. Esta idea surgió para que las personas interesadas en aspectos concretos de *1421* tuvieran la oportunidad de ampliar los conocimientos en estos campos, al margen del equipo de *1421*. Todo el tiempo y los esfuerzos que han dedicado han sido a su costa, por lo que nos sentimos especialmente agradecidos a las personas siguientes: Joseph Davis, Mark y Laurie Nickless, Juan Carlos Hoyos, Cathie Kelly, Heather Vallance, Paul Lewis y Anne Usher.

Entre los que nos han ayudado a investigar sobre el terreno cabe mencionar a:

Dave Cotner, como ya hemos dicho; Laszlo, que ha hallado una serie de restos de naufragios en el Caribe en los últimos veinte años, de los que se comprobó que no eran barcos españoles, ingleses o daneses, sino que poseían características chinas y transportaban artículos chinos, y los doctores John Furry y Michael Broffman, creadores de la web «China Landing», que ha seguido investigando el misterio del «Junco de Sacramento». Si desea más información, consulte en www.pinestreetfoundation.org/chinalanding.

La investigación del doctor Greg Little y sus colegas, que han descubierto muchos indicios en el Caribe de la existencia de una cultura marítima desaparecida hace tiempo, más avanzada que la de los pueblos taíno o caribe. Más recientemente nos han dicho que las primeras comprobaciones apuntan a que las piedras talladas que encontraron datan de hace unos quinientos años. Si desea más información consulte en los enlaces siguientes:www.mysterious-america. net/newunderwaterbim.html y www.mysterious-america.net/bimi nicaysal200.html.

Brett Green, cuya búsqueda incansable, a pesar de no pocas adversidades, ha aportado una gran cantidad de pruebas que sustentan la hipótesis de la presencia china en Australia oriental antes de la llegada de los europeos; William C. Kleish, Richard Perkins y Paul McNamee, que han dirigido la investigación relativa al esquivo junco Great Dismal Swamp, que un amigo de George Washington vio sobresalir de una marisma en Carolina del Norte; John Slade, cuyas investigaciones muestran la posibilidad de que hubiera minas en toda Australia oriental, desde los yacimientos de oro de Victoria hasta el norte de Queensland, antes de la llegada de los europeos, y Robertson Shinnick, que halló en 1994 el medallón del doctor S. L. Lee en Carolina del Norte.

Merecen también ser mencionados Michael Boss y todos los demás colaboradores de la sección «Gallery» de la web, una rica variedad de pinturas, fotos y artículos, todos ellos hermosos; Jerry Warsing, un investigador independiente que fue de los primeros en dirigirse a nosotros y hacernos saber que había llegado a las mismas conclusiones que yo con anterioridad. Estamos muy agradecidos por el apoyo permanente de Jerry y por su investigación en América del Norte. El profesor Zhiquiang Zhang, cuya investigación independiente sobre los viajes de Zheng He nos ha resultado de gran valor. D. H. C. Tien y Michael Nation, de Chinese Computer Communications, cuyo trabajo pionero «el chino en Internet» puede que nos permita un día aprender chino con la facilidad y fluidez con que hablamos nuestra lengua materna; Anatole Andro, cuyo libro *The 1421 Heresy* complementa a *1421* y profundiza todavía más en la teoría que defiende; el grupo Cantravel, que nos ha acompañado a Marcela y a mí en un montón de aventuras interesantes y ha contribuido enormemente a nuestro trabajo; Gill y Frank Hopkins; Carol y Barry Mellor; Gordon y Elizabeth Hay; John y Heleen Lapthorne, y Malcolm y Angela Potter.

Las personas que enumeramos a continuación han contribuido a lo largo de los años a aumentar nuestra base de conocimientos, sin cargo alguno y de buena fe, por lo que les estamos sinceramente agradecidos: Malcolm Brocklebank, Chiara Condi, Tim Fohl, Robert y MeiLi Hefner, Damon de Laszlo, John Robinson, Bill Hupy, Greg Jeffrey, Hector Williams, Mary Doerflein, David Borden, Rewi Kemp, Ralph McGeehan, Glen Rawlins, Michael Ferraro,

Gerald Thompson, Chung Chee Kit, Howard Smith, Kerson Huang, Al Cornett, Tony Brooks, Barbara McEwan, Nicholas Platt, Zhang Wei, Robin Lind, Gerald Andrews Bottomley, Nicholas Wallis, Ester Daniels, William Li, Malcolm Rayner, J. F. Webb, Commodore Bill Swinley, David Borden, Kathrine Zhou, Janna Carpenter, Guofeng Yang, Jamie Bentley, Martin Tai, Ted Bainbridge, Brian Darcey, Rob Stanley, Jan-Erik Nilsson, J. Phillip Arnold, Davind Lindsay, Mike Osinski, M. J. Gregory, Philip y Wei Lewis; Roger L. Olesen, Adela C. Y. Lee, Guy Dru Drury, Saro Kapozzoli, Tim Richardson, el profesor Luis Wanke, José León Sanchez, Ted Jeggo, Ng Siong Tee, Goo Si Wei, Paolo Costa, Ric Polanski, el profesor Mike Bailie, el doctor Wang Tao, Bill Parkhurst, K'ung-Fu Tzu, Duncan Craig, Nico Conti, Barney Chan, Erik Maskrey, Philip Mulholland, Garry Berteig, George J. Fery, Tony Fletcher, Nancy Yaw Davies, Chris Righetti, Andy Drake, Paul Wagner, Jim Mullins, John Braine-Hartnell, Michael Penck, doctor William Goggins, Russell Parker, Bill Hupy, Gillian Bartlett, Shaka Garendi, Rodney Gordon, Bob Butcher, Karin Harvey, John Weyrich, Edward D. Mitchell, Nicholas Platt, David Turner, Phillip Bramble, Jean Elder, Anton McInerney, Patrick Moran, Joy J. Merz, John S. Marr, Scott McClean, Lynn Canada, Richard Zimmerman, William Vigil, Ric Baez, Terry Jackson, Jefferson Wright, Ean McDonald, Beth Flower Miller, Michael Ernest, Omar M. Zen, Bruce Tickell Taylor, doctor Edward Tumolo, Marie E. Macozek, John Forrest, Julian Wick, Keith Wise, Bobby Sass, Michael Lane, Mari Stair, David Lorrimer, Mark Simonitsch, Dave Blaine, Daryl F. Mallett, Luis Robles, Barry Wright, Mark Smith, Jeff Spitra, Chris Nadolny, Li Huangxi, John Pletcher, Paolo Villegas, Kevin Wilson, Janice Avery Clarke, Patricia Duff, Dan Brech, Matthew Wissell, Harry L. Francis, Yangyong Li, Fred J. Gray, Thomas Herbert, Michael Atkinson, Garth Denning, Janet Miller Wiseman, Dean Pickering, Arjan Wilkie, George Barret, Mark Newell, Roy Dymond, Kate Meyer, Lawrence Smalheiser, Alice Chan, Desmond Brannigan y Edward Grice Hutchinson.

EXPOSICIONES Y SIMPOSIOS

La Oficina de Turismo de Singapur, en colaboración con Pico Art International, organizó la exposición «1421: El año en que China navegó por todo el mundo» entre junio y agosto de 2005. Se realizó en un pabellón grande, especialmente construido para la ocasión, réplica de los que utilizaban los primeros emperadores de la dinastía Ming cuando viajaban por el país. El pabellón estaba ubicado en un hermoso emplazamiento con vistas al puerto de Singapur. La famosa empresa de diseño de exposiciones Pico se ocupó de negociar el préstamo de objetos procedentes de todo el mundo que constituían pruebas de los viajes de Zheng He. La exposición generó muchísima publicidad y, como consecuencia de ella, recibimos más indicios procedentes de Asia y de China que confirmaban los viajes. Me siento en deuda con todos los que patrocinaron y aportaron material para la exposición. Ahora ha sido trasladada al maravilloso Museo Cultural Cheng Ho del doctor Tan Ta Sen, en Malaca.

LABORATORIOS E INSTITUCIONES DE VERIFICACIÓN

Agradezco a las siguientes instituciones la verificación de los indicios que les presentamos, llevada a cabo de manera económica, eficiente, amable y puntual: a Rafter Radiocarbon Laboratory, de la Universidad de Waikato, a GPR Data LLC (Oregón), a GPR Geophysical Services y a Forest Research; a Pearson plc por su apoyo económico para los estudios topográficos con radar de penetración del yacimiento de Sacramento, y a la Universidad de Surrey por haber determinado el origen de los elementos constitutivos de los artículos hallados mediante técnicas de retrodispersión Rutherford.

EQUIPO DE HARPERCOLLINS

Agradezco enormemente la colaboración y la ayuda prestadas por HarperCollins y su sello William Morrow en Estados Unidos, en especial a mi editor, Henry Ferris, y a su ayudante y editor adjunto, Peter Hubbard. Gracias también a Lisa Gallagher, Lynn Grady, Tavia Kowalchuck y Ben Bruton.

Por el apoyo y la ayuda recibidas de HarperCollins en el Reino Unido, doy las gracias a Carole Tonkinson, Katy Carrington, Jane Beaton, Anna Gibson, Iain Chapple y Jessica Carey.

EL EQUIPO DE «1434»

Por último, vaya mi agradecimiento al equipo directamente responsable del de *1434*:

La empresa Midas, dirigida por Steven Williams, y con la asistencia de Kaiiten Communications en Asia, ha logrado hacer una publicidad increíble en todo el mundo; me dicen que más de veintidós mil artículos o menciones solo en la prensa escrita. Estoy convencido de que Midas no me ha aplicado las tarifas comerciales al uso, sino las que estaban a mi alcance. El éxito de su empresa ha generado un interminable flujo de nuevos indicios y ha contribuido a que Transworld (que hizo un trabajo magnífico con *1421*) vendiera los derechos literarios en todo el mundo.

Christopher Higham, que gestiona los derechos para la televisión, ha contribuido a aumentar las ventas en todo el mundo consiguiendo la radiodifusión de importantes documentales de televisión en América, Europa, el Pacífico, Australia y Asia. Ello, a su vez, ha generado más amigos de nuestra web que han aportado nuevas ideas y evidencias. Chris se ha hecho cargo de los gastos y nos ha regalado su tiempo durante cinco años.

Pedalo ha creado las webs www.1421.tv y www.gavinmenzies.net para poder hacer frente a la avalancha de evidencias sobre el tema. Sus esfuerzos han dado por resultado unas webs muy visitadas; tenemos 3.500 visitas al día de 120 países de todo el mundo. La tarifa que me aplicó Pedalo era una tercera parte de la que me ofrecía su competidor más cercano.

Luigi Bonomi, mi agente literario, director de LBA, vendió *1434* a HarperCollins, la primera editorial a la que se la ofreció. Luigi también vendió *1421* a Transworld cuando era socio de Sheil Land. En mi opinión, Luigi es el mejor agente literario británico (¡tomen nota, escritores!). Sin él, no habrían existido ni *1421* ni *1434*.

Frank Lee, experimentado hombre de negocios chino, vendió los derechos de *1421* a Warner Bros. China y su participación fue decisiva en la negociación con Phoenix Television para producir un extenso documental en mandarín sobre *1421* y, a cambio, crear una web de *1421* en ese idioma, una gran fuente de nuevos indicios para el público de habla mandarina y cantonesa. A lo largo de su trayectoria profesional, Frank ha creado un equipo de ventas en China y otras partes de Asia, y cuenta con una red extensísima de amigos y contactos. Es además un experto historiador, y ha utilizado por primera vez un motor de búsqueda de los archivos históricos de China. A finales de 2008 o a principios de 2009, Frank asumirá la dirección de las organizaciones de *1421* y de *1434* que yo he ostentado hasta ahora. Para entonces, esperamos que la película de Warner Bros. sobre Zheng He ya esté lista para su distribución.

Wendi Watson y su marido, Mike, han realizado las ilustraciones y diagramas de *1434*, como hicieron para *1421*. Con paciencia y buen tino, Wendi ha trabajado a partir de mis poco prometedores garabatos durante los últimos siete años. Los resultados hablan por sí mismos; en mi opinión, el trabajo de Wendi ha mejorado enormemente el libro y ha hecho que la información sobre cada evidencia sea mucho más fácil de entender.

Laura Tatham ha procesado el texto de *1434* unas catorce veces sin quejarse ni perder el sentido del humor. Laura, que está a punto de cumplir noventa años, me ha ayudado mecanografiando mis borradores durante los últimos veinticinco años. ¡Ha sido una bendición haber logrado convencerla de que no se jubilase!

Nuestras investigadoras —Erica Edes, Antonia Bowen-Jones, Vanessa Stockley, Lorna Lopes, Anna Mandi, Anna Rennie, Susie Sanford y Leanne Welham— son testimonio de la juventud actual y del sistema de enseñanza británico. A diferencia de mí, son licenciadas universitarias con un buen expediente académico. Han mostrado —de manera continuada y sin excepción—, dedicación, responsabilidad, iniciativa y capacidad de trabajo, y han organizado de manera coherente un montón disparatado de indicios de lo más variado que va llegando a nuestros ordenadores día tras día. No les llego a la suela de los zapatos, ni tampoco muchos de mis amigos a su edad. Éramos casi todos unos rufianes borrachos e irresponsables.

La dedicación y la amabilidad de todas ellas se debe también en parte a Ian Hudson, que ha dirigido nuestro equipo de investigación durante estos últimos cinco años. Ian tiene las cualidades que me faltan: amabilidad, educación y sentido común. Lo que el lector piense de este libro es tan atribuible a Ian como a mí. El éxito futuro del equipo de *1434* dependerá en gran medida del liderazgo de Ian, como ha sucedido con el equipo de *1421* durante los últimos cinco años.

Por último, deseo dar las gracias a mi querida esposa Marcella. Como los lectores comprenderán, no es fácil para una mujer acceder a que su marido, que ya ha traspasado la barrera de los setenta y no goza de una salud de hierro, invierta sus derechos de autor en seguir investigando en lugar de colocarlos en un fondo de pensiones, sabiendo, además, que contraerá más obligaciones pecuniarias derivadas de dicha investigación. Desde que se publicó *1421*, hace cinco años, Marcella me ha apoyado incondicionalmente, en los momentos favorables y en los adversos, como ha hecho siempre, permitiendo que esta gran aventura continuase.

Este libro y yo se lo debemos todo.

GAVIN MENZIES
Londres
Fiesta de Todos los Santos, 2007

NOTAS

Introducción

1. Antonio Pigafetta, *Magellan's Voyage: A Narrative Account of the First Circumnavigation*, trad. de R. A. Skelton, Folio Society, Cambridge, Mass., 1975, p. 49.

1. El último viaje

1. Twitchett, *Cambridge History*, vol. 3, p. 231.
2. Correspondencia privada entre el autor y el señor Frank Lee, 2005.
3. Tsai, *Perpetual Happiness*, reseñado en *Journal of the American Oriental Society*, 122, n.º 4 (octubre-diciembre de 2002), pp. 849-850. Se puede ver en JSTOR.
4. Dreyer, *Zheng He*, p. 6.
5. Tamberlán murió en 1405. Su hijo Shah Rokh le sucedió en Persia, y luego su nieto Ulugh Begh en Samarcanda. La información sobre el accidente se basa en un relato persa del siglo XV.
6. Dreyer, pp. 174-182.
7. *Cambridge History of China*, p. 272. *Dictionary of Ming Biography*, p. 533.
8. *Cambridge History of China*, pp. 278 y 302. *Renzong Shi Lu*, cap. 1.
9. *Cambridge History of China*, VII, pp. 286-288.

2. El embajador del emperador

1 y 2. En Carolina del Norte se ha encontrado un medallón firmado por el emperador Xuan De y entregado a su representante. Los argumentos a favor y en contra de la autenticidad del medallón de bronce figuran en la web del doctor S. L. Lee, Asiawind (véase más abajo). Yo estoy

convencido de que el medallón acuñado por Zhu Zhanji hallado en Carolina del Norte, y actualmente propiedad del doctor Lee, es auténtico por las múltiples razones que él esgrime. Investigación del doctor S. L. Lee. Véase la web de *1421* (www.1421.tv) y la de Asiawind (www.asiawind.com/zhenghe).

3. Dreyer, *Early Ming*, p.144, traducción del *Xuanzong Shi-lu*. Los *shi-lus* eran verdaderas crónicas de un período o reinado compiladas por la clase de los mandarines con un método muy formal, resumidas tras la muerte del emperador. Constituían la fuente principal de la historia oficial de la dinastía, y normalmente se redactaban durante la dinastía siguiente; es decir, durante la dinastía Qing se redactó el *shi-lu* Ming.

Zheng He vivió los reinados de cinco emperadores Ming. Existen *shi-lu* de cuatro de ellos. El sistema de los *shi-lu* presentaba varias deficiencias graves. En primer lugar, toda dinastía detestaba a la anterior y destruía gran parte de lo que consideraban loable de sus predecesores. En segundo lugar, la educación mandarina era sumamente estrecha de miras. Si algo no figuraba en el *shi-lu* no podía haber sucedido.

Esto queda plasmado en la absurda conclusión a la que han llegado ciertos «eruditos» mandarines en el sentido de que, si en el *shi-lu* no dice que las flotas de Zheng He llegaron a América, es que no llegaron. Por esta regla de tres, no se tiene en cuenta a las flotas que navegaron a América, que naufragaron allí o que decidieron quedarse y nunca regresaron a China. El sistema del *shi-lu* genera unas lagunas impresionantes en la historia china. No obstante, tal vez debería sentirme agradecido; si la historia china hubiese sido recopilada de manera rigurosa, ¡los eruditos chinos habrían escrito libros parecidos al mío hace siglos! Véase Dreyer, *Zheng He*, p. 144.

4. Traducción de J. L. L. Duyvendak en «The True Dates», pp. 341-345 y 349. La palabra de Duyvendak se ha convertido prácticamente en ley en todo lo referente a los viajes; los historiadores la aceptan sin reservas. A mi juicio, que Duyvendak haya restringido a siete los viajes de Zheng He es algo absurdo. Si echamos un vistazo a los registros de los astilleros, Zheng He tenía más de mil barcos a su disposición (y posiblemente muchos más) para cada uno de los «siete viajes» reconocidos por Duyvendak. Es absolutamente imposible controlar una flota de esa envergadura. Yo creo que hubo entre veinte y cincuenta flotas en el mar ininterrumpidamente entre 1407 y 1434, bajo el mando general de Zheng He, quien puede que recibiera, eso sí, solo siete órdenes imperiales. Durante aquellos años se hicieron cientos de viajes, no siete. En

referencia a los «3.000 países» que cita Duyvendak en la p. 345, n. 2, él defiende que «3.000» es un error del copista, cuya intención era escribir «30». Pero luego desmonta su propio argumento al comparar el símbolo chino de «3.000» y el de «30». El símbolo de «3.000» lleva encima un pequeño guión. Un «error ortográfico» sería escribir «30» en lugar de «3.000», no al revés. Está claro que la persona que grabó el medallón quería escribir «3000».

5. *Ibid.*

6. Correspondencia entre el autor y el señor Liu Gang. Texto completo en la web de *1421*, www.1421.tv. La traducción del señor Liu Gang puede verse en la web de *1434*, en el epígrafe «The Real Discoverer of the World-Zheng He». (Véase la nota 20 en referencia a los «tres mil» países.)

7. Investigación de Liu Gang en 2006; véase la web de *1434*.

8. Las referencias del profesor Xi Longfei y de la doctora Sally Church son de gran valor. Deberían leerse junto con la nota 9. Dreyer ofrece una lista completa de referencias sobre la construcción de barcos en *Zheng He*, pp. 116-121, tomadas del *Taizong Shi-lu*.

9. Chaudhuri, *Trade and Civilisation in the Indian Ocean*, p. 241, Notas, cap. 7, n. 29, cita a Abdu'r Razzaq, *Matla'al Sa'dain*, en Elliot y Dowson, eds., *The History of India*, IV, p. 103.

10. Camões, K. N. Chaudhuri, «Trade and Civilisation in the Indian Ocean», Cambridge University Press, 1985, p. 154.

11. Tai Peng Wang me señaló la obra del profesor Pan Biao. Además, tuvo la amabilidad de darme permiso para colgar en nuestra web el artículo «The Most Startling Discovery from Zheng He's Treasure Shipyards». El trabajo del profesor Pan Biao se realizó en el Instituto de Ciencias de la Madera de la Universidad de Silvicultura de Nanjing. Analizaron 236 piezas de madera halladas en el fondo del dique seco n.º 6 de Nanjing, que había permanecido inundado durante seiscientos años. El profesor Pan Biao demuestra que se importaron maderas nobles a gran escala a Chinahat y a Java para poder construir las flotas de Zheng He en China y tener la posibilidad de repararlas en Java. Estas conclusiones ratifican el trabajo del profesor Anthony Reid (véase la nota 11). La combinación de los trabajos de Pan Biao y de Reid muestra que la construcción de aquellas gigantescas flotas provocó la globalización del mercado de la madera en Asia. Véase www.gavinmenzies.net.

12. Reid, *South East Asia in the Age of Commerce*, vol. 2, p. 39. El profesor Reid señala que la explicación más verosímil del florecimiento de la

industria de construcción de barcos en Java en el siglo xv fue «la fusión creativa de las tecnologías navieras javanesa y china como consecuencia de las expediciones de Zheng He». «En cada una de las temporadas de 1406, 1414, 1418 y 1432, flotas de cien o más embarcaciones chinas permanecieron en los puertos de Java oriental durante largos períodos de tiempo para su reparación.»

13. Esta maniobra se realizó en el mar de Andamán y en el estrecho de Malaca en enero y febrero de 1969. Participaron las armadas de Singapur y de Malasia.

14. En el mar de China Meridional, al sur de las islas Anambas, en julio de 1969.

15. Dreyer, p. 127, ofrece un buen resumen. Los nombres de los vicealmirantes y contraalmirantes se han tomado de las inscripciones de las estelas descritas anteriormente en el capítulo. Dreyer cita los nombres en las pp. 146 y 208-215. El nombre de Wang Jinghong se escribe también Wang Guitong, Wang Qinglian y Wang Zinghong. Después de Zheng He fue el almirante de mayor graduación, hasta que se ahogó. Hou Xian fue enviado posteriormente a Tíbet y a Nepal.

16. Véanse en nuestra web de *1434*, www.gavinmenzies.net, las gestiones del equipo de *1421* para ayudar a localizar los ejemplares de la *Yongle Dadian* que se hallan dispersos por las bibliotecas y universidades europeas. La Biblioteca Nacional de China digitalizará lo que queda de esta colosal enciclopedia, doce veces mayor que la de Diderot del siglo xviii, considerada la más extensa del mundo en aquella época fuera de China.

Actualmente la Biblioteca Nacional de Beijing posee 221 libros, de los cuales 60 se conservan en Taiwan.

La Biblioteca del Congreso posee 41 libros, el Reino Unido, 51, Alemania, 5 y la Universidad de Cornell, 5. La Universidad de Cornell posee una web excelente, Explore Cornell-Wason Collection. «En 1403, bajo los auspicios del emperador Yongle (1402-1424), de la dinastía Ming, se hizo una revisión de todo el legado intelectual chino para decidir los textos que valía la pena incluir en lo que sería la expresión impresa de la civilización china. Participaron en esta empresa 146 de los más consumados eruditos del Imperio chino. (Véase también Needham, vol. 32, pp.174-175.) Tras dieciséis meses de trabajo, los eruditos presentaron el producto final...» No obstante, el emperador rechazó la obra argumentando que no tenía la envergadura que él había pensado. De ahí que nombrara otro comité de redacción integrado por comisarios, directores, subdirectores y una plantilla no inferior a 2.141 ayudantes, «un total de 2.169 personas». Este nuevo comité amplió en gran medida la sección de literatura e «incorporó textos sagrados, de medicina, de geografía y astronomía, artes y oficios, historia, filosofía y los textos de Confucio que en aquel momento habían sido canonizados ... A continuación, el emperador ordenó que se transcribiese toda la obra, para poder imprimirla y facilitar así el proceso de distribución».

Véase el intercambio de correos electrónicos entre Lam Yee Din, Tai Peng Weng, Liu Gang, el doctor S. L. Lee y Ed Liu en www.gavinmenzies.net. En mi opinión, el lugar donde hay más probabilidades de encontrar fragmentos de la *Yongle Dadian* es el Museo del Louvre. Napoleón se llevó a París los archivos venecianos. Véase Needham, *Science and Civilisation*, vol. 19, y vol. 32, p. 174.

17. Véase Needham, *Science and Civilisation*, vol. 19, pp. 49-50 y 109-110, y vol. 32, p. 174. En mayo de 1913, Herbert Giles escribió a la Universidad de Cornell confirmando que Cambridge poseía solo un volumen. Véanse también los correos electrónicos entre Lam Yee Din, Tai Peng Weng, Liu Giang, el doctor S. L. Lee y Ed Liu en la web de *1434*, www.gavinmenzies.net.

18. Tai Peng Wang tuvo la amabilidad de hablarme de esta investigación, y lo mismo hizo Lam Yee Din. Véase la web de *1434*.

19. Needham, *Science and Civilisation*, vol. 32, pp. 100-175, y Temple, *Genius of China*, pp. 110-115. Versión castellana de Flora Casas: *El genio de China, cuna de grandes descubridores*, Debate, 1987.

Pueden verse ejemplares transcritos en Cornell University Explore Cornell-Wason Collection.

20. Needham, *Science and Civilisation*, vol. 19.

21. K. N. Chaudhiri «Trade and Civilisation in the Indian Ocean», Cambridge University Press, 1985, p. 154, n. 29.

3. Las flotas se preparan para el viaje a tierras bárbaras

1. Agradezco la investigación realizada por Tai Peng Wang, cuya obra ha constituido la base para la redacción de este capítulo. Véanse en la bibliografía los títulos de los trabajos.

2. Needham, vol. 27, p. 145.

3. Needham, vol. 30, pt. 2, p. 83. Los calendarios aparecen en Needham, vol. 3, pp. 49, 125 y 378-381.

4. El cálculo de la latitud y de la longitud por los navegantes de Zheng He

Más información en www.gavinmenzies.net.

5. Viaje al mar Rojo

1. Tai Peng Wang, «Zheng He Visit to Cairo», p. 2, n. 18, y «Tale of Globalisation».
2. Nelson contó con veintisiete barcos en la batalla de Trafalgar.
3. *Yingzong Shi-lu*, caps. 31, 38 y 45.
4. Xi Feilong, Yang Xi y Tang Xien, en Tai Peng Wang, «Zheng He Delegation to Papal Court», p. 6, en la que habla de Hong Bao; y «Zheng He and His Envoys», p. 1.
5. Hall, *Empires of the Monsoon*, pp. 87-89.
6. *Ibid.*, p. 124.
7. Tai Peng Wang, «Zheng He and His Envoys», p. 1.
8. Ibn Tagri Birdi, *Al Nujun Az Zahira Fi Mulek Misr Wal Kahira*.
9. El trabajo de Lam Yee Din y de Liu Gang puede consultarse en www.gavinmenzies.net. Véase también Tai Peng Wang, «What Was the Route Taken to Florence», p. 1.
10. Ibn Battuta, vol. 4, p. 813.
11. *The Travels of Ibn Battuta AD 1325-1354*, vol. 4, Hakluyt Society, 1994, p. 773.
12. Tai Peng Wang, «Zheng He and His Envoys», p. 2. Véase también S. D. Goitein, «New Light on the Beginnings of Karim Merchants», ambos en www.gavinmenzies.net.
13. Tai Peng Wang, «Zheng He and His Envoys», p. 2.
14. Tai Peng Wang, véase la web *1434*.
15. Poole, *History of Egypt*, Frank Cass and Co Ltd., Londres, 1894.
16. Tai Peng Wang, véase la web *1434*.
17. En la web *1434*.
18. Investigación de Tai Peng Wang y Lam Yee Din en la web de *1434*.

6. El Cairo y el canal mar Rojo-Nilo

1. Este párrafo y gran parte del capítulo 6 es una paráfrasis de algunos capítulos del maravilloso libro de James Aldridge *Cairo: Biography of a City* (Macmillan, 1969). En mi opinión, es el mejor libro de viajes que se ha escrito jamás. Aldridge posee una facilidad asombrosa para condensar y resumir con precisión una gran cantidad de información en un puñado de frases. Es además un escritor brillante, ingenioso sin ser desagradable, y elige con mucha habilidad cuándo y cómo subrayar los episodios más gráficos de la historia de Egipto. La lectura de este libro es un auténtico goce, y yo lo he disfrutado muchas veces. Lo recomiendo encarecidamente a cualquier persona que esté pensando en visitar Egipto.

2. *Ibid.*, pp. 5, 27 y 127.

3. Redmount, «Wadi Tumilat», y Payne, *The Canal Builders*. El capítulo de Payne titulado «Scorpion and Labyrinth» ofrece un relato minucioso sobre las grandes construcciones desde la época de los faraones hasta la de los griegos y romanos.

4. Aldridge, *Cairo*, pp. 27, 43, 78 y 79.

5. Poole, *History of Egypt*, p. 20. «En el año 23 de la Hégira ... pasaba por Bilbeys hasta el lago de los Cocodrilos, y luego llegaba hasta el puerto que se hallaba en la entrada del mar Rojo.»

6. Aldridge, *Cairo*, p. 127; Al-Makrizi, *Histoire d'Égypte*, y Revaisse, «Essai sur l'histoire».

7. SSECO. En nuestra web, www.1434.tv, hallará un informe más completo de las actas de la conferencia. Véase también Ibn Taghri Birdi, Abi I-Mahasin, *A History of Egypt 1383-1469*, trad. de William Popper, University of California Press, Berkeley y Los Ángeles, 1958, p. 86.

8. R. L. Hobson, *Chinese Porcelain from Fustat Burlington Magazine for Connoisseurs*, 61, n.º 354. En nuestra web *1434* figura la fotografía de una pieza de porcelana azul y blanca del reinado de Zhu Di, hallada en Fustat.

9. Aldridge, *Cairo*. El capítulo titulado «Saladin's Cairo», del que he tomado esta cita, es una descripción magistral en la que Aldridge muestra lo mejor de su prosa.

10. Jacques Berges, citado en Braudel, *History of Civilisations*, p. 66.

7. Hacia la Venecia de Niccolò da Conti

1. *«Geografía del Mediterráneo»*
   Los dos primeros párrafos de este capítulo son una paráfrasis de la maravillosa obra del célebre historiador y político francés Fernand Braudel, *El mediterráneo en tiempos de Felipe II*. Me remito una y otra vez a esta obra maestra porque creo que Braudel es tal vez el mejor historiador europeo, capaz de resumir una gran cantidad de hechos dispares en una prosa legible y coherente.
2. Norwich, *Venice: The Greatness*; Hibbert, *Biography of a City*; Lorenzetti, *Venice and Its Lagoon*; Brion, *Masque of Italy*. Véase también *Venice and the Islands* (Londres, 1956), p. 22.
3. *Ibid.*
4. Estoy en deuda con numerosos escritores muy conocidos. La obra *Venice*, de Norwich, es un clásico. Norwich se autodefine como un «divulgador desvergonzado», lo cual constituye un gran logro. Los que denigran a los divulgadores no tienen ni idea de lo difícil que es la obra de divulgación. Otra divulgadora que es a la vez una erudita, pero que escribe en un estilo encantador, es Jan Morris. Mis descripciones de la vida en las galeras y los puertos de la República veneciana proceden en gran medida de su obra *Venetian Empire*.
5. En *Descriptions of the Venetian Empire*, Morris ofrece animadas descripciones no solo de los venecianos en el Mediterráneo oriental, sino también de la vida a bordo de las galeras venecianas. Da vida a los rudos y habilidosos mercaderes y a los hombres de mar que hicieron Venecia. He parafraseado su libro ampliamente a partir de la p. 135. También he parafraseado a Norwich, *Venice*, pp. 39-41.
6. Croatans: véase Thompson, *Friar's Map*, en las pp. 171-174.
7. Véase en *European Journal of Human Genetics*, II, pp. 535-542, el artículo «Y chromosomal heritage of Croatian population and its island isolates», de Lavorka Bara, Marijana Perii *et al.* Los informes de AND a los que se refiere aparecen en nuestra web, www.gavinmenzies.net.
8. Morris, *Venetian Empire*, p. 107; Brion, *Mask of Italy*, pp. 86 y 91; y Alazard, *Venise*, p. 73.
9. Morris, *Venetian Empire*, pp. 160-161. Véase también J. A. Cuddon, *Jugoslavia: The Companion Guide* (Londres, 1968) pp. 140-141.
10. Brion, *Mask of Italy*, pp. 80-83; y Braudel, *Wheels of Commerce*, pp. 99-168.

11. Luca Paccioli, «Summa de arithmetica, geometria, proportioni et proportionalita», en Brion, *Mask of Italy*, p. 91; Alazard, *Venise*, pp. 72-73; y Braudel, *Wheels of Commerce*, pp. 141-168 y 390-424.

12. Brion, *Masque of Italy*, p. 83; y Hibbert, *Biography*, pp. 36-48.

13. Hibbert, *Biography*, pp. 36-40.

14. Brion, *Masque of Italy*, p. 83. Véase también Mas Latric, *Commerce et expeditions militaires, collection des documents inédits*, vol. 3, París, 1880.

15. Hutton, *Venice and Venetia*, pp. 30-41. Electa (autores Eugenia Bianchi, Nadia Righi y Maria Cristina Terzaghi) ha publicado una guía magníficamente ilustrada, *Piazza San Marco and Museums*, que he citado ampliamente. En la p. 63 aparece el mapamundi de la Sala de los Mapas del palacio del Dux. Véanse las descripciones en Hibbert, *Biography*, pp. 57-58.

16. Brion, *Masque of Italy*, con una traducción distinta, p. 84; Norwich, *Venice*. Véase también Peter Lauritzen, *Venice*, Nueva York, 1978, p. 87.

17. F. M. Rogers, *The Travels of an Infante, Dom Pedro of Portugal*, Harvard University Press, Cambridge, Mass., 1961, pp. 45-48 y 325.

18. Hall, *Empires of the Monsoon*, pp. 88 y 124.

19. Hutton, *Venice and Venetia*, pp. 261 y 127. (Vittore Pisano). Olschki, p. 101.

20. Olschki, «Asiatic Exoticism», p. 105, n. 69.

21. Origo, «Domestic Enemy».

Notas complementarias al capítulo 7

A) DIBUJOS DE PISANELLO EN VENECIA Y FLORENCIA, 1419-1438

Antonio di Bartolomeo Pisano (posteriormente conocido con el apodo de Pisanello) nació probablemente antes de 1395. Pintó los murales del palacio del Dux antes de 1419 junto con Gentile de Fabriano o con posterioridad a él. En 1432 pintó en la basílica de San Juan de Letrán en Roma, y entre 1432 y 1438 en Florencia. También pintó en Mantua para los Gonzaga, en Ferrara para la familia Este y en Verona para la Iglesia católica. Hizo medallas para Segismundo de Luxemburgo, del Sacro Imperio Romano, y para el emperador bizantino Juan VIII Paleólogo (que asistió al Concilio de Florencia en 1438). Pisanello destacó por la fuerza de sus dibujos tomados de la vida real. Fue uno de los mejores exponentes del dibujo de su época, según algunos expertos casi a la altura de Leonardo da Vinci. Muchos consideran que la calidad de sus dibujos supera a la de sus pinturas.

B) EL GENERAL MONGOL

El Louvre tiene una casilla de comentarios de cada uno de los dibujos de Pisanello. He leído los comentarios de varios expertos que intentan averiguar el lugar y el momento en que el pintor vio al general mongol o si se inspiró en otro dibujo o retrato y lo copió. Las diversas opiniones son cotejadas y refutadas una tras otra por un tal «D» en un dictamen de cinco páginas de extensión titulado «Pisanello: Quatre têtes d'hommes coiffés d'un bonnet, de profile ou de trois quarts», que incluye una biografía de los doce expertos. Supongo que «D» es un experto o experta que trabaja en el Louvre; su opinión figura en nuestra web. Como podrán comprobar, D piensa que el general mongol no formaba parte del séquito del emperador bizantino y del Sacro Imperio Romano, pero es incapaz de ofrecer una solución al enigma de dónde vio Pisanello aquel rostro. D comenta que la otra figura del cuadro tiene la nariz respingona.

C) EL SOMBRERO MANDARÍN DE PISANELLO

En la ampliación de notas de la web de *1434* (cap. 7) figura el retrato de un chino adinerado tocado con un sombrero (*Bulletin of the Metropolitan Museum of Art*, 15 (enero de 1920), citado en JSTOR). Lleva el típico sombrero mandarín negro con alas laterales y frontales (el ala lateral solo puede verse con claridad en el original). Estos sombreros son muy característicos y aparecen en muchas pinturas chinas de la dinastía Ming, que reprodujo el documental de PBS sobre el libro *1421*. Que yo sepa, no los ha utilizado ningún otro pueblo aparte del chino. Así pues, a pesar de la nariz respingona, en mi opinión la figura que está junto al general mongol solo puede ser un mandarín.

D) EL BARCO DEL DRAGÓN DE PISANELLO

Este dragón tiene tres garras. Durante la dinastía Ming, los dragones de cinco garras correspondían al emperador; a la familia imperial y al resto de los cortesanos se les concedían cuatro garras o menos. Por lo tanto, este cuadro concuerda con el adorno de un dragón propiedad de un cortesano imperial.

e) El dibujo de la «Macchina idraulica» de Pisanello (Deganhart 147)

Que yo sepa, este es el primer dibujo europeo de una bomba de émbolo, anterior a los de Taccola y Leonardo. En la década de 1430 no se
conocía en Europa la bomba de émbolo, pero llevaba doscientos años
utilizándose en China. El dibujo de Pisanello muestra también una
noria de cangilones denominada en Italia «tartari».

f) Los dibujos de escopetas de triple cañón de Pisanello
(Deganhart 139)

En Italia no se conocían las escopetas de triple cañón cuando Pisanello
hizo este dibujo, pero se utilizaban ya en China (véase el cap. 19).
Los cañones de escopeta decorados, de Pisanello (140)
Concuerdan con los de Francesco di Giorgio, dibujados veinte años
después.
Retrato de un soldado herido, de Pisanello (133)
Se trata de un mongol.
Retrato del general mongol, de Pisanello
Nótense los ricos ropajes de seda; un arquero no habría ido ataviado así.
Otros dibujos de Pisanello, todavía no analizados por el autor
Búfalos de agua: Louvre, inv. 2409
Noria de cangilones tártara y ruedas de agua: Louvre, 2284 y 2285
Camellos en el desierto frío: Louvre, inv. 2476
Barco con el casco tallado: Louvre, inv. 2282-2288

8. La Florencia de Paolo Toscanelli

1. Tengo la firme sospecha de que Brunelleschi y Toscanelli mantuvieron
un encuentro con el embajador chino y con matemáticos y astrónomos
del reinado de Zhu Di entre 1408 y 1413. Las crónicas chinas consta-
tan que los emisarios de Zhu Di viajaron a Roma y a Florencia en aquel
período, pero no he podido hallar ninguna fuente histórica italiana que
lo ratifique.

    Los archivos pontificios de aquella época eran un completo caos a
causa del cisma. En la Biblioteca Vaticana no se conservan datos de Eugenio IV durante su exilio en Florencia y Ferrara. No he logrado encontrar documentos sobre el papado de Aviñón y no he llegado a bus-

car los correspondientes al Papa español. Supongo que si algún día aparecen estos documentos, estarán entre los del Concilio de Constanza (1415-1418), momento en que se puso fin al triple pontificado y Martín V se convirtió en el único pontífice.

Brunelleschi pudo haber aprendido la trigonometría esférica de los árabes y las grúas de doble dirección y las cámaras de agujero de aguja de los romanos, pero ¿todo eso, además de las barcazas articuladas y los métodos «chinos» de mejorar el mortero, al mismo tiempo?

2. Como es natural, he leído muchos libros sobre el Renacimiento. Algunos están magníficamente escritos. Mis preferidos, que he citado profusamente en el texto, son: Plumb, *The Horizon Book of the Renaissance* (véanse las pp. 14-19, sobre Italia después de la caída de Roma); Hibbert, *Rise and Fall* (véase en las pp. 32-39 el crecimiento económico de los Médicis); Hollingsworth, *Patronage* (véase en las pp. 48-55 el patrocinio de los eruditos renacentistas por parte de Cosimo de Médicis y concretamente de la sacristía de San Lorenzo); Bruckner, *Renaissance Florence* (véase en las pp. 1-6 el desarrollo económico de Florencia, especialmente respecto del río Arno, en las pp. 42-43 el papel de los esclavos en el desarrollo económico, y en las pp. 216-218 los primeros contactos entre los grupos sociales); Carmichael, *Plague and the Poor* (véase en las pp. 122-126 el control de la peste mediante la publicación de edictos), y Jardine, *Worldly Goods* (la propagación de las ideas del Renacimiento). Los dos párrafos siguientes son resúmenes y citas extensas de dichos autores. Sus descripciones son tan extraordinariamente gráficas e ilustrativas que me pareció una pérdida de tiempo para todo el mundo que yo intentara mejorarlas.

3. Plumb, *Horizon Book of the Renaissance*, sobrecubierta.

4. Este párrafo es un resumen del magnífico libro de Plumb, complementado con algunas citas. Me parece que Plumb ha explicado de manera brillante los motivos de las divisiones de Europa tras la caída de Roma. Véase *Horizon Book of the Renaissance*.

5. Bernard Berenson, *Essays in the Study of Sienese Painting*.

6. Leonard Olschki, «Asiatic Exoticism».

7. *Ibid.*, p. 105.

8. Hibbert, *Rise and Fall*; Plumb, *Horizon Book of the Renaissance*; Hollingsworth, *Patronage*; Bruckner, *Renaissance Florence*.

9. Origo, *Merchant of Prato*.

10. Hibbert, *Rise and Fall*; y Hollingsworth, *Patronage*.

11. Timothy J. McGee, «Dinner Music for the Florentine Signoria, 1350-1450», *Speculum*, 74, n.º 1 (enero de 1999), p. 95. Se puede ver en JSTOR.

12. Hibbert, *Rise and Fall*; y Hollingsworth, *Patronage*, pp. 48-55.

13. Hollingsworth, *Patronage*, p. 50.

14. Brown, «Laetentur Caeli».

15. Beck, «Leon Battista Alberti». Las observaciones del cometa realizadas por Toscanelli también en G. Celoria, *Sulle osservazioni de comete fatte da Paulo dal Pozzi Toscanelli* (Milán, 1921).

9. Encuentro de Toscanelli y el embajador chino

1. Markham, *Journals of Christopher Columbus*.
   La gran mayoría de los historiadores consideran que las cartas al canónigo Martins y a Cristóbal Colón son auténticas. En 1905 el historiador francés Henri Vignaud intentó defender que eran falsificaciones, pero, que yo sepa, ningún experto ha apoyado a Vignaud en este punto. Los estudios recientes que se mencionan en el capítulo 12 muestran que la caligrafía de las observaciones del cometa es la misma que la de las cartas de Toscanelli. Es más, todas las afirmaciones que hace Toscanelli en las cartas pueden demostrarse, tal como explico en el capítulo 11. Si las cartas de Toscanelli fueran falsas, también lo serían la Esfera Verde y el mapa de 1507 de Waldseemüller. Habrían tenido que participar en la falsificación una gran cantidad de académicos de toda Europa a lo largo de varios siglos. La parte central de la carta de Toscanelli al canónigo Martins fue hallada por Harrisse en la Biblioteca Colombina de Sevilla. Se trata de una copia de dicha carta realizada por el propio Colón

2. Johnson, *The Papacy*, pp. 18, 100-103, 106, 115-119 y 125.

3. Lorenzetti, *Venice and Its Lagoon*, pp. 623-658 (mapa en la p. 660); Palacios 15, 32, 35, 40, 42, 43, 66 y 84 (números señalados en el mapa).

4. Idem nota 1.

5. Con frecuencia estas palabras se utilizaban indistintamente en la Europa medieval.

6. Véanse las notas del cap. 13 que resumen la colaboración entre Toscanelli, Alberti, Nicolás de Cusa y Regiomontano. En cuanto a Uzielli, véase Zinner, *Regiomontanus*, p. 59.

7. *Ibid.*

8. A. G. Self y F. H. H. Guillemard. Véanse notas 6 a 12 del capítulo 10.

9. He visto la esfera de Schöner de 1520 en el sótano del Museo Nacional Germánico de Nuremberg, por gentileza del director. No está expuesta al público, a diferencia de la esfera de Behaim de 1492, que se conserva también en dicho museo.

10. Los mapamundis de Colón y de Magallanes

1. Vignaud, *Toscanelli and Columbus*, pp. 322 y 323.
2. *Ibid.*
3. «En la época de Eugenio.»
4. Zinner, *Regiomontanus*, refiriéndose a Uzielli, p. 59.
5. Pigafetta, *Magellan's Voyage*, p. 58; y Pigafetta y Miller, *Straits of Magellan*.
6. Pigafetta, y *1421*, pp. 169-177. Contrato de Magallanes / Rey de España de 22 de marzo de 1518, «Magellan's terrifying circumnavigation of the globe—Over the edge of the world» Bergreen, Harper Perennial, Nueva York, 2004, p. 34.
7. Pigafetta, *Magellan's Voyage*, p. 56.
8. *Ibid.*, p. 49; Guillemard, *Ferdinand Magellan*, p. 189; y Bergreen, *Over the Edge*, p. 32: «[Magallanes] pretendía ir al cabo Santa María, que llamamos Río de la Plata, y de ahí seguir la costa hasta llegar al estrecho».
9. Pigafetta y Miller, *Straits of Magellan*; Griffin, *Portsmouth, 1884*, p. 7; y Menzies, *1421*, pp. 169-177.
10. Galvão, *Tratado*; y Antonio Cordeyro, *Historia Insula* (Lisboa, 1717), citado en H. Harrisse, *The Discovery of North America* (1892), p. 51.
11. Pigafetta, *Magellan's Voyage*, pp. 49, 50 y 57; Menzies, *1421*, pp. 169-177; y Guillemard, *Ferdinand Magellan*, p. 189.
12. Guillemard, *Ferdinand Magellan*, p. 191. Agradezco al señor A. G. Self que me hablara del libro de Guillemard.
13. «Hunc in midu terre iam quadri partite conuscitet; sunt tres prime partes continentes quarta est insula cu omni quaque mare circudata cinspiciat» (Martin Waldseemüller, *Cosmographiae introductio*).
14. Orejon *et al.*, *Pleitos Columbinos*, 8 vols., y Schoenrich, *Legacy of Columbus*.
15. Agradezco a Greg Coelho que me indicase la existencia de estos documentos el 20 de marzo de 2003. Acuerdos originales del 17 y el 30 de abril de 1492. El decreto que confirma estos favores se halla en el Ar-

chivo General de Indias (Sevilla). La confirmación aparece en las capitulaciones de Burgos, de 23 y 30 de abril de 1497.

16. Menzies, *1421*, pp. 425-427; y Fernández-Armesto, *Columbus*, p. 75.
17. *The Times Atlas of World Exploration*, p. 41. Disponible en www.
1434.tv.
18. Fernández-Armesto, *Columbus*, p. 76.
19. Marcel Destombes, *Une carle interessant des Études Colombiennes conser-
vé a Modena* (1952), y Davies, «Behaim, Martellus». Véase también Ao
Vietor, «A Pre-Columbian Map of the World c. 1489», *Imago Mundi*,
18, p. 458.
20. Correspondencia entre el doctor Aurelio Aghemo y Marcella Menzies
en el verano de 2006, en www.1434.tv.
21. Zinner, *Regiomontanus*.
22. La esfera de Schöner de 1520 se halla en el Museo Nacional Germánico de Nuremberg, donde puede verse con el permiso especial del
director. No está expuesta al público. La esfera de Behaim de 1492 (en
la que no figura el continente americano) sí que se halla expuesta al
público.
23. J. J. O'Connor y E. F. Robertson, «Johann Muller Regiomontanus»,
web, google «Johann Muller Regiomontanus».
24. En 1656 el emperador Fernando II de Austria adquirió la Biblioteca
de George Fugger, que contenía la de Schöner. El emperador donó la
colección a la Hofbibliothek de Viena, donde permanece. La colección contiene una carta celeste visible únicamente en el hemisferio
sur, publicada antes del viaje de Magallanes alrededor del mundo.
25. Zinner, *Regiomontanus*, pp. 109-139, 211-237 y 242-244.
Obras perdidas en la lista comercial pp. 115-117.
Zinner (Regiomontanus), folio 2, Leipzig, 1938, pp. 89-103.
26. Guillemard, *Ferdinand Magellan*.
27. Pinzón fue el verdadero organizador de la expedición de Colón de
1492. Véase Bedini, *Columbus Encyclopedia*, vol. 2. S. V. «Arias Pérez
Pinzón», The History Co-operative. El hijo mayor de Pinzón, que vivía en Sevilla, testificó que en 1492 un amigo de su padre, que trabajaba en la Biblioteca Vaticana, le había entregado la copia de un documento que mostraba que se podía llegar a Japón atravesando el
Atlántico rumbo oeste. Impresionado, Pinzón enseñó a Colón el documento del Vaticano y convenció a Colón de que visitara una vez
más a los Reyes Católicos. Aquella vez consiguió su respaldo.

11. Los mapamundis de Johannes Schöner, Martín Waldseemüller y el almirante Zheng He

1. En este mapa aparece América tal como Waldseemüller la dibujó en una superficie plana partiendo de una esfera.
2. A estas alturas, yo no tenía pruebas fehacientes de que Waldseemüller hubiese hecho el mapa copiando la esfera, pero mis experimentos me demostraban que tenía que haber sido así.
3. La exposición conmemoraba el 500 aniversario de la publicación del mapa de Waldseemüller de 1507. Véase en la web de 1434 (www. 1434.tv) una reproducción del mapamundi de Waldseemüller y la explicación del doctor Ronsin, en francés, de cómo lo hizo.

12. La nueva astronomía de Toscanelli

1. *The Catholic Encyclopedia*, S. V. «China: Foreign Relations», www.newadvent.org/cathen/03663b.htm. Véase también la web de *1434*, www.1434. tv.
2. Tai Peng Wang, «Zheng He's Delegation».
3. *Ibid.*
4. *Ibid.* Véase también Zheng Xing Lang, *Zhongxi Jiaotong Chiliao Huibian* («Colección de fuentes de la historia entre China y Occidente»), vol. 1, cap. 6, pp. 331 y ss.
5. El cuadro de Pinturicchio puede verse en la web de *1434*, www.1434.tv., en «Age of the Renaissance». Apartamentos de los Borgia en los Palacios Pontificios del Vaticano.
6. Tai Peng Wang (V) «Zheng He's Delegation».
7. Tai Peng Wang, «Zheng He, Wang Dayvan». Tai presenta pruebas de que los navegantes de la dinastía Yuan tenían suficientes conocimientos de astronavegación como para atravesar los océanos. Véase Gong Zhen, *Xiyang Banguo Zhi* («Notas sobre los países bárbaros de los mares occidentales»), Beijing, Librería Zhounghua. Véase también Xi Fei Long, Yank Xi y Tang Xiren, eds., *Zhongguo Jishu Shi, Jiaotong Cluan* («Historia de la ciencia y la tecnología chinas»), vol. sobre transportes (Science Publisher, Beijing, 2004), pp. 395-396; y W. Scott Morton y Charlton M. Lewis, *China: Its History and Culture*, McGraw-Hill, Nueva York, 2005, p. 128.

8. Jane Jervis, «Toscanelli's Cometary Observations: Some New Evidence», *Annali Del Instituto e Museo Di Storia Della Scienza Di Firenze*, II (1997).
9. Right Ascension—its significance, a Chinese method not Arabic nor Babylonian method of celestial coordinates.
10. Gadol, *Leon Battista Alberti*, p. 196. Véase también Zinner, *Regiomontanus*, p. 58.

13. Los matemáticos florentinos: Toscanelli, Alberti, Nicolás de Cusa y Regiomontano

1. Zinner, *Regiomontanus*, pp. 29, 41, 52-59 y 64-65.
2. *Ibid.*, pp. 44, 48, 71, 73-78, 83, 104 y 214-515; The S. V. «Suggest».
3. Compárese con Regiomontano, «De Triangulis», en Zinner, *Regiomontanus*, pp. 55-60.
4. Zinner, *Regiomontanus*, pp. 44, 48, 71-73, 78, 83, 104 y 214-515.
5. *Ibid.*, p. 125; y *The Catholic Encyclopedia*, S. V. «Nicholas of Cusa».
6. Ernst Zinner. He intercalado numerosas citas de su magnífica obra *Regiomontanus*. Siempre que la opinión de Zinner difiere de la de otros expertos, opto por la de Zinner. Mi único desacuerdo con él radica en los precedentes en los que se basó Regiomontano para elaborar sus tablas de efemérides. Zinner no conocía los trabajos de Guo Shoujing; creo que, si hubiera sabido de su existencia, habría llegado a la conclusión ineludible de que Regiomontano había seguido los pasos de Guo Shoujing.

   Las principales obras de Regiomontano que se mencionan en el capítulo 13 aparecen en la obra de Zinner en las páginas siguientes: almanaques: pp. 8-12, 21-37, 40, 85, 104-109, 112-125, 141-149 y 153; calendarios: pp. 42, 50 y 112-142 (véanse también los e-mails entre la Biblioteca Bodleian de la Universidad de Oxford y el autor, en www.1434.tv); la brújula: pp. 16-20; De Triangulis: pp. 51-65; tablas de efemérides: pp. 108-128 (véase también los e-mails entre la Biblioteca Bodleian de la Universidad de Oxford y el autor, en www. 1434.tv); el Epítome de Ptolomeo: pp. 2, 29, 41-52 y 59; instrumentos: pp. 135-136 y 180-184; mapas: pp. 113-116 y 148; la oblicuidad de la eclíptica: pp. 23, 25, 38, 48 y 53-69. Véase también *Johannes Regiomontanus Calendar Printed in Venice of Aug. 1482*, en la web de *1434*, Universidad de Glasgow, 1999.
7. Zinner, *Regiomontanus*, pp. 1-30, 32, 36-56 y 76-78.
8. *Ibid.*, pp. 24, 36, 58-60 y 72-77.

9. *Ibid.*, pp. 117-125.

10. *Ibid.*, pp. 121-125.

11. *Ibid.*, pp. 98, 115, 133, 137, 158, 212, 244 y 246.

12. *Ibid.*, pp. 95 y 301. Véanse también pp. 131-134 y 135 (reloj); p. 136 (esfera armilar), pp. 137-138, espejos, brújula; y p. 115, torquetum.

13. *Ibid.*, pp. 112, 113 y 301. Véase también Ernst Zinner, «The Maps of Regiomontanus», *Imago Mundi*, 4 (1947), pp. 31-32.

14. Zinner, *Regiomontanus*, p. 40.

15. *Ibid.*, p. 42.

16. *Ibid.*, p. 183.

17. *Ibid.*, p. 64.

18. *Ibid.*, pp. 365 y 370; y Ulrich Libbrecht, *Chinese Mathematics*, 1973, p. 247.

19. Veáse en Libbrecht la discusión sobre la aportación de Curtze en la p. 247. Véase en Needham S19, p. 40, sobre el *Shu-shu Chiu-chang* y la evolución de las matemáticas chinas desde la dinastía Song hasta el final de la dinastía Yuan.

20. Ch' in Chiu-Shao Libbrecht, *Chinese Mathematics*, pp. 247-248.

21. Needham, *Science and Civilisation*, vol. 19, pp. 10, 40, 42, 120, 141, 472 y 577.

22. *Ibid.*, vol. 30. Foto publicada con la autorización de la Biblioteca Pepys, Magdalene College, Universidad de Cambridge.

23. Zinner, *Regiomontanus*, p. 117. Veáse Copérnico en la p. 119. Otras versiones de las tablas de Regiomontano pueden verse en las copias que se conservan en la Royal Astronomical Society (Londres) y en la Universidad John Rylands (Manchester). Foto publicada con la autorización de la Biblioteca Británica.

24. Davies, «Behain, Martellus».

25. Menzies, *1421*, pp. 430-431.

26. Zinner, *Regiomontanus*, pp. 119-123.

27. Bedini, *Columbus Encyclopedia*, p. 436; e *ibid.*, p. 120.

28. Zinner, *Regiomontanus*, p. 123.

29. *Ibid.*, pp. 119-125.

30. *Ibid.*, p. 123.

31. Lambert, «Abstract».

32. G. W. Littlehales, «The Decline of Lunar Distances», *American Geography Society Bulletin*, 4, n.º 2 (1909), p. 84. Se puede ver en JSTOR.

33. Lambert, «Abstract».

34. Phillips y Encarta.

35. Zinner, *Regiomontanus*, p. 181.

36. Needham, *Science and Civilisation*, vol. 19, pp. 49-50, 109, 110 y 370-378. Véase también *Yongle Dadian*, Cambridge University Press, Cambridge, cap. 16, pp. 343 y 344.

14. Leon Battista Alberti y Leonardo da Vinci

1. Gadol, *Leon Battista Alberti*, Introducción.
2. *Ibid.*, pp. 67 y 196.
3. Véase «Obras escogidas de Leon Battista Alberti» en la bibliografía.
4. Zinner, *Regiomontanus*, pp. 24, 36, 58-60, 67-68, 72-77, 130-134 y 265; y Gadol, *Leon Battista Alberti*, p. 196.
   Carta de febrero de 1464 en «Vita di LB Alberti», p. 373.
5. Los paralelismos con Santinello se abordan con más detalle en la web de *1434*, caps. 13, 18 y 21.
6. Gadol, *Leon Battista Alberti*, p. 155.

15. Leonardo da Vinci y los inventos chinos

1. Temple, *Genius of China*, p. 192. Versión castellana de Flora Casas: *El genio de China, cuna de grandes descubridores*, Debate, 1987.
2. Peers, *Warlords of China*, p. 149.
3. Deng, *Ancient Chinese Inventions*, p 104.
4. *Ibid.*, pp. 113-114.
5. *Ibid.*, p. 112.
6. Véase en el cap. 16 cómo Leonardo copió a Taccola, quien en 1438 dibujó un rotor de hélice chino.
7. Temple, *Genius*, p. 175.
8. *Ibid.*, p. 177.
9. *Ibid.*, p. 243.
10. Taddei, *Leonardo's Machines*, p. 118.
11. Temple, *Genius*, p. 59.

16. Leonardo, Di Giorgio, Taccola y Alberti

1. White, «Parachute», pp. 462-467.
2. Reti, «Francesco di Giorgio Martini's Treatise», p. 287.

3. Di Giorgio, *Trattato*. Ejemplares de la Biblioteca Nazionale de Florencia y en la Biblioteca Communale de Siena.
4. Reti, «Helicopters and Whirligigs»; Leonardo, «Parachute»; Jackson, «Dragonflies»; y Gablehouse, «Helicopters and Autogiros».
5. Véase la guía turística Guidebooks sobre Siena.
6. Prager y Scaglia, *Mariano Taccola*.
7. Véase también Modern Guide Book «Siena», Romas, Siena, p. 154.
8. Segismundo tuvo que hacer frente a levantamientos en Bohemia tras la condena a muerte de Jan Huss en 1419 (a consecuencia del Concilio de Constanza).
9. Prager y Scaglia, *Mariano Taccola*.
10. *Ibid.*; y Galluzzi, *Art of Invention*, p. 118.
11. Prager y Scaglia, *Mariano Taccola*; Galluzzi, *Art of Invention*, p. 35.
12. Galluzzi, *Art of Invention*, pp. 36-37.
13. Prager y Scaglia, *Mariano Taccola*; e *ibid.*, pp. 37-38.
14. Prager y Scaglia, *Mariano Taccola*, p. 93; y Galluzzi, *Art of Invention*, p. 87.

    Di Giorgio hace adaptaciones de la obra de Taccola. Ejemplos:

    i) La fuente de Di Giorgio (Ms Ash 4IR) y la fuente sorpresa de Taccola (Ms PAL 767, p. 21)

    ii) Las grúas de Taccola para los molinos (III, 36R) y los molinos de Di Giorgio (*Trattato* I Ms Ash 361 for 37v)

    iii) Los submarinistas con respiración artificial de Taccola y de Di Giorgio (Cod Lat Mon 288800 fol 78R y MS PAL 767 BNCF, p. 9)

    iv) Jinetes flotantes a caballo (Taccola, II 90V) Di Giorgio MS II. I. 141 (BNCF) fol 196v

    v) Barcos de ruedas de palas: Taccola Ms Lat 7239 fol 87r: Di Giorgio Ms 197 b21 (BML) fol 45 v

    vi) Aparejos para medir distancias: Taccola Ms Pal 766 fol 52R: Di Giorgio Ms Ash 361 fol 29R

    vii) Dibujos de fundíbulos: Ms 197.b.21 (BML) fol 3V (Di Giorgio) y cod lat Mon 197 II fol 59V (Taccola)

    viii) Extracción de minerales que provoca el hundimiento de ciudades: Di Giorgio Ms Ash 361 fol 50R; Taccola Codex lat Mon 28800 fol. 48V

    ix) Grúa transportable: Di Giorgio Ms 197 b.21 fol 11V; Taccola Ms PAL 766 for ZOR

    x) Ruedas impulsadas por pesos: Código de Taccola lat Mon 197 II fol 57 R: Di Giorgio Ms 197 b21 Fol 71 V

xi) Molinos de agua que transforman la energía vertical en horizontal: Taccola Ms Pal 766 Fol 39R: Di Giorgio Ms Sal 148 for 34V

xii) Noria tirada por bueyes: Taccola Ms Lat 7239, p. 32 Di Giorgio MS II.1.141 fol 97V

15. K. T. Wu y Wu Kuang-Ch'ing, «Ming Printing and Printers», *Harvard Journal of Asiatic Studies*, 7, n.° 3 (febrero de 1943), pp. 203-260.
16. Véase Needham, *Science and Civilisation*, vols. 19 y 27.
17. *Taccola MS Lat BNP fol 50R.*
18. *Francesco di Giorgio MS II 1.141 fol 97v.*
19. Needham, *Science and Civilisation*, vol. 27, figs. 602-627, tabla 56.
20. *Nung Shu*, cap. 19, pp. 5bb-6a y NS 183.
21. *MS Lat Urbinas 1757 Fol 118R.*
22. Carros con mecanismo de dirección—Codicetto
23. Grúas reversibles—de Ingeneis III 36R Taccola, De Ingeneis, book 2, 96v.
24. *Ms Ash 361 F 37V.*
25. *Ms Getty GEM fol R.*
26. Galluzzi, *Art of Invention*, pp. 42-43.
27. *Ibid.*, p. 44.
28. *361 Fol 46v.*
29. Galluzzi, *Art of Invention*, p. 11.
30. *Ibid.*, p. 11.
31. Jackson, «Dragonflies», pp. 1-4; Gablehouse, «Helicopters and Autogiros», pp. 1-3; y White, «Helicopters and Whirlgigs».

17. Seda y arroz

1. *Nung Shu*; y Needham, *Science and Civilization*, vol. 27, p. 104.
2. Marcial, citado en Thorley, pp. 71-80.
3. Thorley, «Silk Trade Between China and the Roman Empire at Its Height Circa. A.D. 90-130», *Greece and Rome*, 2nd Series, vol. 18, n.° 1 (1971) pp. 71-80. Véase la bibliografía.
4. Temple, *Genius*, p. 120, il. 88. Versión castellana de Flora Casas: *El genio de China, cuna de grandes descubridores*, Debate, 1987.
5. Molà, «Silk Industry», pp. 261 y 218, 220.
6. Hobson, *Eastern Origins*, pp. 128 y 342; y Kuhn, «Science V».
7. Molà, «Silk Industry», p. 261.
8. «Braudel, Wheels of Commerce», Fontana, 1985, pp. 405-408.

9. Needham, *Science and Civilisation*, vol. 28, pp. 225 y 340.
10. Ms Ash 361 (BMLF) fol 6V.
11. Shapiro, «Suction Pump», p. 571.
12. Needham, *Science and Civilisation*, vol. 27, p. 144.
13. Molà, «Silk Industry», pp. 218-246.
14. Hibbert, *House of Medici*, p. 63.
15. *Ibid.*, p. 63.
16. *Ibid.*, Hibbert, p. 89

18. Grandes canales: China y Lombardía

1. Emperor Yang—Sui dynasty. Ancient China», p. 66.
2. Lonely Planet, p. 378.
3. El nombre actual es Xian. «Ancient China», pp. 63-75. *Ancient China-Chinese Civilisation from the origin to the Tang dynasty*, Barnes & Noble, Nueva York, 2006.
4. Citado en Lonely Planet, pp. 378-379.
5. Temple, *Genius*, pp. 196-197. Versión castellana de Flora Casas: *El genio de China, cuna de grandes descubridores*, Debate, 1987.
6. Needham, *Science and Civilization*, vol. 28; e *ibid.*, p. 197.
7. Needham, *Science and Civilization*, cap. 28, pp. 358-376.
8. *Barbarossa Capture of Milan*. Federico I (1123-1190) conquistó Milán en 1161.
9. La esclusa de Taccola, *De ingeneis*, vol. 4; y Parsons, *Engineers*, pp. 367-373.
10. Parsons, *Engineers*, p. 373.
11. *Ibid.*
12. *Ibid.*, p. 376.
13. Parsons, *Engineers*. Descripciones *Trattato dei Pondi*, p. 373; Alberti, pp. 374-375; Bartola, pp. 358-376.
14. *Ibid.*, pp. 372-381; Needham, *Science and Civilisation*, vol. 28, pp. 377-380.
15. Needham, *Science and Civilisation*, vol. 28, pp. 358-376.
16. Parsons, *Engineers*, pp. 374-375.
17. Véase Mantua L. Santoni Mantua 1989, p. 36 y ss.
18. Dixon, *Venice, Vicenza*, p. 112 y ss.
19. *Ibid.*

19. Las armas de fuego y el acero

1. Spencer, «Filarete's Description»; y Wertime, «Asian Influences» y *Age of Steel*.
2. *Ibid.*
3. Spencer, «Filarete's Description».
4. *Ibid.*
5. *Ibid.*
6. Brescia y Bérgamo son ciudades del norte de Italia.
7. Wertime, «Asian Influences», p. 397.
8. Butters, *Triumph of Vulcan*.
9. Needham, *Science and Civilisation*, vol. 30, pt. II.
10. *Genius of China*, pp. 224-228. Versión castellana de Flora Casas: *El genio de China, cuna de grandes descubridores*, Debate, 1987.
11. L. Carrington, Goodrich y Fêng Chia-Shêng, «The Early Development of Firearms in China», *Isis*, 36, n.º 2 (enero de 1946): pp. 114-123. Se puede consultar en JSTOR.
12. Temple, *Genius*, p. 230.
13. *Ibid.*, p. 234.
14. Citado en Needham, *Science and Civilisation*, vol. 30, pt. II.
15. Temple, *Genius*, p. 237.
16. Goodrich y Feng, «Early Development».
17. Eichstadt, *Bellifortis*; Thorndike, «Unidentified Work», p. 42.
18. Thorndike, «Unidentified Work», p. 42.
19. *Ibid.*, p. 37.
20. *Ibid.*, p. 38.
21. Needham, *Science and Civilisation*, vol. 30, pt. II, p. 51.
22. A. Stuart Weller «Francesco di Giorgio Martini 1439-1501» University of Chicago Press, Chicago Ill 1943 at p. 74.
23. *Ibid.*
24. Consulte el epígrafe «cannon» de la web de *1434*.
25. *Chien Tzu Lei Phao*.
26. *Huo Lung Chung*, pt. 1, cap. 2, pp. 2, 2a y 10a.
27. *Ibid.*, p. 16a.
28. MS 5, IV. 5 (BCS) c. 5R.

20. La imprenta

1. Ottley y Humphreys, *History*.
2. Needham, *Science and Civilisation*, vol. 32, pp. 100-175; y Deng, *Ancient Chinese Inventions*, pp. 21-23.
3. Needham, *Science and Civilisation*, vol. 32, pp. 100-175, esp. p. 172. En cuanto a la *Yongle Dadian*, véase la p. 174, n. c. Véase también Wu, «Development».
4. Hessel, *Haarlem*, y Humphreys, *History*, p. 55.
5. «The Case of Rival Claimants», p. 170.
6. Bibs. 7, 8 y 9.
7. Blaise Agüeras y Arcas y Paul Needham en Google. APHA/Grolier Club lecture by Paul Needham and Blaise CONFERENCIA: Agueras y Arcas—(organisation of Book Collectors) January 2001. New York. TRABAJO: Agüera y Arcas, Blaise; Paul Needham (November 2002). «Computational analytical bibliography». Proceedings Bibliopolis Conference The future history of the book, The Hague (Netherlands): Koninklijke Bibliotheek.
8. Ottley, *Inquiry*, p. 47; y Termanza, «Lettere», vol. 5, p. 321.
9. «Early Venetian Printing», exposición, Kings College, Londres, diciembre de 2006.
10. Carmichael, *Plague and the Poor*, pp. 124-126.

21. La aportación de China al Renacimiento

1. Zinner, *Regiomontanus*, pp. 112-113.
2. Liu Manchums, pruebas presentadas en la Conferencia de Nanjing, diciembre de 2002.
3. *Ibid.*
4. Villiers and Earle, *Albuquerque*, pp. 29-65; y en Antonio de Bilhao Pato, *Cartas de Afonse de Albuquerque Seguides de dowmentos que as elucidam*, vol. 1, carta 9 (abril de 1512), pp. 29-65. Traducción e investigación de E. Manuel Stock.
5. *O Brasil invar Portulano do sec xv* (Brasil en un mapa del siglo xv).
6. Thorndike, «Unidentified Work», p. 42.
7. Cortesão, «Pre-Columbian Discovery», p. 39.
8. Thompson, *Friar's Map*, pp. 171-174.
9. John, Fiske. *The Discovery of America-With Some Account of Ancient*

America and the Spanish Conquest, 2 vols., Houghton Mifflin, Boston: 1892. Reimpresión 1920.

10. Thompson, *Friar's Map*, «Venice Goes West», p. 171. Sinovic, 1991, p. 155.
11. Colección de archivos de Colón de la duquesa de Medina-Sidonia en su biblioteca de Sanlúcar de Barrameda.
12. Ruggero, Marino, *Cristoforo Colombo: L'ultimo dei Templari*, Sperling, Kupfer Editori, Milán: 2005.
13. Royal Geographical Society Journal Davies, «Behaim, Martellus and Columbus», 143, pt. 3: 451-59.
14. *New Encyclopedia Britannica*, «The Copernican Revolution». S. V. «Copernicus, Nicolaus», y también Zinner, *Regiomontanus*, p. 183.
15. *Ibid.*, Zinner, p. 183.
16. *Ibid.*
17. Esto se está corrigiendo en la última edición.
18. Ernst Zinner, *Regiomontanus*, pp. 184-185.
19. Swerdlow, «Derivation».
20. «Derivation».
21. *Ibid.*
22. Véase el método de interpolación de tercer grado de Gou Shoujing en Aslaksen y Ng Say Tiong, «Calendars, Interpolation».
23. Siderius. Véase *New Encyclopedia Brittanica*.
24. *New Encyclopedia Brittanica*, 15ª ed., S. V. 1994 «Galilei, Galileo».
25. Mui, Dong y Zhou, «Ancient Chinese».
26. Gadol, *Leon Battista Alberti*.
27. Sorenson y Raish, *Pre-Columbian Contact*; y Johannesen y Sorenson, *Biology*.
28. Thompson, *Friar's Map*; y cartas al autor 2003-2007.

22. Tragedia en alta mar: la flota de Zheng He es destruida por un tsunami

Este capítulo se basa fundamentalmente en el trabajo del profesor Ted Bryant y del doctor Dallas Abbott y colaboradores; véase el epígrafe de Agradecimientos.

1. Leyenda del oso que salió del interior de un barco naufragado en Clatsop Beach. Pertenece al folclore chinook y nos la contó Catherine Herrold Troeh.

2. La leyenda es confirmada por otra historia de la tradición de los indios crow, que nos relató Frank Fitch.

3. En nuestra web de *1434* aparece el mapa de Zatta y los dibujos de personas chinas realizados durante las expediciones rusas llevadas a cabo antes de Vancouver y de Cook.

4. Hallará una explicación más detallada de estas cifras en el cap. 2.

5. Correspondencia mantenida en 2002.

6. En la web de *1434* aparece la parte relevante de dichos informes.

7. Grant, Keddie, «Contributions to Human History», publicado por Royal British Columbia Museum, n.º 3, 19 de marzo de 1990.

8. En nuestra web de *1434* hallará más información sobre los alfareros de Washington.

9. Profesora Marianna Fernández-Cobo y colaboradores (véase Bibliografía).

10. Profesor Gabriel Novick y colaboradores (véase Bibliografía).

11. En nuestra web de *1434* puede verse la carta de Diego Ribero de 1529. Contiene datos cartográficos precisos de lugares desde América del Sur a Indonesia que no habían sido «descubiertos» por los europeos en 1529 y por lo tanto eran desconocidos para ellos.

12. Maria, Rostowerski, *History of the Inca Realm*, Cambridge University Press, 1999.

13. Macedo Justo Cáceres, «Pre-Hispanic Cultures of Peru», Museo Nacional de Perú, Lima, Perú, 1985. Monedas de cobre—tenían la forma de pequeños ejes. Véase la sección de monedas en la web de *1434*.

23. La herencia de los conquistadores: La Virgen de la Victoria

Este capítulo se basa fundamentalmente en una serie de conferencias sobre la España medieval pronunciadas por el doctor Christopher Pollard en Dillington House cerca de Taunton (Somerset) a las que el autor tuvo el privilegio de asistir en 1999. Véase el epígrafe de Agradecimientos.

BIBLIOGRAFÍA

Capítulos 1-5

Dreyer, Edward L., *Zheng He: China and the Oceans in the Early Ming Dynasty, 1405-1433*, Pearson Longman, Londres, 2006.

Mote, Frederick, y Denis C. Twitchett, eds., *The Cambridge History of China*. Vol. 7, *The Ming Dynasty, 1368-1644*, Cambridge University Press, Nueva York, 1988.

Tsai, Shih-Shan Henry, *Perpetual Happiness: The Ming Emperor Yongle*, University of Washington Press, Seattle, 2001.

Twitchett, Denis C., ed., *The Cambridge History of China*. Vol. 3, *Sui and T'ang China, 589-906 AD*, Cambridge University Press, Cambridge, 1979.

Dreyer, Edward L., *Early Ming History: A Political History, 1355-1435*, Stanford University Press, Stanford, Calif., 1982.

—, *Zheng He: China and the Oceans in the Early Ming Dynasty, 1405-1433*, Pearson Longman, Londres, 2006.

J. J. L. Duyvendak, «The True Dates of the Chinese Maritime Expeditions in the Early Fifteenth Century», *T'oung Pou* (Leiden), n.° 34 (1938).

Needham, Joseph, *Science and Civilisation in China*. 7 vols., 30 secciones, Cambridge University Press, Cambridge, 1956-.

Reid, Anthony, *Southeast Asia in the Age of Commerce, 1450-1680*. Vol. 2, *Expansion and Crisis*. Yale University Press, New Haven, Conn., 1993.

Tai Peng Wang. Los trabajos de investigación pueden consultarse en www.gavinmenzies.net.

—, «Foreigners in Zheng He's Fleets», abril de 2006.

—, «A Tale of Globalisation in Ancient Asia», diciembre de 2006.

—, «The Real Discoverer of the World», ed. Lin Gang—Zheng He», da explicaciones sobre el mapa de Zheng He de 1418.

—, «The Most Startling Discovery from Zheng He's Trea sure Shipyards by Prof. Pan Biao and My Response».

—, «What Was the Route Taken by the Chinese Delegation to Florence in 1433».

—, «Zheng He and His Envoys' Visits to Cairo in 1414 and 1433».

Temple, Robert, *The Genius of China: 3,000 Years of Science, Discovery & Invention*, Prion, Londres, 1998.

Paul Lunde, *The Navigator Ahmed Ibn Majid*, Saudi Aramco, Riad, Saudi Arabia, 2004.

«A history of the Oversees Chinese in Africa», *African Studies Review*, vol. 44, n.º 1, abril de 2001.

Gang Den, «Yuan marine merchants and overseas voyages», en *Minzu Shi Yanju*, Beijing, 2005.

Hall, Richard, *Empires of the Monsoon: A History of the Indian Ocean and Its Invaders*, HarperCollins, Nueva York, 1996.

Ibn Battuta, *The Travels of Ibn Battuta, AD 1325-1354*, vol. 4. Hakluyt Society, Londres, 1994.

Poole, Stanley Lane, *A History of Egypt in the Middle Ages*, Frank Cass, Londres, 1894. *Yingzong Shi-lu*.

Los trabajos de investigación de Tai Peng Wang pueden consultarse en www.gavinmenzies.net.

—, «A Tale of Globalisation in Ancient Asia».

En este trabajo Tai Peng Wang defiende que durante la dinastía Tang existió un comercio mundial que abarcaba desde el Mediterráneo a Australia, en virtud del cual se exportaron enormes cantidades de cerámica cocida en los hornos chinos y transportada por los *dhows* árabes y los juncos chinos. A partir de la dinastía Tang, Quanzhou se convirtió en el principal puerto, el centro neurálgico de aquella red comercial (el trabajo completo está disponible en la web de *1434*).

Liu Yu Kun, «Quanzhou Zai Nanhai Jiaotongshi Shang de diwei» («Significado de Quanzhou en la historia del comercio Nanhai»). En *Xuesha Quanzhou* («Estudios de Quanzhou»), de Cai Yao Ping, Zhang Ming y Wu Yuan Peng, Central Historical Text Publisher, 2003, pp. 144-145.

Wang Gungwu, *The Nanhai Trade: Early Chinese Trade in the South China Sea*, Eastern Universities Press, 2003.

Edward Schaefer, *The Golden Peaches of Samarkand: A study of Tang Exotics*, University of California Press, Berkeley y Los Ángeles: 1991.

Investigación de Tai Peng Wang a partir de sus trabajos «¿Cuál fue la ruta de la delegación china para llegar a Florencia en 1433 y cuál podría ser?» y «Zheng He y las visitas de sus enviados a El Cairo en 1414 y 1433».

BIBLIOGRAFÍA

Puntos principales de la investigación de Tai Peng Wang
en relación con los capítulos 2, 3 y 5:

1. El 18 de noviembre de 1432, Hong Bao recibió órdenes de Zheng He de conducir sus flotas a Calicut.
2. Al llegar, Hong Bao tuvo noticia de que Calicut iba a enviar su flota a La Meca. Inmediatamente envió siete funcionarios intérpretes para que se incorporaran a la flota de Calicut. Las flotas de Zheng He llegaron a Ormuz el 16 de enero de 1433, y zarparon rumbo a China el 9 de abril de 1433.
3. Zheng He había recibido órdenes de anunciar el edicto imperial del emperador Xuan De en Maijia (La Meca), Qianlida (Bagdad), Wusili (Egipto), Mulanpi (Marruecos) y Lumi (Florencia).
4. Egipto y Marruecos ya habían recibido el edicto imperial, pero no habían correspondido la visita de los dignatarios de la China Ming. Véase el relato de primera mano de Yan Congjian de la visita al reino de «Fulin», es decir, a la corte pontificia.
5. El comercio chino se llevaba a cabo dentro del sistema comercial creado durante la dinastía Yuan hacía más de un siglo.
6. Tianfang es el imperio de los mamelucos: Egipto, Siria, Yemen, Arabia, Libia y Chipre.
7. Los chinos utilizaban prácticas árabes en la zona del Golfo; Irena Knehtl, «The Fleet of the Dragon in Yemeni Waters», *The Yemen Times*, 874, vol. 13 (5-7 de septiembre de 2005).
8. El incienso era el producto más valioso que adquirían los chinos; *ibid.*
9. *Zheng He visits Aihdab. Yuanshi Luncong.* «The Relation Between Sudan and China Between the Tang and the End of the Yuan», en *Essays on Yuan History*, vol. 7, pp. 200-206.
10. Los Karimi en Quanzhou: *Zhu Fan Zhi Zhu Pu*, en Zhao Ruqua, *Profiles of Foreign Barbarian Countries* (Hong Kong University Center of Asian Studies, Hong Kong, 2000), p. 175.
11. Comportamiento de los mercaderes Karimi: *Qihai Yangtan (Setting sail in the seven seas)* Zhounghua, HK, Hong Kong, 1990, p. 123, y *Bai Shou Yi Minzhu Zhong Jiao Lunji* («Ensayos de Bai Shou Yi sobre las minorías y sus religiones»), Beijing Teacher Training University, Beijing, 1992, pp. 365, 376.
12. Calendario árabe de los monzones: elaborado por primera vez en 1271 por los gobernantes Rasulid de Yemen. Véase Paul Lunde, «The Navigator Ahmad Ibn Majid».

383

13. Egipto, destino de las visitas de Zheng He: Anatole Andro (Chao C. Chien), *The 1421 Heresy: An Investigation into the Ming Chinese Maritime Survey of the World*, Pasadena, Calif., 2005, p. 32. R. Stephen Humphreys, «Egypt in the World System of the Late Middle Ages», *Cambridge History of Egypt*; vol. 1, *Islamic Egypt 640-1517*, Cambridge University Press, Cambridge, 1998.

14. Egipto no correspondió la visita de los chinos: Mosili equivale a Fustat, Misr a El Cairo y Jientou a Alejandría. Li Anshan, *Feizhou Huqqiaohuaren Shi: A History of Overseas Chinese in Africa*, Beijing: in «African studies review», vol. 44, April 2001, 2000).

15. Misr equivale a El Cairo: Janet L. Abu-Lughod, *Cairo: 1001 Years of the City Victorius*, Princeton University Press, Princeton, N.J., 1970, pp. 1-30.

16. El Cairo en la dinastía Yuan: Shang Yan Bing, *Yuan Marine Merchants and Overseas Voyages in Ninzu Shi Yanju*, Minju Shi Yanj, Beijing, 2002, p. 190.

17. Intercambio de visitas entre China y Egipto: Teobaldi Filesi, *China and Africa in the Middle Age*, trad. de D. Morison, Fran Cass, Londres, 1972, p. 89, y «Merchants As Diplomatic Relations», web Eternal Egypt.

18. La dinastía Yuan adopta la astronomía árabe: Yan Congjian, *Shuyu Zhouzi Lu*.

19. Interpretación entre los egipcios, los persas y los chinos: Profesor Liu Ying Sheng, *A Compendium of Yuan History*, vol. 10, China Radio and TV Publishing House, Beijing, 2005, p. 30.

—, «What was the Route Taken by the Chinese Delegation to Florence in 1433».

—, «Zheng He and His Envoys' Visit to Cairo in 1414 and 1433».

—, «Zheng He's Delegation to Papal Court of Florence».

Capítulo 6

Aldridge, James, *Cairo: Biography of a City*, Macmillan, Londres, 1969.

Braudel, Fernand, *A History of Civilisations*, trad. de Richard Mayne, Penguin Books, Londres, 1993.

Payne, Robert, *The Canal Builders*, Macmillan, Nueva York, 1959.

Poole, Stanley Lane, *A History of Egypt in the Middle Ages*, Frank Cass, Londres, 1894.

Origo, Iris, *The Merchant of Pratoo: Daily Life in a Medieval Italian City*, Penguin Books, Londres, 1992.

Redmount, Carol A., «The Wadi Tumilat and the Canal of the Pharaohs», *Journal of Near Eastern Studies*, n.° 54 (1995).

Al Makrizi, Ahmad Ibn Ali, *Histoire d'Egypt*, trad. de Edgard Blocher, París, 1908.

K. N. Chandhuri. «A Note on Ibn Taghri Birdi-Description of Chinese ships in Aden and Jedda», *Journal of the Royal Asiatic Society* (1989), SJ 447.

Capítulo 7

Durante cincuenta años he estado viajando a Venecia y me he pasado meses recorriendo sus canales y museos. Como es natural, he leído muchos libros en todo este tiempo. Hay cuatro libros que, en mi opinión, ofrecen brillantes descripciones divulgativas de esta maravillosa ciudad bizantina, medio europea medio asiática. Son los siguientes: *Venice: the Greatness and Fall* y *Venice: the Rise to Empire*, ambos de Norwich; *Venice: Biography of a City*, de Hibbert; *Venice and Its Lagoon*, de Lorenzetti, la biblia de Venecia, y por último *Venice: the Masque of Italy*, de Brion. Estos cuatro autores conocen Venecia como la palma de su mano y sería impertinente por mi parte pretender mejorar sus completísimas descripciones. Los he citado profusamente.

Alazard, Jean, *La Venise de la Renaissance*, Hachette, París, 1956.

Braudel, Fernand, *The Mediterranean in the Time of Philip II*, trad. de Sian Reynolds, Fontana, Londres, 1966.

—, *The Wheels of Commerce*, Penguin Books, Londres, 1993. Traducción de Richard Mayne.

Brion, Marcel, *Venice: The Masque of Italy*, trad. de Neil Mann, Elek Books, Londres, 1962.

Hall, Richard, *Empires of the Monsoon: A History of the Indian Ocean and Its Invaders*, HarperCollins, Nueva York, 1996.

Hibbert, Christopher, *Venice: Biography of a City*.

Hutton, Edward, *Venice and Venetia*, W.W. Norton & Co., Nueva York, 1989. Hollis and Carter, Londres, 1954.

Lorenzetti, Giulio, *Venice and Its Lagoon*, Instituto Poligrafico Dello Stato, Roma, 1956.

Morris, Jan, *The Venetian Empire*, Penguin Books, Londres, 1990.

Norwich, John Julius, *Venice: The Greatness and Fall*, Allen Lane, Londres, 1981.

—, *Venice: The Rise to Empire*, Random House, Londres, 1989.

Olschki, Leonardo, «Asiatic Exotism in Italian Art of the Early Renaissance», *Art Bulletin,* 26, n.º 2 (junio de 1994).

Origo, Iris, «The Domestic Enemy: The Eastern Slaves in Tuscany in the Fourteenth and Fifteenth Century», *Speculum: A Journal of Medieval Studies,* 30, n.º 3 (julio de 1955).

Riviere-Sestier, M., «Venice and the Islands», George G. Harrap & Company, Londres, 1956.

Thompson, Guinnar PhD. «The Friars MAP of Ancient America 1360 AD.» WA: Pub Laura Lee Productions, 1996.

Capítulos 8 y 9

Beck, James, «Leon Battista Alberti and the Night Sky at San Lorenzo», *Artibus et Historiae,* 10, n.º 19 (1989) pp. 9-35.

Brown, Patricia Fortini, «Laetentur Caeli: The Council of Florence and the Astronomical Fresco in the Old Sacristy», *Journal of the Warburg and Courtauld Institute,* 44 (1981) pp. 176 y ss.

Bruckner, Gene A., *Renaissance Florence*, University of California Press, Berkeley y Los Ángeles, 1969.

Carmichael, Ann G., *Plague and Poor in Renaissance Florence*, Cambridge University Press, Cambridge, 1986.

Hibbert, Christopher, *The House of Medici: Its Rise and Fall 1420-1440*, Penguin Books, Londres, 1974.

Hollingsworth, Mary, *Patronage in Renaissance Italy*, John Murray, Londres, 1994.

Jardine, Lisa, *Worldly Goods: A New History of the Renaissance*, Macmillan, Londres, 1996.

Olschki, Leonardo, «Asiatic Exoticism in Italian Art of the Early Renaissance», *Art Bulletin,* 26, n.º 2 (junio de 1994).

Origo, Iris, *The Merchant of Prato: Daily Life in a Medieval Italian City*, Penguin Books, Londres, 1963.

Plumb, J. H., *The Horizon Book of the Renaissance*, Collins, Londres, 1961.

Tai Peng Wang, «Zheng He's Delegation to the Papal Court of Florence». Este trabajo de investigación ha constituido el acicate para escribir este libro. Podrá consultarlo en nuestra web, junto con una extensa bibliografía. Los puntos principales son:

1. Pocas personas conocen las cartas de Toscanelli al rey de Portugal y a Cristóbal Colón en las que se informa del encuentro de Toscanelli con el embajador chino. C. R. Markham, trad., *The Journals of Christopher Columbus*, Vignaud Henri Hakluyt Society O. viii). También Vignaud, «Toscanelli and Columbus».

2. En la década de 1430, China se refería a Florencia (sede pontificia de 1434 a 1438) con el nombre de Fulin o Farang. Yu Lizi, «Fulin Ji Aishi Shengdi Diwang Bianzheng» («Ubicación correcta de los países de Fulin y del lugar de nacimiento de Ai Shi durante la dinastía Yuan»), *Haijioshi Yanjiu* («Estudios marítimos históricos») Quanzhou (1990-1992), p. 51.

3. Los intercambios diplomáticos entre el papado y la China Ming habían empezado con Hong Wu en 1371. Véase Zhang Xing Lang, *Zhougxi Jiaotong Shiliao Huibian* («Colección de fuentes históricas de los contactos entre China y Occidente»), vol. 1, p. 315.

4. Existen muchas descripciones chinas del papado en los reinados de Hong Wu y de Zhu Di. Véase Zhang Xing Lang, p. 331, y Yan Congjian, *Shuyu Zhouzi Lu*, en el vol. 2. También *Mingshi Waigua Zhuan* («Perfiles de los países extranjeros en la historia Ming»).

5. El Papa devolvió la visita a China durante el reinado de Zhu Di. *Ming Shi Waigua Zhuan*, vol. 5, p. 47.

6. Lumi era el nombre que se daba a Roma en las primeras crónicas de la dinastía Ming. El nombre tuvo su origen en la dinastía Song, con Zhao Ruqua, quien utilizó la denominación de Lumei en su libro *Zhufan Zhi: Descriptions of Various Barbarians* (University of Hong Kong Press, Hong Kong, 2000), pp. 231-232. Véase también (sobre la ropa) John Rigby Hall, *Renaissance*, Nueva York, 1965, p. 78.

7. El Papa envió numerosas delegaciones a China en los primeros tiempos de la dinastía Ming. Con relación a William of Prato, véase Fang Hao, *Zhongxi Jiatong Shi* («Historia de los contactos entre China y Europa»), vol. 3, Taipei, 1953, pp. 211-217. Después de William of Prato se designó a diez cardenales, uno de ellos en 1426. Zhang Guogang y Wu Liwei, *Mengyuan Shidai Xifang Zai Hua Zong Jiao Xiuhui* («La Iglesia en la China Yuan»), en *Haijiao Shi Yanjiu* («Estudios marítimos históricos») (Quanzhou, 2003), p. 62.

8. Tai Peng Wang, «Zheng He, Wang Dayvan and Zheng Yijun: Some Insights», *Asian Culture* (Singapur, junio de 2004), pp. 54-62.

Véase también W. Scott Morton y Charlton M. Lewis, *China, Its History and Culture* (McGraw-Hill, Nueva York, 2005), p. 128.

En su trabajo, Tai Peng Wang presenta pruebas de que los navegantes de la dinastía Yuan tenían suficientes conocimientos de astronavegación como para aventurarse a atravesar los océanos. Véase Gong Zhen, *Xiyang Banguo Zhi* («Notas sobre los países bárbaros de los mares occidentales»), librería Zhounghua, Beijing, Véase también Xi Fei Long, Yang Xi y Tang Xiren, eds., *Zhongguo Jishu Shi, Jiaotong Ch'uan* («Historia de la ciencia y tecnología chinas»), vol. sobre los transportes (Science Publisher, Beijing, 2004), pp. 395-396.

9. Lo normal habría sido que el embajador chino entregase el calendario Datong Li en la corte papal. El Datong Li contiene información astronómica, al igual que el Shoushi.

10. Joseph Needham ha señalado que el Shoushi y otros calendarios astronómicos chinos eran tratados de astronomía. Joseph Needham, *Zhougguo Gudai Kexue* («Ciencia en la China tradicional») Shanghai Bookshop, Shanghai, 2000, pp. 146-147.

11. Nicolás de Cusa se adelantó a Copérnico en algunos aspectos. Jasper Hopkins, «Nicholas of Cusa», en *Dictionary of the Middle Ages*, ed. de Joseph R. Strayer, Charles Scribner and Sons, Nueva York, 1987, pp. 122-125. Véase también Paul Robert Walker, *The Italian Renaissance*, Facts on File, Nueva York, 1995, p. 96.

12. Véase también Tai Peng Wang, *The Origin of Chinese Kongsi*, Perland UK Publications, Kuala Lumpur, 1994. Henri, Vignaud, *Toscanelli and Columbus*, Sands, Londres, 1902.

LA PRESENCIA DE ESCLAVOS EN FLORENCIA

White, Lynn, J., «Tibet, India and Malaya as Sources of Medieval Technology», *American Historical Review*, 65, n.º 3 (abril de 1960), pp. 515-26. Puede consultarse en el JSTOR.

Origo, Iris, «The Domestic Enemy: The Eastern Slaves in Tuscany in the Fourteenth and Fifteenth Century», *Speculum*, 30 (1955), pp. 321-366.

Vincenzo Lazzari, «Del Traffico e della Condizioni degli Schiavi», en *Venezia Nei Tempi de Mezzo Miscellanea di Storia Italiana*, 2 (1862).

Romano, Denis, «The Regulation of Domestic Service in Renaissance Florence», *Sixteenth Century Journal*, 22, n.º 4 (1991).

Man, R. Livi, «La Sciavitu Domestica» (20 de septiembre de 1920), pp. 139-143. Se puede ver en JSTOR.

Leonard Olschki, «Asiatic Exoticism in Italian Art of the Renaissance», *The Art Bulletin*, vol. 26, n.° 24 (junio de 1944), pp. 95-106.

Tai Peng Wang, «1433 Zheng He's Delegation to the Papal Court of Florence» (2) Observaciones de cometas por parte de Toscanelli— Patricia Fortini Brown (3) «Laetentur Caeli» Patricia Fortini Brown Johnson, Paul. *The Papacy*, Weidenfeld and Nicolson, Londres, 1997.

Lorenzetti, Giulio, *Venice and Its Lagoon*, Roma, Instituto Poligra Fico Dellostato, 1961 (trad. de J. Guthrie).

Markham, C. R., trad. *The Journal of Christopher Columbus*, Hakluyt Society, Londres, 1892.

Vignaud, Henri, *Toscanelli and Columbus*, Sands, Londres, 1902.

Zinner, Ernst, *Regiomontanus: His Life and Work*, trad. de Ezra Brown, Elsevier, Leiden, 1990.

Capítulos 9-12

Bedini, Silvio A., *The Christopher Columbus Encyclopedia*, 2 vols, Simon & Schuster, Nueva York, 1992.

Bergreen, Lawrence, *Over the Edge of the World: Megellan's Terrifying Circumnavigation of the Globe*, HarperPerennial, Nueva York, 2004.

Davies, Arthur, «Behaim. Martellus and Columbus», *Geographical Journal*, 143.

Fernández-Armesto, Felipe, *Columbus*, G. Duckworth, Londres, 1996.

Galvão, Antonio, *Tratado dos diversos e desayados caminhos*, Lisboa, 1563.

Guillemard, F. H. H., *The Life of Ferdinand Magellan*, G. Philip & Son, Londres, 1890.

Menzies, Gavin, *1421: The Year China Discovered America*, William Morrow, Nueva York, 2002. Trad. al español de Francisco J. Ramos Mena: *1421. El año en que China descubrió el mundo*, Debolsillo, 2005.

Orejón, Antonio Muro, *et al.*, eds., *Pleitos Columbinos*, 8 vols., Sevilla, The History Co-operative, 1964-1984.

Pigafetta, Antonio, *Magellan's Voyage*, trad. de R. A. Skelton, Yale University Press, New Haven, Conn., 1969.

—, *Magellan's Voyage. A Narrative Account of the First Voyage*, trad. y ed. por R. A. Skelton, Folio Society, Londres, 1975.

Pigafetta, Antonio, Cdr. A. W. Millar, *The Straits of Magellan*, UK Griffin, Portsmouth, 1884.

Schoenrich, Otto, *The Legacy of Columbus: The Historic Litigation Involving His Discoveries, His Will, His Family and His Descendants*. (Jun) 2 vols., Pub Arthur H. Clark, Glendale, Calif., 1949.

Vignaud, Henry, Toscanelli and Columbus, Sands, Londres, 1902.

Zinner, Ernst, *Regiomontanus: His Life and Work*, trad. de Ezra Brown, Elsevier, Leiden, 1990.

Martin Waldseemüller

El escritor que más sabe, con diferencia, sobre Waldseemüller y sus mapas es el doctor Albert Ronsin, conservador de la Biblioteca del Museo de Saint-Dié-des-Vosges. Sus obras más conocidas en relación con el mapa de Waldseemüller de 1507 son:

—, «Le baptême du quatrième continente, Amérique», *Historia*, 544 (abril de 1992).

—, «La cartographie à Saint-Dié au debut du XVI siècle», en *Patrimonie et culture en Lorraine*, Metz Serpenoise, 1980.

—, «La contribution alsacienne au baptême de l'Amérique», *Bulletin de la Société Industrielle de Mulhouse*, 2 (1985).

—, «Découverte et baptême de l'Amérique», ed. de Georges le Pape, Editions de l'Est, Jarville, 1992.

—, «La Fortune d'un nom: America», en *Le baptême de nouveau monde à Saint-Dié-des-Vosges*, G. Millon, Grenoble, 1991.

—, «L'imprimerie humaniste à Saint-Dié au XVIe siècle», en *Mélanges Kolb*, G. Pressler, Wiesbaden, 1969.

Fischer, Joseph, y R. von Weiser, *The Oldest Map with the Name America of the Year 1507 and the Carta Marina of the Year 1516 by M. Waldseemüller*, H. Stevens, Londres, 1903. Fischer encontró el mapa.

Harris, Elizabeth, «The Waldseemüller World Map: A Typographic Appraisal», *Imago Mundi*, 37 (1985).

Hébert, John R., *The Map That Named America: Martin Waldseemüller 1507 World Map*, Biblioteca del Congreso, Washington, D.C.

Hessler, John, «Warping Waldseemueller: A Phenomenological and Computational study of the 1507 World map», *Cartographia*, 41 (2006), pp. 101-113.

Karrow, Robert W., *Mapmakers of the Sixteenth Century and Their Maps*, Orbis Press, Chicago, 1992.

Lestringant, Frank, *Mapping the Renaissance World*, University of California Press, Berkeley, 1994.

Morison, Samuel Eliot, *Admiral of the Ocean Sea: A Life of Christopher Columbus*, Boston, 1942. (Habla de Colón creyendo que ha tenido contactos con los chinos.)

Rae, John, «On the Naming of America», *American Speech*, 39, n.º 1 (febrero de 1964). Se puede ver en JSTOR. (Este artículo defiende que *América* no es el nombre que le dio Waldseemüller sino los nativos americanos que vivían en Nicaragua. Ellos tenían las «montañas Amerrique» y Colón confundió los nombres.)

Randles, W. G. L., «South-East Africa as Shown on Selected Printed Maps of the Sixteenth Century», *Imago Mundi*, 13 (1956). Se puede ver en JSTOR.

Ravenstein E. G., «Waldseemüller's Globe of 1507», *Geographical Journal*, 20, n.º 4. Se puede ver en JSTOR.

Shirley, Rodney W., *The Mapping of the World: Early Printed World Maps 1472-1700*, Holland Press, Londres, 1983.

Soulsby, Basil H., «The First Map Containing the Name America», *Geographical Journal*, 19 (1902). Se puede ver en JSTOR.

Stevenson, E. L., «Martin Waldseemüller and the Early Lusitano-Germanic Cartography of the New World», *Bulletin of the American Geographical Society*, 36.

Waldseemüller, Martin, *Cosmographiae introductio*.

AMÉRICO VESPUCCI

Levillier, Roberto, «New Light on Vespucci's Third Voyage», *Imago Mundi*, 11 (1954). Se puede ver en JSTOR.

Markham, C., ed., *Vespucci: The Letters and Other Documents Illustrative of His Career*.

Sarnow, E. y Frubenbach, K., «Mundus Novus», Estrasburgo, 1903, subtitulado «Ein Bericht Amerigo Vespucci an Lorenzo de Medici Über Seine Reise Nach Brasilien in den Jahren 1501/1502».

Thacher, J. Boyd, *The Continent of America: Its Discovery; It's Baptism*, William Evarts Benjamin, Nueva York, 1896.

JOHANNES SCHÖNER

Cooke, Charles H., ed., *Johan Schoner*, Henry Stevens, Londres, 1888.

Correr, embajador Francesco, Carta a la Signoria de Venecia, 16 de julio de 1508, en *Raccolta Columbiana*, p. 115. La carta es posterior a la entrevista de Correr con Vespucci; Vespucci no había encontrado el estrecho que llevaba del océano Atlántico al Pacífico.

Nordenskiöld, A. E., «Remarkable Global Map of the Sixteenth Century», *Journal of the American Geography Society*, 16 (1884).

Nunn, George E., «The Lost Globe Gores of Johann Schöner, 1523-1524: A Review», *Geograpical Review*, 17, n.° 3 (julio de 1927). Se puede ver en JSTOR.

Ronsin, Albert, «Découverte et baptême de l'Amérique», ed. de Georges le Pope, Editions Georges Le Pape, Montreal, 1979.

—, Schöner, Johannes, *Luculentissima Quoedā Terra Totius Descriptio*, Nuremberg, 1515. Describe el estrecho de Magallanes.

Pacto de Santa Fe. [Acuerdo entre los Reyes Católicos y Cristóbal Colón.] 17 de abril de 1492. Se conserva en la Dirección General de Archivos y Bibliotecas. *Capitulaciones del Almirante Don Cristóbal Colon y Salvo Conductos Para El Descubrimiento de Nuevo Mundo*, Madrid, 1970.

Gadol, Joan, *Leon Battista Alberti: Universal Man of the Renaissance*, University of Chicago Press, Chicago, 1969.

Wang, Tai Peng, «Zheng He's Delegation to the Papal Court of Florence, 1433», trabajo de investigación. Disponible en la web de *1434*.

—, «Zheng He, Wang Dayuan and Zheng Yijun: Some Insights», *Asian Culture*, Singapur (junio de 2004), pp. 54-62.

Zinner, Ernst, *Regiomontanus: His Life and Work*, trad. de Ezra Brown, Elsevier, Leiden, 1990.

Bedini, Silvio A., ed., *The Christopher Columbus Encyclopedia*, 2 vols., Simon & Schuster, Nueva York, 1992.

Davies, Arthur, «Behain, Martellus and Columbus», RGS. *Geographical Journal*, vol. 143.

Lambert, William, «Abstract of the Calculations to Ascertain the Longitude of the Capitol in the City of Washington from Greenwich Observatory, in England», *Transactions of the American Historical Society*, New series, vol. 1. Se puede ver en JSTOR.

Libbrecht, Ulrich, *Chinese Mathematics in the Thirteenth Century*, MIT Press, Cambridge, Mass., 1973.

Menzies, Gavin, *1421: The Year China Discovered America*, William Morrow, Nueva York, 2002. Trad. al español de Francisco J. Ramos Mena: *1421. El año en que China descubrió el mundo*, Debolsillo, 2005.

Needham, Joseph, *Science and Civilisation in China*, 30 vols., Cambridge University Press, Cambridge, 1950.

Zinner, Ernst, *Regiomontanus: His Life and Work*, trad. de Ezra Brown, Elsevier, Leiden, 1990.

Capítulos 13 y 14

Obras seleccionadas de Leon Battista Alberti:
De pictura, 1435
Della pittura, 1436
De re aedificatoria, 1452
De statua, ca. 1446
Descriptio urbis Romae, 1447
Ludi matematici, ca. 1450
De componendris cifris, 1467

Gadol, Joan, *Leon Battista Alberti: Universal Man of the Early Renaissance*, University of Chicago Press, Chicago, 1969. Hay muchos libros sobre Alberti, todos ellos excelentes. El de Joan Gadol está escrito para personas que no son matemáticos ni especialistas en el uso de la perspectiva o del criptoanálisis. Tiene un estilo hermoso y claro, por lo que he utilizado mucho su libro.

Grayson, Cecil. «ed Bari Laterza» 1973 «Opere Volgari, Vol Terzo: Trattati D'arte, Ludi Rerum Mathematicarum, Grammatica della Lingua Toscana, Opuscol, Amatori, Lettere».

Needham, Joseph, *Science and Civilisation in China*, 30 vols., Cambridge University Press, Cambridge, 1956.

Zinner, Ernst, *Regiomontanus: His Life and Work*, trad. de Ezra Brown, Elsevier, Leiden, 1990.

Capítulos 15 y 16

Paolo Galluzzi, *The Art of Invention: Leonardo and the Renaissance Engineers*, Giunti, Londres, 1996. Este libro se ha convertido en la biblia del equipo de trabajo de *1421*. El libro de Galluzzi está profusamente ilustrado, razón por la cual facilita mucho la comparación de las máquinas de Taccola y de Francesco y permite ver la evolución de Taccola a Leonardo, pasando por Francesco. Hemos estudiado minuciosamente los libros de Galluzzi para comparar después sus dibujos con los que aparecen en los libros chinos anteriores a 1430.

Clark, Kenneth, *Leonardo da Vinci*, ed. rev. introd. de Martin Kemp, Penguin Books, Londres, 1993.

Cianchi, Marco, *Leonardo's Machines*, Becocci Editore, Florencia, 1984. Se trata de un resumen muy claro y conciso realizado a partir de los documentos de la Biblioteca Leonardiana de Vinci.

«Sur les pas de Léonard de Vinci», Gonzague Saint Bris—Presses de la Renaissance. La familia de Gonzague Saint Bris fue propietaria del *château* de Clos-Lucé durante tres siglos.

Cooper, Margaret Rice, *The Inventions of Leonardo da Vinci*, Macmillan, Nueva York, 1965.

Deng Yinke, *Ancient Chinese Inventions*, China Intercontinental Press, Hong Kong, 2005.

Galdi G. P., *Leonardo's Helicopter and Archimedes' Screw: The Principle of Action and Reaction*, Accademia Leonardo da Vinci, Florencia, 1991.

Galluzzi, Paolo, *Leonardo, Engineer and Architect*, Montreal, 1987.

Hart, Ivor B., *The World of Leonardo da Vinci, Man of Science, Engineer and Dreamer of Flight*, Macdonald, Londres, 1961.

Heydenreich, Ludwig, Bern Dibner y Ladislao Reti, *Leonardo the Inventor*, Hutchinson, Londres, 1980.

«Parc Leonardo da Vinci—Château du Clos-Lucé—Amboise»—Beaux Arts (donde vivió Leonardo de 1516 a 1519, los tres últimos años de su vida).

Kemp, Martin, *Leonardo da Vinci: Experience, Experiment and Design*, V&A Publishing, Londres, 2006. Profusamente ilustrado y de fácil lectura.

Needham, Joseph, *Science and Civilisation in China*, 7 vols., Cambridge University Press, Cambridge, 1956-.

Pedretti, Carlo, y Augusto Marinoni, *Codex Atlanticus*, Giunti, Milán, 2000.

Pedretti, Carlo, «L'elicottero», en *Studi Vinciani*, Studi Vinciani, Ginebra, 1957.

Peers, Chris, *Warlords of China 700 BC to AD 1662*.

Reti, Ladislao, «Helicopters and Whirlgigs», *Raccolta Vinciana*, 20 (1964), pp. 331-338.

Rosheim, Mark Elling, *Leonardo's Lost Robots*, Springer, Heidelberg, 2006.

Saint Bris-Clos-Lucé, Jean, «Leonardo da Vinci's Fabulous Machines at Clos-Lucé in Amboise», *Beaux Arts*, 1995.

Taddei, Mario, y Edoardo Zanon, eds., *Leonardo's Machines: Da Vinci's Inventions Revealed*. Texto de Domenico Laurenza, David and Charles,

Cincinnati, 2006. Ofrece una serie de ilustraciones claramente ordenadas en las pp. 18-25.

Temple, Robert, *The Genius of China: 3,000 Years of Science, Discovery & Invention*, Prion, Londres, 1998.

Wray, William, *Leonardo da Vinci in His Own Words*, Gramercy Books, Nueva York, 2005.

Zollner, Frank, y Johannes Nathan, *Leonardo da Vinci*, Coloniae, 2003. Catálogo muy completo profusamente ilustrado.

Francesco di Giorgio Martini, *Trattato di architetura*. Presented in Biblioteca Comunale, Siena (primer borrador); Biblioteca Nazionale, Siena; Biblioteca Laurenziana, Florencia (ejemplar de Leonardo).

Capítulos 17 y 19

Gablehouse, Charles, *Helicopters and Autogiros*, J. B. Lippincott, Filadelfia, 1967.

Galluzzi, Paolo, *The Art of Invention: Leonardo and the Renaissance Engineers*, Gunti, Florencia, 1996.

Jackson, Robert, *The Dragonflies—The Story of Helicopters and Autogiros*, Arthur Barker, Londres, 1971.

Leonardo da Vinci, Codex B (21/3). Nell Istíto di Franck I. Manoscritti e I disegni di Leonardo da Vinci, vol. 5. Roma, y Reale Commissione Vinciana, 1941.

Needham, Joseph, *Science and Civilisation in China*, 7 vols. Cambridge University Press, 1956-. Vol IV, pt 2, pp 580-585.

Parsons, William Barclay, *Engineers and Engineering in the Renaissance*, The Williams and Wilkins Company, Baltimore, 1939.

Prager, Frank D., y Giustina Scaglia, *Mariano Taccola and His book De Ingeneis*, MIT Press, Cambridge, Mass., 1972.

Promis, Carlo, ed., *Vita di Francesco di Giorgio Martini*, Turín, 1841.

Reti, Ladislao, «Francesco di Giorgio Martini's Treatise on Engineering and Its Plagiarists», *Technology and Culture*, 4, n.º 3 (1963), pp. 287-293. John Hopkins University Press.

—, «Helicopters and Whirligigs», *Raccolta Vinciana*, 20 (1964), pp. 331-338.

Singer, Charles, *A History of Technology*, Oxford University Press, Oxford, 1954-1958, vol. 2.

Taccola, Mariano di Jacopo ditto, *De Ingeneis*, I y II (c. 1430-1433); III y IV, después de 1434.

—, *De Machinis* después de 1435 en la Biblioteca Nazionale Centrale, Florencia.

Wellers, Stuart, *Francesco di Giorgio Martini 1439-1501*, University of Chicago Press, Chicago, 1943, p. 340.

White, Lynn, Jr., «Invention of the Parachute», *Technology and Culture*, v. 9, n.º 3 (julio de 1968), pp. 462-467, University of Chicago Press.

—, *Medieval Technology and Social Change*, Oxford University Press, Oxford, 1962, p. 86-87.

Braudel, Fernand, *The Mediterranean in the time of Philip II*, trad. de Sian Reynolds, Fontana, Londres, 1966.

Hibbert, Christopher, *The House of Medici: Its Rise and Fall, 1420-1440*, Penguin Books, Londres, 1974.

Hobson, John, *The Eastern Origins of Western Civilization*, Cambridge University Press, Cambridge, 2006.

Molà, Luca, «The Silk Industry of Renaissance Venice», *American Historical Review*, 106, n.º 3 (junio de 2001). Se puede ver en JSTOR. Ofrece una buena descripción cronológica que he utilizado ampliamente.

Needham, Joseph, *Science and Civilisation in China*, 7 vols., Oxford University Press, Oxford, 1956-.

Reti, Ladislao, «Francesco di Giorgio Martini's Treatise on Engineering and Its Plagiarists», *Technology and Culture*, 4, n.º 3 (1963), pp. 287-293. John Hopkins University Press.

Shapiro, Sheldon, «The Origin of the Suction Pump», *Technology and Culture*, 5, n.º 4 (otoño de 1964), pp. 566-574. Se puede ver en JSTOR. John Hopkins University Press.

Temple, Robert, *The Genius of China: 3,000 Years of Science, Discovery & Invention*, Prion, Londres, 1998.

Thorley, John, «The Silk Trade Between China and the Roman Empire at Its Height Circa A.D 90-130», *Greece and Rome*, 2nd series, vol. 18, n.º 1 (abril de 1971), pp. 71-80. JSTOR.

Dixon, George Campbell, *Venice, Vicenza and Verona*, Nicholas Kaye, Londres, 1959.

Lonely Planet, *China. A Travel Survival Guide*, Lonely Planet, Sidney, 1988.

Needham, Joseph, *Science and Civilisation in China*, vol. 28, Oxford University Press, Oxford, 1956-.

Parsons, William Barclay, *Engineers and Engineering in the Renaissance*, ed. rev. introd. de Robert S. Woodbury, MIT Press, Cambridge, Mass., 1968.

Este es el libro de referencia generalmente aceptado. Es muy útil en todo lo que se refiere a los ingenieros del Renacimiento, pero no tiene en cuenta ninguna de las aportaciones procedentes de China. Parsons considera el Renacimiento casi como un acontecimiento religioso y a Leonardo como a un semidiós. No aborda la cuestión de cómo pudieron aparecer tantas máquinas nuevas al mismo tiempo en Italia, y de cómo es posible que diferentes artistas dibujaran máquinas completamente nuevas en diferentes partes de Italia al mismo tiempo, a saber, las norias de Taccola, Alberti, Fontana y Pisanello. No aborda tampoco el tema de los plagios de libros anteriores. Ofrece una explicación excelente del desarrollo de los canales en Lombardía.

Payne, Robert, *The Canal Builders*, Macmillan, Nueva York, 1959.

Temple, Robert, *The Genius of China: 3,000 Years of Science Discovery & Invention*, Prion, Londres, 1998.

Biringuccio, Vannoccio, *Pirotechnia*, trad. de Cyril S. Smith y Martha T. Gnudi, Nueva York, 1942. Se puede ver en un artículo de JSTOR.

Butters, Suzanne, *Triumph of Vulcan—Sculptors' Tools, Porphyry, and the Prince in Ducal Florence*, Leo S. Olschki, Florencia, 1996.

«Porphyry, and the Prince in Ducal Florence», *Sixteenth Century Journal*, 28, n.º 1 (primavera de 1997), pp. 286-287. Se puede ver en JSTOR.

Clagett, Marshall, *The Life and Works of Giovanni Fontana*, Princeton University Press, Princeton, 1976. Las principales obras de Fontana son:
Nova compositio horologii (relojes)
Horologium aqueum (reloj de agua)
Tractatus de pisce, cane e volvere (tratado sobre la medición de profundidades, longitudes y superficies)
Bellicorum instrumentorum liber cum figuris et fictitiis literis conscriptus (escrito en código; véase Alberti, *Compondendis cifris*)
Secretum de thesauro experimentorum y imaginationis hominum
Notes on Alhazen
Tractatus de trigono balistario (un manual extraordinariamente detallado para el cálculo de longitudes y distancias mediante la trigonometría; véase Alberti, *De arte pictoria* (c. 1440) y *De sphera solida* (c. 1440).
Liber de omnibus rebus naturalibus (el libro que analiza Lynn Thorndike en «Unidentified Work».)

Eichstadt, Konrad Kyser von, *Bellifortis* (fortificaciones bélicas), 1405. Describe los cohetes.

Foley, Vernard, y Werner Soedel, «Leonardo's Contributions to Theoretical Mechanics», *Scientific American* (1983), p. 255. Se puede ver en JSTOR.

Fontana, Giovanni di, *Liber bellicorum instrumentorum*, Bayerische Staatsbibliothek, Munich, c. 1420.

Goodrich, L. Carrington, y Fêng Chia-Shêng, «The Early Development of Firearms in China», *Isis* 36, n.° 2 (enero de 1946), pp. 114-123. Se puede ver en JSTOR. Nos ha resultado muy valioso en nuestro trabajo de investigación, y afirma concretamente los puntos siguientes:

- El *Wu Chung Tsung Yao*, compilado en 1044 por Tsêng Kung-Liang, trata de la fabricación de la pólvora y de las bombas, fundíbulos y granadas fabricadas con ella.
- Las flechas explosivas se utilizaban en 1126.
- Los morteros se utilizaban en 1268.
- Las bombas explosivas lanzadas con cañón se utilizaban hacia 1281.
- Un extenso epígrafe sobre las armas de Zhu Di menciona las minas de tierra («un nido de avispas»). Cada unidad de 100 hombres tenía 20 escudos, 30 arcos y 40 armas de fuego.
- A partir de 1380 la oficina de armas militares produjo 3.000 mosquetones Ch'ung de bronce y 90.000 balas.
- A partir de 1403 las armas explosivas se fabricaron con una mezcla de cobre seco refinado y sin refinar. Las mechas se utilizaban desde el siglo XIII.
- Los primeros cañones se remontan a 1356, 1357 y 1377.
- Los aparatos lanzallamas se utilizaron desde el año 1000, y las balas desde 1259.

Liu Chi, *Huo Lung Ching* (manual de artillería pesada), parte 1.

Needham, Joseph, vol. V, pt. 7. *Military Technology: The Gunpowder Epic*. Joseph Needham, con la colaboración de Ho Ping-Yu [Ho Peng-Yoke], Lu Gwei-djen y Wang Ling, 1987.

En referencia a Leonardo, la ballesta y la pólvora, véase el sulfuro de arsénico añadido a la pólvora, p. 51; fundíbulos (Leonardo y Taccola), p. 204; proyectiles, p. 205; mortero de «erupción», p. 266; fundíbulo, p. 281; Ribaudequin de siete cañones (véanse dibujos de Pisanello), p. 322; lanzacohetes, p. 487; ametralladora, p. 164; morteros, p. 165; escopetas, p. 580; coches aéreos, p. 571; misiles venenosos, p. 353; cohetes y misiles, p. 516; fusiles; p. 411; bloque de culata de los cañones, p. 429.

Schubert, H. R., *History of the British Iron and Steel Industry from 450 B.C. to A.D. 1775*, Routledge & Kegan Paul, Londres, 1957.

Spencer, John R., «Filarete's Description of a Fifteenth Century Italian Iron Smelter at Ferriere», *Technology and Culture*, 4, n.° 2 (primavera de 1963), pp. 201-206. Se puede ver en JSTOR.

Temple, Robert, *The Genius of China: 3,000 Years of Science, Discovery & Invention*, Prion, Londres, 1998.

Thorndike, Lynn, «An Unidentified Work by Giovanni di Fontana: *Liber de Omnibus Rebus*», *Isis* 15, n.° 1 (febrero de 1931), pp. 31-46. Se puede ver en JSTOR. Descripción de América en la p. 37; Australia, p. 38; océano Índico, p. 39; Niccolò da Conti, p. 40; la pólvora, p. 42.

A. Stuart Weller, *Francesco di Giorgio Martini 1439-1501*, University of Chicago Press, Chicago, 1943.

Wertime, Theodore A., «Asian Influences on Europe an Metallurgy», *Technology and Culture*, 5, n.° 3 (verano de 1964), pp. 391-397. Se puede ver en JSTOR.

—, *The Coming of the Age of Steel*, University of Chicago Press, Chicago, 1962.

White, Lynn Jr., «Tibet, India and Malaya as Sources of Western Medieval Technology», *American Historical Review*, 15, n.° 3 (abril de 1960), p. 520. Se puede ver en JSTOR.

Wu Chung Tsung Yao, dinastía Song, c. 1044.

Allmand, Christopher, *The New Cambridge Medieval History*, vol. 7, ed. de Christopher Allmand, Cambridge University Press, 1998.

Bouchet, Henri, *The Printed Book: Its History, Illustration and Adornment From the Days of Gutenberg to the Present Time*, trad. de Edward Bigmore, Scribner and Welford, Nueva York, 1887.

Carter, Thomas Francis, *The Invention of Printing in China and Its Spread Westward*, Columbia University Press, Nueva York, 1925.

Carmichael, Ann G., *Plague and the Poor in Renaissance Florence*, Cambridge University Press, Cambridge, 1986.

Deng Yinke, *Ancient Chinese Inventions*, China Intercontinental Press, Hong Kong, 2005.

Capítulo 20

Hessel, J. H. Haarlem, *The Birthplace of Printing*, Elliot Stock and Co., Londres, 1887.

Humphreys, H. N., *A History of the Art of Printing*, Bernard Quaritch, Londres, 1868.

McMurtrie, Douglas, *The Book: The Story of Printing and Bookmaking*, Oxford University Press, Oxford, 1948.

Moran James, *Printing Presses: History and Development from the Fifteenth Century to Modern Times*, Faber and Faber, Londres, 1973.

Ottley, William Young, *An Inquiry into the Invention of Printing*, Joseph Lilly, Londres, 1863.

—, *An Inquiry into the Origin and Early History of Engraving upon Copper and in Wood*, John and Arthur Arch, Londres, 1816.

Needham, Joseph, *Science and Civilisation in China*, Cambridge University Press, Cambridge, 1955, vol. 32.

Ruppel, A., *Gutenberg: Sein Leben and Sein Werk*, 2.ª ed., Mann, Berlín, 1947.

Singer, Samuel Weller, *Research into the History of Playing Cards*, Oxford University, 1816. Se puede leer todo el libro en google en el siguiente enlace: http://books.google.com/books?id=_WAOAAAAQAAJ-&printsec=titlepage.

The Haarlem Legend of the Invention of Printing by Coster, trad. de A Van der Linde, Blades, East and Blades, Londres, 1871.

Wu, K. T., «The Development of Printing in China», *T'ien Hsia Monthly*, 3 (1936).

Wu, K. T., y Wu Kuang-Ch'ing, «Ming Printing and Printers», *Harvard Journal of Asiatic Studies*, 7, n.º 3. (febrero de 1943), pp. 203-260. Se puede ver en JSTOR.

Capítulo 21

Antonio de Bilhao Pato, Raymondo, ed., *Cartas de Alfonso de Albuquerque seguides de documentos que as elucidam*, 7 vols., Lisboa, 1884-1955. Vol. 1, carta 10 de abril de 1512), pp. 29-65. Traducción de E. Manuel Stock.

Aslaksen, Helmer, y Ng Say Tiong, «Calendars, Interpolation, Gnomons and Armillary Spheres in the Work of Guo Shoujing (1231-1314)», artículo del Depto. de Matemáticas, Universidad de Singapur, 2000-2001.

Cortesão, Jaime, «The Pre-Columbian Discovery of America», *Geographical Journal*, 89, n.º 1, p. 39.

Davies, Arthur, «Behaim, Martellus and Columbus», *Royal Geographical Society Journal*, 143, pt. 3, pp. 451-459.

Gadol, Joan, *Leon Battista Alberti: Universal Man of the Early Renaissance*, University of Chicago Press, Chicago, 1969.

Johannessen, Carl, y Sorenson John, «Biology Verifi es Ancient Voyages» (inédito).

Sorenson John L. y Martin H. Raish, *Pre-Columbian contact with the Americans across the oceans, an annotated bibliography*, 2.ª ed., 2 vols., Research Press, Provo, Utah, 1996.

Profesor Liu Manchum.

Mui, Rosa, Paul Dong y Zhou Xin Yan, «Ancient Chinese Astronomer Gan De Discovered Jupiter's Satellites 2000 Years Earlier Than Galileo», artículo inédito enviado al autor por Rosa Mui el 22 de mayo de 2003.

Swerdlow, Noel M., «The Derivation and First Draft of Copernicus's Planetary Theory», *Proceedings of the American Philosophical Society*, 117, n.º 6 (31 de diciembre de 1973). Se puede ver en JSTOR.

Thompson, Gunnar, *The Friar's Map of Ancient America, 1360 AD*, Laura Lee Productions, Bellevue, WA, 1996.

Zinner, Ernst, *Regiomontanus: His Life and Work*, trad. de Ezra Brown, Elsevier, Leiden, 1990.

Capítulo 99

Fernández-Cobo, Marianna, y colaboradores, «Strains of JC Virus in Amerind-speakers of North America (Salish) and South America (Guarani), Na-Dene speakers of New Mexico (Navajo) and modern Japanese suggest links through an Ancestral Asian Population», *American Journal of Physical Anthropology*, 118 (2002), pp. 154-168.

Keddie, Grant, «Contributions to Human History», n.º 3, Royal British Columbia Museum, Vancouver, B.C. 1990.

Macedo, Justo Caceres, «Pre-Hispanic Cultures of Peru», Museo de Historia Natural del Perú, Lima, Perú, 1985.

Novick, Gabriel *et al.*, «Polymorphic-Alu Insertions and the Asian origin of Native American Populations», en *Human Biology*, vol. 70, n.º 1 (1988).

Rostoworski, Maria, *History of the Inca Realm*, Cambridge University Press, Cambridge, 1999.

AUTORIZACIONES

Agradezco a las siguientes personas el permiso para citar sus obras:

CAPÍTULO 1: Henry Tsai, «Perpetual Happiness: The Ming Emperor Yongle», Seattle: University of Washington Press, 2001; Edward L. Dreyer, «Zheng He: China and the oceans in the early Ming Dynasty, 1405-1433», en p. 6 y p. 144, Pearson Longman, 2006 (www.ablongman.com).

CAPÍTULO 2: Henry Tsai, *ibid.*; Edward L. Dreyer, *ibid.*; Tai Peng Wang; Joseph Needham, «Science and Civilisation in China», vol. 19, pp. 49-50 y 109-110 (vol. 19) y vol. 32 pp. 100-175, Cambridge University Press, 1954-; Profesor Anthony Reid, «South East Asia in the Age of Commerce 1450-1680», vol. 2, «Expansion and Crisis» en la p. 39, Yale University Press, 1993; Richard Hall «Empires of the Monsoon—A History of the Indian Ocean and its Invaders», Harper Collins, 1996.

CAPÍTULO 3. Thatcher E. Deane, «Instruments and Observations at the Imperial Astronomical Bureau during the Ming Dynasty», en pp. 126-140, Osiris 2.ª serie, vol. 9, 1994. JSTOR. (University of Chicago Press); Joseph Needham, *ibid.* (Trigonometría esférica), vol. 19, pp. 49-50 y 109-110, Cambridge University Press, 1954-; «Ancient Chinese Inventions» ed. Deng Yinke, China Intercontinental Press; Rosa Mui, Paul Dong, y Zhou Xin Yam, «Ancient Chinese Astronomer Gan De Discovered Jupiter's Satellites 2000 Years Earlier than Galileo»; Profesor Helmer Aslaksen y Ng Say Tiong, «Calendars, Interpolation, Gnomons and Armillary Spheres in the Work of Guo Shou Jing (1231-1314)», Departamento de Matemáticas, Universidad Nacional de Singapur.

CAPÍTULO 4: Profesor Robert Cribbs.

CAPÍTULO 5: Paul Lunde, «The Navigator Ahmad Ibn Majid»; Richard Hall «Empires of the Monsoon» en pp. 88, 128, *ibid.*; Ibn Battuta, «The Travels of Ibn Battuta», ad 1325-1354, pp. 773, 813, Trs. H.A.R. Gibb y C. F. Beckingham, 1994, Hakluyt Society, Londres, 1994. La Hakluyt Society se fundó en 1846 con el objetivo de publicar viajes y travesías excepcionales o inéditos. Hallará más información en su web en: www.hakluyt.com; Stanley Lane Pool, «A History of Egypt in the Middle Ages», 1894.

CAPÍTULO 6: C. A. Redmount, «The Wadi Tumilat and the Canal of the Pharaohs», *Journal of Near Eastern Studies*, 54, 1995. JSTOR, University of Chicago Press; Stanley Lane Pool, «A History of Egypt in the Middle Ages», *ibid.*; James Aldridge, «Cairo: Biography of a City», Macmillan, 1969, con autorización de Palgrave Macmillan; R. L. Hudson, «Chinese Porcelain from Fustat», *The Burlington Magazine for Connoisseurs*, vol. 61, n.º 354 (septiembre de 1932), JSTOR—The University of Chicago; Fernand Brandel, «A History of Civilisations», Trs. Richard Mayne, 1995, con autorización de Penguin Books Ltd.

CAPÍTULO 7: Fernand Brandel, «The Mediterranean in the Time of Philip II», con autorización de Penguin Books Ltd.; John Julius Norwich «A History of Venice», 1983, con autorización de Penguin Books Ltd.; Francis M. Rogers, «The travels of the Infante Dom Pedro of Portugal», pp. 46-49, 256-266, 325, Cambridge, Mass.: Harvard University Press, Copyright © 1961 by the President and Fellows of Harvard College; European Journal of Human Genetics (2006) 14 (478-487); «Tibet, India and Malaya as Sources of Western Medieval Technology», Lyn White Jr., *American Historical Review*, vol. 65, n.º 3 (1960) JSTOR; Iris Origo, «The Merchant of Prato: Daily Life in a medieval Italian city», 1992, con la autorización de Penguin Books Ltd.

CAPÍTULO 8: Leonard Olschilli, «Asiatic Exoticism in Italian Art of the Early Renaissance», *The Art Bulletin*, vol. 26, n.º 2 (junio de 1944) JSTOR; Timothy J. McGee «Dinner Music for the Florentine Signoria, 1350-1450», *Speculum*, vol. 14, n.º 1, Jan 1999, JSTOR; Mary Hollingsworth, «Patronage in Renaissance Italy», John Murray, 1994; James Beck, «Leon Battista Alberti and the "Night Sky" at San Lorenzo», *Artibus et Historiae*, vol. 10, n.º 19 (1989) JSTOR; Patricia Fortini Brown, «Laetentur Caeli: the Journal of Florence and the Astronomical Fresco in the old society», *Journal of the Warburg and Courtauld Institutes*, vol. 44, 1981, JSTOR.

CAPÍTULO 9: Ernst Zinner, «Regiomontanus: his life and work», Trs. E. Brown, *Isis*, vol. 83, n.° 4 (diciembre de 1992), pp. 650-652, Amsterdam.

CAPÍTULO 10: Marcel Destombes citado por el profesor Arthur Davies, *Royal Geographic Society Records*, vol. 143, p. 3; Ernst Zinner «Regiomontanus: his life and work», Trs. E. Brown, citado más arriba; «The Catholic Encyclopedia»; Yang Long Shan, «Zhuyn Zhou chui Lu»; Joan Gadol, «Leon Battista Alberti, Universal Man of the Early Renaissance», JSTOR, University of Chicago Press, 1969.

CAPÍTULO 13: E. Zinner, «Regiomontanus: his life and work», *ibid*.

CAPÍTULO 14: Joan Gadol, pp. 155, 159, *ibid*.

CAPÍTULO 15: Robert Temple, «The Genius of China: 3,000 Years of Science, Discovery and Invention», pp. 243, 259, Carlton Publishing Group, 20 Mortimer St., Londres W1T 3SW; Chris Peers, «Warlords of China 700 bc to ad 1662», 1998, Arms and Armour Press, sello de Cassell Group, Wellington House, 125 Strand, Londres; «Ancient Chinese Inventions», p. 112, China Intercontinental Press; Lynn White, Jr., «The Invention of the Parachute», *Technology and Culture* 9:3 (1963), pp. 462-467. © Society for the History of Technology. Reimpreso con la autorización de The John Hopkins University Press; Reti, Ladisloa, «Francesco di Giorgio Martini's Treatise on Engineering and Its Plagiarists», *Technology and Culture*, 4:3 (1963), p. 287. © Society for the History of Technology. Reimpreso con la autorización de The John Hopkins University Press; Frank D. Prager and Gustina Scaglia, «Mariano Taccola and his book de Ingeneis», MIT Press, 1972; Paolo Galluzzi, «The Art of Invention: Leonardo and the Renaissance Engineers».

CAPÍTULO 17: John Hobson, «The Eastern Origins of Western Civilisation», Cambridge University Press, 2004; Joseph Needham, «Science and Civilisation in China», vol. 28, p. 225, *ibid*.; Sheldon Shapiro, «The Origin of the Suction Pump», *Technology and Culture* 5 (1964), 571. © Society for the History of Technology. Reimpreso con la autorización de The John Hopkins University Press; Christopher Hibbert, «The Rise and Fall of the House of Medici», 1974, con la autorización de Penguin Books Ltd.

AUTORIZACIONES

CAPÍTULO 18: «The Genius of China: 3,000 Years of Science, Discovery and Invention», Robert Temple, *ibid*; Joseph Needham, «Science and Civilisation in China», *ibid.*; William Barclay Parsons, «Engineers and Engineering in the Renaissance», Baltimore, 1939.

CAPÍTULO 19: John R. Spencer, «Filarete's Description of a Fifteenth Century Italian Iron Smelter at Ferriere», *Technology and Culture* 4:2 (1963), pp. 201-206. © Society for the History of Technology, reimpreso con la autorización de The John Hopkins University Press; Lyn Thorndyke, «An Unidentified Work by Giovanni da' Fontana: Liber de omnibus rebus naturalibus», *Isis*, vol. 15, n.º 1, Tab. 1031 pp. 31-46, JSTOR; Wertime, Theodore A., «The Coming of Age of Steel», *Technology and Culture*, 5:3 (1962), pp. 391-397. © Society for the History of Technology, reimpreso con autorización de The John Hopkins University Press; Robert Temple, «The Genius of China: 3,000 Years of Science, Discovery and Invention», *ibid.*; Joseph Needham, *ibid.*; Allen Stuart Wellers, «Francesco di Giorgio Martini, 1439-1501», Chicago, 1943.

CAPÍTULO 20: «Ancient Chinese Inventions», *ibid.*; Joseph Needham, *ibid.*

CAPÍTULO 21: Dr. Gunnar Thompson; Ernst Zinner, *ibid.*; Noel M. Swerdlow, «The Derivation and First Draft of Copernicus's Planetary Theory: A Translation of the Commentariolus with Commentary», *Proceedings of the American Philosophical Society*, vol. 117, n.º 6, Symposium on Copernicus (31 de diciembre de 1973), pp. 423-512, JSTOR, University of Chicago Press; *New Encyclopaedia Britannica*, 15.ª ed., 1994, Encyclopaedia Britannica, Inc.

CRÉDITOS FOTOGRÁFICOS

Agradezco a las siguientes personas e instituciones su autorización para reproducir las hermosas ilustraciones del presente libro:

IMÁGENES EN BLANCO Y NEGRO INTERCALADAS EN EL TEXTO

Wendi Watson: Diagrama de la elipse alrededor del sol; diagrama de latitud; diagrama de longitud; diagrama de la posición de los barcos; diagrama del barco AB y del punto C; mansión lunar; diagrama del torquetum; diagrama del mapa celeste.

Colección General de Clásicos Chinos de Ciencia y Tecnología; El Nung Shu; Revista de historia de la ciencia y la tecnología chinas; El Libro del Dragón de Fuego: medición de la altura por parte de los chinos; cañón chino; imprenta de mesa giratoria china; escalera de asedio articulada china; rueda hidráulica horizontal china; noria de cangilones china con rueda de agua; cadena de transmisión china tirada por bueyes; molino chino tirado por caballos; ruda hidráulica vertical china; noria de cangilones; máquina china propulsada hidráulicamente; máquina de hilar y telar chinos; sistema de riego chino; rueda de riego; martinete chino; fuelle chino propulsado por agua; bombas de cañón y petardos chinos; cometa-dragón; fundíbulo chino; lanzaproyectiles chino; buque acorazado chino; escalera de asedio portátil china; escudo portátil chino; ballesta china; animales con lanzas; animales chinos portadores de fuego; fortaleza china.

Biblioteca Nacional de España, Madrid: de los códices de Madrid de Leonardo: los engranajes de ruedas dentadas, fol. 15v; las manivelas y cadenas de transmisión, fol. 35v; la ballesta, fol. 51r;

Biblioteca Ambrosiana, Milán: del Codex Atlanticus de Leonardo: el barco de ruedas de paletas, fol. 954r; el paracaídas, fol. 1058v; el cañón, fol. 154v; la imprenta, fol. 358 r-b; la ametralladora, fol. 56v.

407

Bayerische Staatsbibliothek, Munich: los fuelles impulsados por agua de Taccola. Codex Latinus Monacensis 197 pt. II, fol. 43v; el lanzaproyectiles de Taccola. Codex Latinus Monacensis 197 pt. II, fol. 75v; el caballo con lanzas de Taccola. Codex Latinus Monacensis 28800, fol. 67v; los perros portadores de fuego de Taccola. Codex Latinus Monacensis 197 pt. II, fol. 67r.

Biblioteca Comunale, Siena: Bombas y petardos italianos. Ms. D. IV, fol. 48v; buque acorazado italiano. Ms. S. IV, fol. 49r.

Biblioteque Nationale de France, París: Molino propulsado por caballos. Manuscrito Lat. 7239, fol. 50r; dibujos del mongol de Pisanello; el Canis Major celeste de Alberti; el rostro del mongol de Pisanello.

Biblioteca Apostólica Vaticano: Paracaídas anónimo sienés. Ms. Additional, fol. 200v; rueda horizontal de Di Giorgio propulsada por agua. Ms. Latimus Urbinate 1757, fol. 138r.

Biblioteca Medicea Laurenziana, Florencia: Medición de alturas por parte de Di Giorgio. Ms. Ashburnham361, fol. 29r; noria de cangilones de Di Giorgio. Ms. Ashburnham 361, fol. 35r.

Biblioteca Nazionale Centrale, Florencia: Noria de cangilones de Taccola. Manuscritto Palatino 767, p. 11; noria de cangilones tirada por bueyes deTaccola. Manuscritto Palatino 766, p. 19; rueda de agua vertical de Taccola. Ms. Palantino 767, p. 65; escalera de asedio móvil de Di Giorgio. Ms. II.I.141, fol. 201r; escudos móviles de Di Giorgio. Ms. Palatino 767, p. 143.

British Museum, Londres: Ingeniero sienes anónimo, hombre volando. Ms. Additional 34113, fol. 189v; fundíbulo de Di Giorgio. Ms. 197, b. 21, fol. 3v.

Cambridge University Press: engranajes chinos de ruedas dentadas. Needham vol. 4, pt. 2, sect. 27, p. 85; manubrios, cadena de transmisión china. Needham, vol. 4, pt. 2, sec. 27, p. 102; barco de rueda de paletas chino. Needham, p. 431; automóvil a vela chino. Needham p. 572.

IMÁGENES DE LOS ENCARTES EN COLOR

Encarte en color 1, p. 1: Zheng He en Malaca, 2007, © Ian Hudson.

Encarte en color 1, pp. 2-3: Mapa de Liu Gang 1418-1763, 2007, © Liu Gang.

Encarte en color 1, p. 4: Palacio de Verano, Beijing, figura de bronce sobre mármol. © Biblioteca del Congreso, Washington, D.C.; Palacio de Verano, Beijing, 1902. © Biblioteca del Congreso, Washington, D.C.

Encarte en color 1, p. 5: La Ciudad Prohibida, Beijing, 2007. © Ian Hudson; Porcelana azul y blanca. © Percival David Foundation.

Encarte en color 1, p. 6: La Gran Muralla china en Simatai, 2007. © Ian Hudson.

Encarte en color 1, p. 7: Junco chino, 1906. © Biblioteca del Congreso, Washington, D.C.; Camellos al anocheceer, 2007. © Ian Hudson.

Encarte en color 1, p. 8: Mar Rojo, 2007. © Ian Hudson; El Cairo / Litografía del Nilo. © Biblioteca del Congreso, Washington, D.C.

Encarte en color 2, p. 1: Vista panorámica de Venecia, 1900. © Biblioteca del Congreso, Washington, D.C.

Encarte en color 2, pp. 2-3: Mapa del palacio del Dux. © Museo del Palacio del Dux, Venecia.

Encarte en color 2, p. 4: Esferas de Schöner de 1515 y 1520; Estrecho de Magallanes.

Encarte en color 2, p. 5: © Gavin Menzies, mapa de Waldseemüller, nuevas latitudes y longitudes de América; Mapa que muestra la proyección de Waldseemüller en una esfera, corregido por Gavin Menzies.

Encarte en color 2, pp. 6-7: El mapa de Waldseemüller de 1507 junto a la «Esfera Verde» Waldsemüller de 1506. © Biblioteca Nacional de Francia, París.

Encarte en color 2, p. 8: Mapa con la proyección del CGA5a en el de Waldseemüller. © Biblioteca Estense, Modena.

Encarte en color 3, p. 1: Papa Pío II, Pinturicchio.

Encarte en color 3, pp. 2-3: Florencia; Autorretrato de Leonardo da Vinci.

Encarte en color 3, pp. 4-5: Diagrama cronológico del Renacimiento. Wendi Watson y © Gavin Menzies.

Encarte en color 3, p. 6: Tabla de efemérides de 1408. © Pepysian Library, Magdalen College; Postal de Needham. © Pepysian Library, Magdalen College.

Encarte en color 3, p. 7: Tabla de efemérides de Regiomontano. © Biblioteca Británica; Esfera armilar del Observatorio de Beijing. © Gunnar Thompson.

Encarte en color 3, p. 8: Submarino emergiendo. © Gavin Menzies; Medallón del doctor S. L. Lee. © Dr. S. L. Lee.

ÍNDICE ALFABÉTICO

Los números de página en cursiva indican ilustraciones.

ESTE LIBRO HA SIDO IMPRESO
EN LOS TALLERES DE
LIMPERGRAF. MOGODA, 29
BARBERÀ DEL VALLÈS (BARCELONA)